CHEVALERIE
DU SOIR

DU MÊME AUTEUR

AUX MÊMES ÉDITIONS

La Maison des prophètes
roman, 1984
coll. « Points Roman », 1986
Prix Méditerranée 1985
Prix Maurice-Genevoix 1985

Dieu est-il gentilhomme ?
roman, 1986

AUX ÉDITIONS DENOËL

Le Maître des fontaines
1978

Terres de vent, Terres de songe
1979

Mourir un jour de fête
1981

NICOLAS SAUDRAY

CHEVALERIE DU SOIR

roman

ÉDITIONS DU SEUIL
*27, rue Jacob, Paris VIe*

ISBN 2-02-009600-5.

Ce roman vient après Dieu est-il gentilhomme ? *Mais on pourra le lire de manière indépendante.*

Fidèle à mon dessein, j'ai tiré mes personnages des archives et des chroniques. A Malte comme ailleurs, hélas, les petites gens passent sans guère laisser de traces. Aussi m'a-t-il fallu créer la famille Buhagiar-Carbott, d'ailleurs semblable à bien d'autres. J'ai aussi sur la conscience la brève apparition et la mort de l'esclave Sabaheddine. Je suis innocent de tout le reste.

N. S.

Malte, dédale de remparts, colimaçon d'enceintes successives. Et tombeau de tant de jeunesses consumées dans l'attente.
A Malte, on respirait plus haut qu'ailleurs. On se donnait des chefs élus. On avait la capitale la mieux bâtie d'Europe, et le meilleur hôpital, où nos seigneurs les pauvres étaient servis dans de la vaisselle précieuse. Les mêmes nations qui sur le continent se faisaient la guerre, à Malte vivaient généralement en bonne intelligence.
A Malte, chaque chose avait une qualité particulière.
Mais l'histoire, on ne savait pourquoi, avait oublié Malte. Le destin de la chrétienté ne se jouait plus sous ses murs. Sitôt accompli le séjour réglementaire, les chevaliers qui en avaient les moyens se hâtaient de quitter ce château de la belle au bois dormant. D'autres, moins favorisés, ou retenus par une obscure fascination, restaient à errer le long de ses chemins de ronde et de ses parapets. Au son d'une musique de cour, le haut vaisseau de pierre glissait lentement hors du temps, mené par un équipage de morts-vivants.

o

A la dernière escale, un singulier personnage est monté à bord. Longiligne, les joues creuses et le teint mat, rehaussant des yeux très bleus. Antoine n'a jamais rien vu de tel.

Vêtu avec une élégance fatiguée, le nouveau passager déambule sur le pont. Il est toujours escorté d'un domestique, et ne dit mot. Antoine, lui, n'a point de domestique. A peine a-t-il un bagage.

Les regards se croisent, se devinent. Oui, deux confrères, porteurs de la même différence, du même signe caché — au milieu de ce petit peuple méditerranéen qui jacasse ou arrime des colis. Mais par une timidité réciproque, on attend le dernier jour pour lier connaissance :

« Alors monsieur, dit le curieux voyageur, vous venez dans notre île faire vos caravanes ?

— Certes, monsieur. Et vous savez déjà que je viens de France !

— Cela se voit suffisamment. »

Un léger accent teinte ces mots. L'étranger prolonge un moment l'incertitude, se présente :

« Chevalier de Raczynski, pour vous servir.

— Vous êtes donc russe ?

— Tout le contraire. Je suis polonais. »

Le regard bleu s'est voilé de mélancolie.

« Et monsieur votre valet ?

— Monsieur mon valet est polonais comme son maître. Il ne parle, hélas, aucune langue civilisée. »

Le domestique s'incline, la main sur le cœur.

« Eh bien, dit Antoine, Malte est une île encore plus merveilleuse que je ne croyais. Je pensais bien y trouver des Espagnols, des Italiens, des Allemands. Mais des Polonais ! »

Il se rattrape comme il peut.

« Vous me paraissez bien jeune, réplique l'autre, un rien moqueur.

— J'ai dix-sept ans », dit Antoine.

D'habitude, on lui en donne quatorze, à son désespoir. Sans cet air de gamin, il n'aurait d'ailleurs jamais pu sortir de France. En ce printemps de 1792, tout ce qui paraît noble et en âge de porter l'épée est suspect de vouloir rallier l'armée des émigrés. Comme les petites sœurs pleuraient, au départ de la diligence ! Antoine a traversé tout le Midi déguisé en apprenti. Une fois rendu à Gênes, rejoindre Malte n'était plus qu'un jeu.

« Que se passe-t-il donc au royaume de France ? demande l'étranger d'une voix plus grave.

— Les biens de l'Ordre ont été mis sous séquestre, répond Antoine, tout fier d'être au courant. Mais on ne les a pas encore vendus. Nos avocats luttent pied à pied.

— En tout cas, Malte ne reçoit plus un sou de votre pays. Et pourtant, les chevaliers français prennent trois repas par jour, comme les autres.

— Va-t-on nous renvoyer ? s'inquiète Antoine.

— Plutôt périr de faim tous ensemble ! » dit le chevalier de Raczynski en éclatant de rire.

Ainsi mis en confiance, le garçon se raconte. Il est le quatrième de onze enfants, dont huit encore vivants. Dans sa famille, l'on n'allait point à la Cour, et l'on vivait sur un pied modeste à la campagne. Lui-même a grandi dans les bois et les guérets du Sarladais, comme n'importe quel petit rustre — à ceci près que la maisonnée s'amusait à l'appeler *not'chevalier*.

« A la mort de mon frère aîné, ma famille a voulu me reprendre à l'Ordre. J'étais déjà inscrit. J'ai résisté.

— Bravo, dit M. de Raczynski. Il nous faut des jeunes gens qui y croient. »

Les parents d'Antoine avaient d'ailleurs un autre fils, capable de transmettre le précieux nom. Ils ont fini par donner leur accord. Alors est survenu un nouvel obstacle, le décret de l'Assemblée ôtant la citoyenneté française à tout membre d'un Ordre fondé sur des distinctions de naissance.

« La citoyenneté ? s'étonne le chevalier de Raczynski. Qu'est-ce à dire ? »

Voilà donc Antoine devenu un hors-la-loi. Et il n'ose révéler la suite à son nouvel ami : la bande de croquants surgie du fond du bois, avec fourches et gourdins ; le feu de joie allumé devant le château. La famille s'est réfugiée à Bordeaux, dans une haute maison, rue du Loup, entre le commerce du rez-de-chaussée et l'artisan du second étage. Malgré ses seize ans, Antoine a été mis au collège, où son ignorance a épouvanté les régents. Vite, meublez-moi cette jeune tête, pour que son possesseur ne fasse pas trop mauvaise figure à Malte.

« Quelqu'un vous attend au débarcadère ? s'enquiert l'obligeant Polonais.

— Personne. Ni frère, ni cousin. »

L'Ordre a ses familles attitrées, qui l'alimentent à chaque génération. Celle d'Antoine, bien que d'ancienne noblesse, est nouvelle dans ce rôle. Il faut un début à tout.

« Si cela peut vous consoler, dit Raczynski en s'appuyant au bastingage, je me trouve dans le même cas. Les Polonais viennent de reprendre leur place dans notre confrérie, après une éclipse de quelques siècles. Dieu veuille qu'ils y restent. »

Un chagrin secret rôde au fond de sa gorge. A moins que ce ne soit l'intonation des steppes.

« Et maintenant, poursuit-il, voici la guerre en Europe. Est-ce le salut ? Ou l'abîme ? »

Au diable l'Europe ! Antoine est tout entier tourné vers Malte. Il répète ce que lui en a dit un vieux commandeur * : les chevaliers combattent en cuirasse et s'appellent « frère ». Récit qui fait sourire l'auditeur. Avec lui, en tout cas, l'on continue de se donner du monsieur.

La ligne de côte grossit peu à peu. Un hérissement de bastions, de coupoles et de clochers, sous un ciel sans tache. Malte avance un gros museau de pierre, surmonté d'un fanal. La passe donne accès à un port en forme de main, dont les doigts écartés s'enfoncent dans l'intérieur de l'île.

« A tribord, vous apercevez le château Saint-Elme, ouvrage imprenable. Pour le cas où vous ne le sauriez pas, saint Elme est le patron des marins. A bâbord, nous avons déjà dépassé le fort Ricasoli, qui abrite entre autres un orphelinat de garçons. Et voici le fort Saint-Ange, troisième ouvrage imprenable, dont les batteries à fleur d'eau couleraient en peu de temps tout navire animé de mauvaises intentions.

Les gabelous du grand maître inspectent le havresac du novice. Quelques vêtements froissés. Un paroissien déjà usé, dédicacé par une marraine : « *A Antoine, pour l'aider à se conduire dans la vie.* » Comme contrepoids, une *Nouvelle Héloïse* empruntée en douce à la bibliothèque familiale, et à laquelle le garçon n'a compris goutte. Dieu, que ces gens sont bêtes, avec leurs soupirs !

Raczynski se penche, déchiffre le titre sur la reliure : « Déjà amoureux, monsieur ? »

Les autres passagers sont entrés en ville par la voie la plus courte, la porte de la Marine. Le chevalier polonais ne l'entend pas de cette oreille. Une première arrivée à La Valette, cela demande un peu plus de cérémonie ! Il hèle une gondole qui le

* Des notes et une carte figurent à la fin du volume.

conduit avec Antoine au fond du port, puis loue les services d'un ânier ; mais son jeune compagnon, par un scrupule stupide, conserve son sac aux épaules.

« Nous feignons d'arriver de la campagne, dit M. de Raczynski. Saluez la porte des Bombes.

— Bombardée par les Turcs ?

— Monsieur, au risque de vous décevoir, la plupart de nos fortifications n'ont été attaquées par personne.

— Dieu veuille que je sois appelé à leur défense », réplique Antoine en relevant la tête.

Une seconde porte ouvre sur le faubourg de la Floriane, où une haute église en construction domine des jardins bourgeois. Quelques chevaliers d'âge mûr s'exercent mollement sur un mail.

« Les jeunes gens sont en mer, explique le cicerone. Mais vous verrez, au retour ! Certains de vos camarades passent ici le plus clair de leurs journées.

— On ne les punit pas ?

— Certes non. Un jour ou l'autre, Malte aura besoin de muscles. »

Un glacis précède un nouveau rempart, plus élevé, plus puissant encore. On n'a pas le droit de construire, ni de planter des arbres, qui gêneraient l'artillerie. Des moulins à vent tournent sur tous les bastions. Un pont mobile franchit un grand fossé sec.

« La porte Royale, annonce M. de Raczynski. Il faut trois portes pour pénétrer dans La Valette, comme il faut trois vœux pour pénétrer dans l'Ordre. »

Pourquoi Royale ? Sans doute parce que le grand maître vaut bien un roi. Et le guide ajoute malicieusement :

« Bien que située en Afrique, Malte est la plus forte place d'Europe. »

Pieds nus, des paysans approchent avec des volailles et des fruits. Avant d'entrer en ville, ils chaussent leurs souliers. Des dames passent dans des calèches à deux roues, que leurs cochers conduisent en courant à côté. L'âne s'engage entre deux masses défensives, le cavalier Saint-Jean et le cavalier Saint-Jacques.

« Auriez-vous la bonté, demande Antoine, de m'indiquer l'Auberge de Provence ? Ne serait-ce pas celle-ci ? »

Un splendide palais dans le style rocaille, dont les volets verts s'enlèvent sur l'ocre de la façade.

« C'est l'Auberge de Castille, que nous devons à la générosité du grand maître Pinto.

— Je suppose que les Auberges françaises sont encore plus belles », dit le garçon.

Le vieux commandeur périgourdin l'a dûment instruit de la supériorité des Français à Malte.

« Belles, si l'on veut, mais dans le genre austère. Elles datent d'une époque où l'on ne voulait point paraître. »

Toutes les rues se coupent à angle droit. Plutôt que de biaiser, d'épouser le relief, elles dévalent la pente, plongent en escalier, quitte à se redresser vivement un peu plus loin. On n'a voulu faire aucune concession à la nature ; ce ne serait pas digne d'un ordre de chevalerie.

Assez hautes, les maisons particulières alignent leurs loggias fraîchement repeintes, vertes, jaunes ou grises. Pour qui vient d'Italie, la propreté surprend.

« Malte est aussi propre que la Hollande, commente le guide.

— Où est l'Auberge de Hollande ? demande aussitôt Antoine.

— Les huguenots ne tiennent point d'Auberges en cette île. Cela fait belle lurette qu'ils nous ont quittés.

— Et vous-même, où vous rendez-vous ? A l'Auberge de Pologne, je suppose.

— Il n'y a pas non plus d'Auberge de Pologne. Encore heureux qu'il y ait une Pologne tout court. »

Sur quoi M. de Raczynski s'en va de son côté, mélancolique et solitaire. En somme, on ne sait rien de lui. Il a fait parler Antoine, sans se découvrir lui-même. Peut-être le grand maître aposte-t-il des espions sur tous les bateaux destinés à Malte, pour lui faire rapport sur les novices qu'ils amènent.

Reprenant sa respiration, Antoine pénètre dans le vestibule à peintures. On va le loger à l'Auberge de Provence, parce que la Langue du même nom englobe le grand prieuré de Toulouse, qui lui-même inclut son petit Périgord natal. Un jeune camarade fixe le nouvel arrivant d'un air blasé. Il porte un bras en écharpe, et trompe son ennui au moyen d'un bilboquet.

« Tiens, encore un bleu. Comment t'appelles-tu ?

— Antoine de Saint-Exupéry.

— C'est un peu long, mon cher. Ici, ne t'en déplaise, on t'appellera Saint-Ex. »

La tête bourdonnante, le ci-devant commandeur Déodat de Dolomieu quitta la salle du Manège. Ses amis avaient parlé — bien parlé. L'Assemblée législative avait voté. Cahin-caha, mais avec magnificence, la Révolution poursuivait sa route.

Depuis son retour en France, M. de Dolomieu vivait dans l'enthousiasme. Quel contraste avec Malte ! Là-bas, la routine et les règles d'ancienneté. Ici, le grand vent de l'histoire.

Il passa au club des Feuillants. Malheureusement, les clubs raisonnables ne se réunissaient plus. Ces braillards de jacobins étouffaient les autres voix.

Le ciel restait beau, mais on sentait la guerre dans l'air. Paris devenait soupçonneux. Paris devenait irritable. Sans déplaisir, le citoyen Dolomieu avait vu partir les aristocrates. A présent, les modérés commençaient à lâcher pied eux aussi. Un camarade de Malte tenait le portefeuille de la Guerre. Pour combien de temps encore ?

Au Palais-Royal, le ci-devant commandeur écouta les orateurs de plein air, dévisagea de jolies femmes peu farouches. Puis revint vers les Tuileries, où des Suisses protégeaient la baderne royale. Une baderne indispensable, hélas. Libéral, démocrate, révolutionnaire, le citoyen Dolomieu l'était tant qu'on voudrait. Mais à condition de rester en monarchie, vertubleu !

La Seine passée, il allongea son pas élastique. Sa qualité d'homme de science lui avait valu un appartement au Jardin du Roi[1]. Par hauteur d'âme, il y logeait avec lui un autre défroqué de Malte, le bon Des Mazis, qui l'avait assisté autrefois dans ses recherches sur le salpêtre.

A l'approche de son quarante-deuxième anniversaire, Dolomieu se sentait au mieux de ses moyens. L'Europe avait reconnu ses talents. Il avait exploré une bonne part de ce continent. Ses amis les savants de Genève avaient donné son nom à une roche

1. Futur Jardin des Plantes.

par lui découverte, la dolomie, et aux montagnes qu'il avait été le premier à inventorier, les Dolomites. Malheureusement, toute cette gloire ne se mangeait pas. Les fermiers de la commanderie n'envoyaient plus un liard depuis trois ans, et la famille se trouvait hors d'état d'aider.

« Il faut bien faire quelques sacrifices aux idées nouvelles », se disait le grand Déodat, pour entretenir sa bonne humeur.

Un pensum inachevé l'attendait au logis : sa défense de l'Ordre de Malte, menacé de la vente de ses biens français. Les anciens camarades l'avaient appelé à la rescousse :

« Voyons, Dolomieu, toi qui jouis d'une réputation patriotique...

— Toi qui as l'habitude de plaider... »

Allusion à tout un passé de chicane, encore frais. Pendant des années, les procès de M. de Dolomieu avaient causé du scandale. Il avait livré de belles batailles, notamment à un gnome abject, mesquin, tortueux, melliflu, atrabilaire, mégalomane et de surcroît bossu, nommé Abel de Loras... Le savoir-faire acquis dans cette lutte allait maintenant servir la cause commune.

Avec un soupir, l'ancien commandeur ouvrit ses tiroirs et contempla les échantillons. C'est toujours là qu'il allait chercher l'inspiration — comme ce géant qui touchait la terre sa mère pour retrouver des forces. Ah, ces schorls blancs ou violets, ces grenats de Frascati, cet antimoine d'Auvergne !

« Les plus beaux sont restés à La Valette », se lamenta le brave Des Mazis.

On allait donc sauver l'Ordre de Saint-Jean, qui ne le méritait guère. Fallait-il, pour la énième fois, célébrer ses exploits contre les Turcs ? Devenu l'homme malade de l'Europe, le Turc n'effrayait plus personne. Alors, le Barbaresque, autre épouvantail ? Oui, parlons des Barbaresques, toujours aux aguets, prêts à piller, à rançonner — et qui saisiraient bientôt tous les navires passant d'une Méditerranée à l'autre, si la flotte de Malte cessait de les tenir en respect.

L'hôpital de Malte n'était pas moins digne d'éloge. On y soignait gratis, non seulement les indigents du cru, mais aussi ceux de la Sicile, de la Calabre. Ils bénéficiaient des dernières conquêtes de la science. Interdite ou mal vue presque partout, la dissection des cadavres se pratiquait depuis longtemps dans cette petite île — sans excepter les corps des chevaliers eux-mêmes. De leur vivant d'ailleurs, ceux-ci se tenaient à tour de rôle au chevet des malades, les novices comme les baillis, en dépit de leurs quartiers de noblesse.

Ah, ces maudits quartiers ! C'est eux qui attiraient la haine. Au fond de lui-même, Dolomieu leur conservait une certaine tendresse. Mais comment les justifier ? Une ancienne recrue du régiment de Malte, une canaille excitée par la Révolution, avait publié à Paris un long pamphlet sur la morgue des chevaliers.

Les distinctions de naissance, répliqua l'ancien commandeur, *sont loin d'occuper dans l'Ordre l'importance qu'on leur prête. Ainsi, les servants d'armes, qui ne sont astreints à aucune preuve de noblesse, ont accès à de nombreux emplois.* Et il omit de dire qu'on ne recrutait presque plus de servants.

Il cita les chevaliers suisses, eux aussi exempts de preuves. Sans dire que les chevaliers allemands refusaient de les fréquenter.

Il cita les roturiers que les grands maîtres avaient faits chevaliers — quelques noms, toujours les mêmes — sans signaler que la dernière nomination avait causé un charivari et un procès, auxquels il avait lui-même participé. Ah, ces procès de l'Ordre de Malte, fertiles en incidents, en faux-fuyants, en retournements, assez riches pour occuper des vies entières ! En vérité, Dolomieu les avait aimés. A présent, ils lui manquaient.

Le bon Des Mazis lisait à haute voix chaque page terminée, pour s'assurer qu'elle rendait le son juste. Sauver l'insauvable... Peut-être y parviendrait-on avec l'argument russe. Depuis longtemps, la Russie faisait les yeux doux aux chevaliers. Elle avait besoin du port de Malte pour réaliser ses ambitions en Méditerranée. Seule la pression de Versailles l'en avait empêchée. Refuser à l'Ordre l'indemnité qu'il demandait, c'était le précipiter dans les bras de la Grande Catherine.

Naguère, griffonnait Dolomieu, *l'impératrice promettait aux chevaliers l'île de Rhodes. Cette fois, ce sera Chypre, ou le mont Liban, ou la garde de Jérusalem. Déjà, à La Valette, un parti russe puissant s'apprête à accueillir ces offres. Le scripteur de ces lignes sait ce dont il parle. N'a-t-il pas été mis au ban de sa confrérie, pour avoir dénoncé les visées de Pétersbourg ?*

A force de répéter cette version simplifiée des faits, il finissait par y croire lui-même.

A force de remuer les souvenirs de Malte, il en éprouvait la nostalgie. Ses camarades restés là-bas l'entretenaient d'ailleurs dans ce sentiment, par des envois d'oranges. En retour, Dolomieu les accablait de recommandations au sujet de son jeune frère Casimir, qui accomplissait son noviciat. Ah, Casimir ! Un amant de la dame de pique. Surveillez-le de près. Enfermez mes livres et mes bibelots, de crainte qu'il ne les vende à des brocanteurs.

« On m'écrit que le bailli de Lyon se trouve au plus mal », intervint Des Mazis.

C'était le titulaire d'une des plus jolies prébendes de l'Ordre. Son décès allait permettre de l'attribuer à un autre, et de libérer, en cascade, la place de chef de la Langue d'Auvergne, à La Valette.

Douteuse aubaine : le chef de la Langue d'Auvergne devait entretenir l'Auberge de ses propres deniers — deniers qui n'existaient plus. En contrepartie, il portait le ronflant titre de maréchal, et commandait en théorie toutes les forces militaires de l'île.

« Pourquoi pas moi ? dit soudain Dolomieu.

— Tu es beaucoup trop démocrate, répondit Des Mazis.

— D'autres démocrates ont fait pis. »

Le dénommé Alexandre de Lameth, par exemple, avait tenté d'obtenir le généralat des galères de Malte, par l'entremise de la reine Marie-Antoinette. Cela ne l'empêchait point de jouer les ténors au club des Jacobins.

« Avec quoi feras-tu bouillir la marmite ? objecta encore Des Mazis.

— L'Ordre sera bien contraint de venir en aide à son maréchal », dit Dolomieu.

L'idée de rentrer à Malte en fanfare lui chatouillait agréablement l'esprit. D'autres chevaliers étaient plus anciens que lui, mais n'oseraient point se porter candidats, par ces temps d'infortune. Un coup de maître !

« J'écris à Malte, dit Dolomieu. Je brigue le maréchalat.

— Tu ne seras jamais qu'un enfant », dit Des Mazis en caressant le chat du logis.

Durant tout l'été, Antoine traîne son mal de vivre dans des rues torrides, où personne n'ose se montrer. Il se réjouissait de quitter une France en désordre ; à présent, il se ronge de ne point savoir ce qui s'y passe.

Selon l'opinion dominante à Malte, cette chose étrange appelée Révolution va s'effondrer. Que peut-elle contre l'armée du Grand Frédéric, unie à celle des Habsbourg ? D'ailleurs la plupart des officiers français ont émigré, d'où désorganisation de leurs troupes. Avant peu, je vous le jure, nous pourrons sabler le champagne dans la galerie des glaces de Versailles.

En attendant, les tricolores ont l'imprudence de faire relâcher leurs navires marchands à Malte. Celui-ci par exemple, qui va porter à Constantinople pour trois cent mille francs de soieries. « Saisissez-le, s'écrient les extrémistes. Cela compensera les fermages qu'on nous doit. »

Le grand maître ne bouge pas. Il ménage l'avenir.

Les officiers de ces mêmes bateaux paraissent parfois à la barrière de santé, les trois couleurs à leur tricorne. Des chevaliers italiens ou allemands les apostrophent dans leur langue : « Fini le carnaval ! Allez vous rhabiller, les bleu-blanc-rouge ! »

Les marins répondent par des insultes. Antoine hausse les épaules.

Autres navires, incrustés dans le port depuis des années pour le plus grand profit des fournisseurs : ceux de Venise. Ils étaient censés faire la guerre au bey de Tunis, afin de venger des méfaits dont personne ne se souvenait plus. Mais tout a un terme, même les luttes inexpiables. Les négociateurs se sont mis d'accord. Un par un, les vaisseaux de la Sérénissime appareillent, saluent au canon le château Saint-Elme, doublent le môle. Ils sont bien vieux, bien fatigués par cette longue épreuve africaine. Après-demain, ils aborderont à Corfou, à Céphalonie... Encore des îles de rêve, où une Venise désabusée n'en finit plus de tenir tête à un Grand Turc retombé en enfance.

Ce départ a laissé à M. de Saint-Exupéry une certaine tristesse. Ira-t-il se distraire dans les tripots ? On en trouve pour tous les goûts, le long des rues basses. Institution inévitable, en une ville de matelots et de célibataires. Mais ces lieux ne lui inspirent aucun désir. Et il doit économiser son petit boursicot.

Un jour, fier d'exhiber son uniforme de caravaniste tout neuf — habit rouge à parements jaunes, culotte blanche — il pousse à pied jusqu'au petit port de Saint-Julien, en suivant les festons de la côte. Le village est dominé par un palais qu'un bailli fit bâtir pour son plaisir. Des pêcheurs débarquent leurs rougets et leurs calmars. Ils saluent le jeune chevalier, sans lui adresser la parole. Que répondrait-il, d'ailleurs ? Les chevaliers sont une caste, régnant avec une bienveillance réelle mais lointaine sur un peuple de va-nu-pieds.

Quand les mollets lui font mal, Antoine rentre à l'Auberge de Provence. C'est pour tomber dans les griffes du bailli de Rességuier, redoutable vieillard, qui lui lit sa dernière épigramme latine. M. de Rességuier est l'un de ces preux qui sacrifient aisément leur carrière à un bon mot. Il a chansonné la Pompadour, laquelle l'a fait enfermer au château d'If. Bel exemple pour les jeunes générations.

En compagnie de deux novices navarrais, le jeune Saint-Exupéry est présenté au grand maître, Emmanuel de Rohan. On l'a prévenu : « Vous verrez un homme diminué. » L'an passé, apprenant l'arrestation du roi Louis XVI à Varennes, Son Altesse a été foudroyée par une attaque. Elle a survécu, mais sans recouvrer tous ses moyens.

« Un souverain si malade ne serait-il pas bien avisé d'abdiquer ? demande ingénument le jeune homme.

— Nos grands maîtres, lui répond-on, meurent rarement et ne démissionnent jamais. »

Le palais magistral est un quadrilatère renfermant deux cours. Autour de l'étage court une loggia de bois. Les occupants successifs des lieux ont fait sculpter leurs armoiries, en laissant une large place pour les prochaines ; de quoi tenir jusqu'au vingtième siècle. Les garçons montent en silence le grand escalier à vis ; pour un peu, on leur banderait les yeux.

Une pièce plongée dans la pénombre. Aucun bruit n'arrive du dehors. Tout a été tamisé, calfeutré...

« Comment vous nommez-vous, mon enfant ? demande Rohan avec une grimace affectueuse.

— Je m'appelle Emmanuel. »

A peine une flatterie. Emmanuel est l'un des trois prénoms qu'on a donnés à Antoine le jour de son baptême, en l'église de Bourniquel (sise depuis peu dans le département de la Dordogne).

« Permettez-moi donc, dit le vieillard, de vous considérer comme mon filleul. »

Il offre des loukoums, cadeau du bey de Tunis à l'occasion de la paix vénitienne. Mais ce faisant, on voit bien qu'il maîtrise mal son bras droit.

« La France est notre plaie vive, continue-t-il.

— Cela ne saurait durer, répond Saint-Ex avec assurance. J'en viens. Le nouveau régime ne tient que par une poignée d'excités. »

Son Altesse se renfonce dans son fauteuil, se donne l'air de réfléchir.

« Soyons prudents, conclut-elle. Nos biens français représentent plus de la moitié de nos revenus. Nous devons rester en bons termes avec le gouvernement de ce pays, quel qu'il soit. »

Son Altesse se soigne avec des bouteilles d'eau de Balaruc, près de Cette, que l'on fait venir spécialement : second motif de ménager la France. On dit aussi qu'elle sait le maltais, qu'elle tient ses carnets intimes en cet idiome, pour dérouter les indiscrets... Mais que ne dit-on pas d'Emmanuel de Rohan ?

Au retour, si attentif que soit le visiteur, ses pas sonnent sur le carrelage noir et blanc. Le long du corridor luisent les casques et les armes d'une époque à jamais engloutie.

« Ne vous fiez point aux apparences, déclare le chambrier-major. Notre grand maître n'a que soixante-sept ans. Les soucis de son état l'ont vieilli. »

Et deux nuits de suite, Antoine rêve de la bonté du grand maître.

Le troisième matin, quelqu'un vient le réclamer à l'Auberge de Provence :

« Alors, vous oubliez votre ami Raczynski ?

— Monsieur, répond Antoine, vous m'aviez dit qu'il n'existait point d'Auberge de Pologne. Je pensais donc que vous n'habitiez nulle part.

— Faites-moi plaisir. Appelez-moi Vincent. »

A la vérité, les Polonais sont hébergés par la Langue de Bavière, dont ils font bizarrement partie. Cette Auberge est dotée d'un escalier à chevaux plus large que celui du grand maître. Tout est trop vaste pour la dizaine de chevaliers qui demeurent en ce logis.

« Voilà qui me change de l'Auberge de Provence, observe Antoine. Nous y sommes serrés comme harengs. Vous, vous pourriez venir à Malte beaucoup plus nombreux.

— Mon pauvre, répond à mi-voix le chevalier de Raczynski, la Bavière n'est qu'un opéra-comique. Et la Pologne n'est qu'un songe. »

Riant sous cape, le domestique sert un affreux tord-boyaux surnommé *petite eau*. L'hôte a saisi son violon, en tire des sonorités étranges. C'est un juif de son village, explique-t-il, qui lui a appris à jouer de la sorte. La musique tourbillonne, jette des étincelles, puis se penche et se lamente, langoureusement, en une longue désespérance. Subjugué, le garçon écrase quelques larmes.

Mais quand il raconte, de retour au bercail, ce qu'il a vu et entendu à l'Auberge de Bavière, les Provençaux font la moue. La Bavière n'est pas fréquentable. Naguère, on a mené contre elle une guerre digne de l'Iliade.

Enfin, la flotte de l'Ordre est annoncée. Toute la ville se précipite aux remparts. On dénombre les bâtiments, pour s'assurer qu'il n'en manque point : un vaisseau de haut bord, deux frégates, deux galères. La troisième frégate et les deux autres galères, en médiocre état, n'avaient pas quitté le bassin. Les galères, surtout, fascinent Antoine : des bêtes à cinquante pattes, qui semblent voler au ras de l'eau, parmi les cris des gardes-chiourme et les claquements de fouet.

« Les commandants soignent leur arrivée, se moque un spectateur. En haute mer, rassurez-vous, l'allure est beaucoup plus bourgeoise. »

Les équipages débarquent. Subitement, le quai des galères devient rouge de chevaliers. Les surveillants commencent à déferrer les forçats, que l'on voit s'essuyer le dos avec leurs camisoles. Antoine avise un camarade de son âge, un grand rieur qui chante *J'ai du bon tabac* d'une jolie voix barytonnante. Il s'enhardit jusqu'à lui poser une question :

« Es-tu de Provence, toi aussi ?

— Non, je suis des Indes. »

Longtemps, le grand rieur entretiendra l'équivoque. A la vérité, il est normand de père, et sa mère provient d'une famille française de Chandernagor. En vertu de quoi on l'a versé dans la Langue de France, tout bonnement. Et il s'appelle Charles de Bonvouloir. Comment résister à un tel nom ?

Un bouquet de jolies Maltaises observent les opérations, agitant des mouchoirs, envoyant des baisers. De proches connaissances de ces messieurs. Et l'Ordre tolère cela !

« Quelle est la tienne ? demande Bonvouloir. Comment, tu n'es pas encore servi ? Nigaud, va. Réparons cela d'urgence. »

Mais c'est un genre que l'on se donne. Lui-même n'est pas pourvu non plus.

Et d'un seul coup, les Auberges se trouvent pleines de jeunesse. Ces garçons parlent fort, se font des farces, donnent des surnoms drolatiques aux personnes les plus respectables. Ainsi, le *grand moghol,* pour Mgr de Rohan. Antoine est bousculé, rudoyé avec bonne humeur. On l'appelle « blondinet ».

« Voyons, décide l'ami Charles, il te faut perdre cet accent périgourdin. Comment dis-tu maintenant ?

— Maintenang.

— Et l'année ?

— Lent-née.

— L'année. Répète, Antoine. »

A côté de Charles des Indes, on se sent un peu plouc. L'un de ses oncles a péri dans les mers du Sud, après avoir baptisé les îles Loyauté, où vivent des êtres noirs. Depuis, d'un généreux élan de plume, le neveu signe *Bonvouloir et Loyauté.*

Mais la plupart des familles représentées à Malte sont comme celle d'Antoine : méritoires et provinciales. A l'étonnement du garçon, les grands noms de France ont déserté l'Ordre. Sans doute la chasse aux faveurs de Versailles leur était-elle plus profitable que la chasse aux corsaires dans le détroit de Sicile. Une exception : les Rohan.

« Reprise des cours, annoncent les autorités. Le sieur Tousard va s'occuper de vos esprits. Cartographie, mathématiques... »

Et merci à l'actuel grand maître, auteur de cette innovation.

Auparavant, les caravanistes glandouillaient en ville, contractant des habitudes déplorables. Désormais, l'Ordre se charge de les instruire. Ancien officier français du génie, Tousard les fait bénéficier de sa science et de ses colères. Antoine rattrape des années d'incurie. Il s'améliore à l'escrime, s'initie au pistolet. A Bordeaux, on n'osait pas, de crainte d'éveiller les soupçons des patriotes. En revanche, adieu l'équitation : Malte, terre aride, n'a d'herbe que pour les chevaux de Son Altesse.

Les jeunes gens apprennent même à nager, figurez-vous. Naguère, il n'était pas rare qu'un chevalier se noyât, faute de savoir tirer quelques brasses. Le bon cœur de Rohan a voulu changer cela. Antoine patauge, il déteste cette eau de mer qui lui entre dans le nez. Les gosses maltais hurlent de rire. Soucieux de préserver le prestige de l'Ordre, le commandement décide de se transporter dans une crique plus retirée.

Le dimanche, M. de Saint-Exupéry se rend à l'hôpital. C'est le jour de permanence de la Langue de Provence — la plus ancienne et la plus glorieuse de l'Ordre. Les mœurs de l'hôpital se relâchaient, une reprise en main a été décidée. A cette saison, les lits portent encore leurs rideaux de lin blanc, mais, l'hiver, on leur remettra leurs baldaquins de couleurs vives. Chaque semaine, l'on rince et l'on désinfecte. Des prêtres donnent la communion aux patients les plus atteints à l'aide d'une longue cuiller, afin d'éviter la contagion. Une boîte à idées a été mise à la disposition du public. L'an prochain, si les finances le permettent, l'hôpital aura son chauffage central !

Parfois, Antoine se poste à la fenêtre, regardant les bateaux de Sicile ou de Calabre décharger des malades. Pour leur éviter un long détour en ville, on les achemine par un souterrain. Même les êtres les plus disgraciés, même les bagnards ont leur place à l'hôpital, dans une crypte fermée à clef.

Il a été élevé religieusement, et l'impiété de ses camarades le scandalise — surtout celle des Français. Sans doute est-ce la cause du châtiment divin appelé Révolution. Mais les pompes et les ors de l'église Saint-Jean l'intimident. Et les églises maltaises l'effraient, avec leurs ossements de saints en vitrine sous les autels, parmi des chapelets de verre et des fleurs séchées.

Le hasard lui fait découvrir Notre-Dame-de-Liesse, ce charmant refuge dans le goût baroque, collé comme un coquillage au bas de la falaise de La Valette. Il était une fois, assure-t-on, trois chevaliers de Saint-Jean, prisonniers du soudan d'Égipte. Le soudan voulait les convertir à l'islam, et marier l'un d'eux à sa fille. Les chevaliers refusaient, refusaient. « Fort bien, dit le soudan, vous aurez la tête tranchée. » La fille du soudan intercéda en vain. Alors, durant la dernière nuit, la Vierge Marie enleva les trois chevaliers dans son manteau, ainsi que la compatissante fille du soudan, et les déposa en terre de France, à un endroit qui prit le nom de Liesse.

Sous ce patronage, le novice Saint-Exupéry prie pour son père, l'ancien mousquetaire du roi, perdu dans un monde nouveau qui ne reconnaît plus la naissance, ni les services rendus. Il prie pour madame son épouse, inépuisable mère poule. Et pour les frères et sœurs, tassés dans l'étroit appartement de la rue du Loup. Et pour le malheureux roi Louis XVI, enfermé à la tour du Temple — malgré la protestation du légitime propriétaire de cette forteresse, qui n'est autre que l'Ordre de Malte, héritier des Templiers.

Un jour, s'étant éveillé tard, le jeune homme se contente d'une messe pour Maltais, à Sainte-Barbe, l'église ovale bâtie en face de l'Auberge de Provence, et que celle-ci entretient de ses deniers. « Allah, Allah », psalmodient les hommes crépus et les femmes voilées de noir. Étrange catholicisme. Étrange peuplade.

Grâce au serviable Charles, Antoine est invité chez les Dolomieu, qui habitent une maison louée à l'Ordre. Dolomieu l'oncle est un vieux commandeur de la Langue de Provence, quelque peu affaibli. Dolomieu le neveu, Casimir de son prénom, est un grand blond au grand nez, officier de la marine royale, en congé pour caravanes. Le cadet du fameux trublion en chef, Déodat de Dolomieu, qui a déserté Malte l'an dernier, et dont l'on rejette le souvenir avec rage.

« Chers amis, dit Casimir en remplissant les verres à la ronde, mon frère et moi ne sommes d'accord que sur un point : l'excellence de ce marasquin de contrebande. »

Il parle d'une voix de stentor, et déchaîne l'approbation de ses jeunes admirateurs.

En ricanant, mais non sans respect, l'on se passe et se repasse d'autres reliques du même Déodat, des échantillons de minéraux, assortis d'étiquettes qu'une fine écriture a remplies : *chalcédoine, jaspe, béryl bleu.*

Parfois même, Casimir improvise une petite comédie où il joue le rôle dudit frère. Un camarade lui donne la réplique en singeant Mirabeau, le fameux tribun parisien. Les deux complices s'excitent mutuellement, complotent contre l'Ordre, complotent contre la royauté. Certes, Mirabeau le grêlé a terminé sa coupable existence depuis une vingtaine de mois, mais Antoine n'ose point le faire remarquer ; à Malte, cet homme est resté le symbole de la déviation nobiliaire. Honoré de Mirabeau, voyons, le neveu d'un bailli ! Le frère d'un de nos camarades !

Seul le chevalier d'Andelarre ose défendre les absents, d'une voix fougueuse et triste. C'est un habitué de cette mauvaise cause. Voici quelques années, il a été condamné pour déodatisme ; sans l'intervention expresse du pape, il allait en prison.

Au sortir de cette séance, les copains Antoine et Charles sont interpellés par un personnage plus âgé, à la mine sévère, et qui n'avait dit mot :

« D'après ce qu'on me rapporte, jeunes gens, vous êtes bons catholiques et fervents royalistes.

— Nous essayons de l'être », répond Antoine.

L'interlocuteur se présente : bailli de L.T.D.P.M., de la Langue d'Auvergne. Lui, c'est bien simple, il a quasiment sauvé la monarchie l'an dernier. Profitant de ses fonctions de général des galères, et sans trop consulter Rohan, il avait préparé une descente sur les côtes du Languedoc. Les régiments locaux devaient se soulever à son approche. L'Espagne avait promis son soutien. Sans l'affaire de Varennes, survenue à ce moment, c'était gagné.

On a dû rengainer les épées. Partie remise.

« Malte va être entraînée dans la guerre, annonce le bailli. Malte est déjà trahie. Voyez ce livre que j'ai reçu de Paris. »

Un de ces ouvrages imprimés à la va-vite, comme on en fait tant aujourd'hui. L'auteur est un ancien soldat de l'Ordre, et déverse sa bile sur les chevaliers : *Je garantis que les forts Ricasoli et Saint-Ange,* écrit-il, *seraient pris en moins d'une demi-heure.*

« Archifaux, s'écrie Charles. Les Turcs n'ont pu prendre Saint-Ange.

— Ils ont pris Saint-Elme, corrige Antoine, fier de sa science toute neuve. Mais, depuis, nous l'avons beaucoup fortifié.

— Que chacun se tienne prêt, dit le bailli, et attende mon signal. Haut les cœurs ! »

La Sinjura Bettina choisit une pêche dans le compotier, la soupèse, la caresse. Prête à fondre, mais ce serait deuil d'en manger seule. Et qui viendra ce soir ? Le grand maître Rohan ? Trop fatigué, trop malade. L'époux de la Sinjura ? En état de brouille depuis vingt ans. La fille unique de la Sinjura ? Établie sur le continent, la pauvrette, et bien malheureuse.

Non, Sinjura, personne ne viendra ce soir.

Derrière la vitre, assis côte à côte, le bichon de Malte et le chat Sélim regardent leur maîtresse d'un air si sage qu'elle ne peut s'empêcher de sourire. Ces deux petites bêtes sont peintes en trompe-l'œil sur le mur, et la fenêtre aussi.

L'artiste a aussi représenté une noce villageoise, avec un gentilhomme en habit rouge faisant le beau parmi des rustres. Mal mariée elle-même, et mère d'une fille mal mariée, la Sinjura trouve un étrange plaisir à cette scène d'épousailles.

Ici, tout est rare, tout a été choisi. Un temple du goût, de la fantaisie heureuse. Sans doute l'île compte-t-elle des résidences privées plus importantes, mais l'on n'en connaît point d'aussi gracieuses. Les voisins ont pris l'habitude de l'appeler la villa Bettina.

« Si j'y ai changé tant de choses, confie-t-elle aux curieux, c'est pour chasser le mauvais sort. »

L'infortune du précédent propriétaire, dont la fille bien-aimée, élevée dans la soie, s'était enfuie à Corfou au bras d'un abbé, emportant non seulement l'honneur de son père, mais aussi sa cassette pleine de pistoles.

A pas lents, la Sinjura chemine dans l'allée qu'elle a fait tailler à travers l'oliveraie. Elle rend visite à l'ermite dans sa grotte :

« Cher ermite, intercédez pour la santé de notre grand maître. Et pensez un tout petit peu à moi. »

La grotte a été bâtie l'an dernier. L'ermite est en cire. Que demander au ciel, d'ailleurs ? La fortune ? Elle l'a. La beauté ? Elle l'a eue, et il lui en reste. L'amour ? Une odieuse tromperie.

C'est l'heure de monter à la tour, selon sa coutume des soirs d'été. Il fait encore très chaud mais, à cette altitude légère, l'on profite d'un courant d'air. Le gecko attend sur sa pierre favorite, la gorge palpitante et les yeux inertes. La Sinjura lui donne, une à une, les mouches qu'elle a capturées durant la journée. Et il les gobe d'un rapide coup de langue — une langue agile, extraordinaire, qui est comme une personne vivante. Il se laisse caresser un instant. Puis remercie d'un mouvement de queue et disparaît dans une fente. A demain, Sinjura !

Ces rendez-vous galants, la Sinjura ne les a révélés à personne. Les domestiques la voient attraper des insectes et la croient un peu folle. Mais que deviendra son soupirant l'hiver prochain ? Les geckos hibernent-ils ? Elle se prépare à souffrir.

De ce perchoir, une tour de guet des anciens temps, l'œil découvre les deux tiers de l'île. Le soleil bas tire de la buée le détail de la côte : le fort Saint-Lucien, la pointe de Delimara, la baie de Marsaxlokk... Bettina se surprend à épier le débarquement d'une éventuelle flotte ennemie.

Plate est la campagne de Malte, prétendent les voyageurs. Laide la campagne de Malte. Mais à la voir ainsi, on est saisi de sa beauté. De tous côtés, de grandes églises lèvent les bras pour invoquer la Providence. D'abord la voisine, celle de Gudja, dont Bettina est la bienfaitrice. Puis Luqa, Qrendi, Zurrieq, tout aussi fières. En se retournant, l'on fait surgir Ghaxaq, Zejtun et Tarxien. Au septentrion, La Valette et ses dépendances restent assoupies dans la tiédeur du crépuscule, comme des tortues sous leurs carapaces de pierre.

La Sinjura a acheté une lunette d'approche chez le sieur Micallef, horloger en ville. « Du beau matériel, madame la marquise. On ne fait pas mieux à Londres. » Une longue-vue avec trépied, propre à l'exploration méthodique du paysage. D'où rapport de police, l'accusant d'entretenir une correspondance optique avec des vaisseaux étrangers ! Rohan n'a fait qu'en rire :

Madame à sa tour monte
Mironton, mironton, mirontaine...

Mais Malte a peur, sans savoir de quoi.

Madame descend de sa tour, pousse jusqu'à la gloriette au bout du jardin. C'est l'heure du soleil couchant, où la tour se met à briller. Car, sur ordre de madame, et du haut jusqu'en bas, les maçons l'ont sertie d'éclats de verre noir.

Servie par Négresse, madame prend son souper : un brouet d'aubergines, un demi-rouget. Il fait nuit, à présent, sur la campagne de Malte. Madame s'assied à son secrétaire, entre deux chandelles, et achève la lecture d'un livre de bonne moralité.

Mais quelqu'un a franchi la grille, quelqu'un toque à l'huis. Le vieux gardien accourt avec son vieux tromblon.

« Laisse, dit la Sinjura. Ne reconnais-tu pas M. le baron de Marsa ? »

Elle le savait bien, que quelqu'un viendrait ce soir.

« Ma chère sœur, dit le baron, je suis bien aise de vous revoir. »

Comme s'il l'avait quittée la veille, alors qu'il revient d'une absence de sept ans. Son tricorne est orné d'une rose noire, et ses yeux n'ont rien perdu de leur pétillement. Gian-Francesco Dorell, anobli par le grand maître Rohan, puis exilé par le même Rohan pour franc-maçonnerie et offense à la religion. Il arrive d'Italie, n'a même pas pris le temps de se changer.

« Sait-on que tu es ici ? s'inquiète la Sinjura. On va venir t'arrêter.

— Penses-tu ! J'ai décliné mon identité à la capitainerie du port. Personne n'a bronché. Les temps ont changé, sœurette ! »

Depuis que Son Altesse est tombée malade, elle verse dans une étrange indulgence.

« Toujours aussi belle, Bettina, dit-il encore.

— Fadaises ! »

Lui-même a grossi un peu, pris quelques pattes-d'oie. On est allé réveiller Négresse, pour qu'elle réchauffe l'autre moitié du rouget. Le gardien monte une bouteille de la cave.

« Quand tu étais femme du monde, rappelle le baron, tu avais un excellent tokay.

— Je ne suis plus qu'une vieille dévote », répond-elle en riant.

Il s'est levé, il inspecte les peintures :

« Jolie maison, ma foi. Je te donnerai quelques idées pour l'arranger.

— J'y ai déjà pourvu. Les Dorell ont toujours trop d'idées. Tu en rapportes une pleine besace, je parie !

— Pas du tout, dit-il en s'appuyant au mur. Je suis revenu simplement pour jouir de mes propriétés. »

Car, dans sa mansuétude, le grand maître n'a pas voulu confisquer les biens de Gian-Francesco.

« Et qu'as-tu fait de ta tendre épouse ?

— Elle me rejoindra.

— Tu vas pouvoir régler notre procès. »

Une querelle d'héritage entre le baron et ses sœurs, qui a gonflé d'année en année.

« Bien sûr. Si tu n'es pas trop gourmande.

— Allons, Gian-Francesco, tu ne reviens pas à Malte pour te reposer. A d'autres. Tu viens pour intriguer. »

Il joue à faire tenir sa fourchette en équilibre sur le bord du plat, comme pour une combinaison politique particulièrement délicate.

« C'est assez simple, répond-il après un temps. Les chevaliers sont ruinés par la Révolution française. Ils ne pourront se maintenir à Malte. Notre île reviendra au royaume de Naples, dont c'est la dépendance naturelle.

— Toi, Gian-Francesco ! Toi, le libéral, le franc-maçon, travailler pour le roi de Naples ! »

A Naples, la simple lecture de Voltaire vaut trois ans de galère.

« Le roi de Naples, concède M. de Marsa, est le plus arriéré des souverains de l'Europe. Mais je laisse aux jeunes gens le plaisir d'étaler leurs convictions. A notre âge, on doit se mettre dans le camp du plus fort, quel qu'il soit. »

En cet été de 1792, l'air de Paris ne vaut décidément rien.

« Venez donc avec nous, dit le duc, prendre les eaux de Forges, en Normandie. »

Louis-Alexandre de La Rochefoucauld, ancien colonel du régiment où Dolomieu servait à Metz. C'est un amateur de cailloux lui aussi, et un amateur de Révolution. Voici quelques jours, il présidait encore le conseil du département de la Seine. Mais tout lasse, tout casse.

La rouille a prématurément touché la campagne. Dolomieu prend des notes sur son carnet de botanique. La voiture dépasse quelques groupes de traînards — des volontaires qui s'en vont rejoindre l'armée, à la frontière du nord. Au dernier bourg avant Forges, mauvaise surprise : un individu à ceinture tricolore se présente avec un mandat d'arrêt.

« Vous devez faire erreur, dit Dolomieu. Le citoyen La Rochefoucauld est connu pour sa contribution aux idées nouvelles. »

Après une vaine palabre, le ci-devant duc et sa famille remontent dans la grosse berline. Dolomieu refuse de les quitter. Retour vers Paris, où va s'ouvrir un procès en bonne et due forme. Un détachement de la garde nationale escorte la voiture. On décide de faire étape à Gisors, auberge de l'*Écu de France*.

La petite ville grouille de volontaires qui ont bu et qui chantent. La vieille duchesse serre les lèvres. La jeune duchesse verse un pleur. Dolomieu la rassure. Les mérites du citoyen La Rochefoucauld ne pourront manquer d'être reconnus. Vaille que vaille, les voyageurs font honneur à la soupe aux choux.

Dolomieu a dormi comme une pierre. Une clameur le réveille : « Mort au duc ! » Ce sont les volontaires, massés devant l'hôtel. Le citoyen La Rochefoucauld est déjà tout habillé. Il n'a pas fermé l'œil de la nuit, lui, et ses soixante ans s'inscrivent cruellement sur son visage.

« Je me porte garant de votre sécurité, dit l'homme à la ceinture officielle. Votre cas relève de la justice, et non de la populace. »

En ces temps troublés, le moindre clerc de notaire se croit autorisé à jouer les orateurs.

Les deux femmes montent dans la berline. La jeune prie, les yeux clos. La duchesse douairière, cette vieille libre penseuse, promène un regard d'oiseau de nuit sur le peuple français.

Craignant d'irriter, Dolomieu a ôté son épée. Quant à sa croix de Malte, il y a longtemps qu'elle n'orne plus son habit.

Au moment où le duc veut monter à son tour, un mouvement de foule l'en empêche. Il avance alors parmi les injures, soutenu par l'officier tricolore. La voiture suit au pas.

Mais qu'est-ce à dire ? Quels sont ces cris ? Qu'est devenu M. de La Rochefoucauld ?

L'on revient, sans le duc, à La Roche-Guyon, cette superbe propriété dominant une boucle de la Seine, et qui était naguère l'un des rendez-vous des beaux esprits de Paris.

« Ne nous abandonnez pas », supplient les deux duchesses.

Dolomieu s'installe chez elles. Des argousins sont venus saisir les papiers de feu M. le duc. Les domestiques ont fui. Chaque mois, l'atmosphère s'alourdit un peu plus. Un nommé Robespierre règne maintenant sur la France.

« La police ne s'intéresse pas aux dames », affirme Dolomieu, contre l'évidence.

Comme pour l'en punir, une mauvaise nouvelle lui arrive de son Dauphiné natal : Mme de Dolomieu mère et sa fille cadette Alexandrine ont été arrêtées, enfermées à Grenoble. S'il y a pourtant des créatures inoffensives, ce sont bien elles. Alexandrine ! La petite fée des champs, la préférée de toujours.

Bien que Paris soit devenu dangereux, même pour un démocrate, le ci-devant commandeur prend la première diligence. Il descend à l'hôtel La Rochefoucauld, rue de Seine. Une aile de l'immense bâtisse abritait le cabinet de minéralogie de M. le duc. La municipalité l'a concédée à un exploitant de bains-douches. Dolomieu couche où il peut.

Avec méthode, il fait la tournée de ses relations dans la capitale révolutionnaire. Il demande la liberté de deux femmes innocentes. Deux femmes qui n'ont jamais pensé !

Parfois, durant cette épreuve, une bouffée de bonheur lui revient en mémoire : Alexandrine se roulant sur la pelouse du château familial ; Alexandrine domptant son chat tigré, parmi les éclats de rire d'un jeune et fringant chevalier. Aujourd'hui, les cheveux du chevalier blanchissent à vue d'œil. Et pourtant, il n'a que quarante-trois ans.

« Tu expies tes querelles, lui chuchote une voix. Tu expies tes plaisirs. »

Morale d'un autre âge. Les querelles étaient justes, et les plaisirs assez simples.

Les communications avec Malte sont coupées. A l'intérieur du territoire, on ne peut plus correspondre que par phrases convenues, car le Comité de sûreté générale ouvre les lettres.

Grâce à des allusions discrètes, Déodat croit comprendre que son frère Casimir, le benjamin de la famille, rentré en France, a été tué en défendant Lyon contre les troupes de la Montagne. Encore un détail qu'il faudra cacher, si l'on veut éviter les tracas.

Ainsi, les brillantes philosophies ont produit des fruits étranges. Mais Dolomieu refuse de se reconnaître coupable. La vérité reste la vérité, même quand les hommes ont abusé d'elle.

Levé de bon matin, Jean de Bosredon de Ransijat repoussa les volets qui obéirent de mauvaise grâce. La douce aube de décembre envahit la pièce. En face de lui se dressait le bâtiment de la Bibliothèque, que des ouvriers s'employaient à terminer. Encore l'une de ces fantaisies coûteuses, imprudemment décidées en période de vaches grasses.

Le commandeur de Ransijat s'aperçut alors que l'espagnolette lui avait laissé dans la main une trace rougeâtre. Ces volets étaient comme Malte elle-même ; ils rouillaient.

Un dossier de toile verte l'attendait sur la table. Il défit les sangles, vérifia les additions à l'aide d'un boulier. Première addition : juste. Deuxième addition : juste. Il aimait l'arithmétique. Compter, lui disait-on parfois, quelle honte pour un gentilhomme ! Mais M. de Ransijat n'avait cure de l'opinion.

« Les choses sont claires », s'écria-t-il enfin, pour le bénéfice des souris qui hantaient cet immeuble de la Trésorerie. « Les choses sont aveuglantes. »

Il fallait tailler et purger. Pratiquer des coupes dans cette forêt de comités et de congrégations dont s'enorgueillissait Malte. Rogner les émoluments de chaque emploi, qui pourtant n'étaient pas bien gras, et surtout empêcher une même personne d'en cumuler quatre ou cinq. Il fallait introduire la lumière dans ces finances féodales.

Ayant serré ses lunettes de fer dans leur étui, il prit le dossier sous son bras et descendit l'escalier — non sans vérifier le nombre de marches. En toutes choses, il aimait recenser. Le monde n'était qu'une grande architecture de chiffres.

Les sentinelles du palais rectifièrent la position à son approche. Mais il lui sembla voir un petit sourire. On ne l'aimait guère, il le savait ; parce qu'il tenait les cordons de la bourse, et les tenait ferme. Toujours spirituels, les chevaliers français avaient inventé de l'appeler Ranci-Déjà. Il n'avait que mépris pour cette engeance.

Affalé dans un fauteuil à oreillettes, Emmanuel de Rohan conversait avec un fâcheux.

« Je puis repasser, dit Ransijat, d'un ton qui signifiait le contraire.

— Monsieur le secrétaire du Commun Trésor, vous êtes toujours le bienvenu. »

Rohan gardait un œil mi-clos ; séquelle de son attaque de l'an passé. Ransijat dénoua une nouvelle fois les sangles du dossier vert ; pour la frime, car il connaissait les chiffres par cœur, et le grand maître, de toute manière, ne demanderait pas à les voir.

« Nos recettes fondent, monseigneur. La Pologne ne paie plus, la France encore moins. Savez-vous que les commanderies françaises sont mises en ventes ?

— Vous me l'avez dit trois fois. »

A la veille de se séparer, et malgré de nombreux mémoires en défense, l'Assemblée législative de Paris avait décidé l'irréparable.

« Rendez-moi cette justice, dit le secrétaire du Trésor, que j'ai tout fait pour éviter ce malheur.

— Hélas, mon bon ami, vos propositions n'étaient pas recevables. »

Quand le gouvernement Necker avait décidé une contribution exceptionnelle du quart des revenus, les commanderies françaises de l'Ordre l'avaient payée sans barguigner. Puis une campagne de dons patriotiques avait été lancée. De La Valette, Ransijat proposait d'y participer pour une forte somme. Alors, l'indignation s'était donnée libre cours :

« Comment, nous, puissance étrangère, subventionner ces furieux ! Mon cher trésorier, vos sentiments démocratiques vous égarent. »

En cette affaire, comme en bien d'autres, Jean de Ransijat avait été le seul homme clairvoyant.

« Nos droits de douane fléchissent, poursuivit-il. Le marasme de l'Ordre gagne les Maltais, qui importent moins de marchandises. »

Son Altesse ne répondit pas. Elle caressait d'un air distrait son bichon Amadis. Lui aussi, ce petit animal commençait à se faire vieux ; il perdait ses poils, et ses yeux pleuraient.

« Passons aux dépenses, monseigneur. Comme vous le savez, je réduis ce qui peut l'être. Mais il faut que les Langues françaises vivent. Elles ont hypothéqué leurs maisons. Elles ne trouvent plus rien à emprunter sur la place de Malte.

— L'an prochain, dit le grand maître, si cela continue, j'allouerai trente écus par mois à chaque chevalier français. Sur mes droits de douane, précisément.

— Cela fera crier dans les autres Langues.

— Qui dit chevalerie dit entraide, non ? »

Ransijat fit une multiplication rapide :

« J'approuve entièrement la décision de Votre Altesse. Mais ce qui reste des droits de douane n'y suffira pas. Loin de là.

— J'emprunterai moi aussi. A Malte, à Venise, à Gênes. Un grand maître de l'Ordre de Saint-Jean trouve toujours du crédit.

— Vous rembourserez, n'est-ce pas, après l'écrasement de la Révolution française », dit Ransijat d'un ton sarcastique.

Une vague odeur de camphre traînait dans la chambre. Il aurait fallu ouvrir la croisée à deux battants, faire entrer à flots l'air stimulant du siècle. Ransijat révéla le déficit de l'année 1792, déjà réalisé pour l'essentiel. 1793 promettait d'être encore bien pire. Amadis poussa un jappement aigu. Le grand maître ne dit rien.

« Heureusement, monseigneur, nous avons encore à portée de notre main une montagne... d'argent, c'est le cas de le dire. »

Rohan fronça ses gros sourcils, restés curieusement noirs dans la débâcle de sa vieillesse. Depuis longtemps, tout commandeur qui se respectait dînait dans de la vaisselle d'argent. A sa mort, l'Ordre en héritait. Les fourchettes, les assiettes et les cuillers s'accumulaient à Malte, génération après génération. Ransijat s'était pris d'une haine envers cet édifice barbare, cette masse assise sur le ventre de l'Ordre, dont le poids lui semblait empêcher toute réforme. A bas l'idole !

Rohan, au contraire, portait à cet héritage de métal un attachement superstitieux — comme si un peu de l'âme des chevaliers défunts était passé dans ces plats où ils avaient dégusté tant de fricassées de volaille et de lapins aux pruneaux.

« Je préférerais, insista Ransijat, savoir nos malades mieux soignés, que de les voir boire leur bouillon dans des bols d'argent. Et Dieu, a-t-il vraiment besoin de chandeliers d'argent pour écouter nos prières ? »

Le grand maître laissa paraître un sourire. Dieu ne risquait guère d'entendre son fils Ransijat, qui réservait ses patenôtres à la déesse Mathématique.

« Le Roi-Soleil lui-même, monseigneur, ne fit-il point fondre sa vaisselle, quand la bise fut venue ? »

D'un bond gracieux, Amadis sauta du fauteuil, laissant tomber sa timbale, qui produisit sur le carrelage une assez jolie musique. Ransijat leva l'index :

« Voyez, monseigneur, une timbale d'argent ! »

Tirant de son dossier une décision toute préparée, il tendit la plume d'oie. Emmanuel de Rohan soupira, laissa retomber sa main :

« Signez vous-même. Ce sera plus convenable.

— Dois-je comprendre, dit Ransijat, que vous m'autorisez à faire fondre des couverts d'argent selon le nécessaire ? »

Le grand maître consentit d'un battement de cils. Ransijat remit la plume dans l'encrier magistral : du cristal de roche taillé, offert jadis par Déodat de Dolomieu, et dont Rohan, malgré toutes les querelles, n'avait eu le cœur de se défaire.

« A propos, que devient votre ami Déodat ? » dit Son Altesse, qui avait suivi le geste.

Chaque fois qu'il recevait une lettre de Paris, Ransijat venait la lire au palais — sans omettre les allusions aux défauts de l'Ordre, et aux remèdes nécessaires. Rohan approuvait du bonnet, et ne faisait rien.

« Le courrier de France devient rare, répondit le trésorier. C'est d'ailleurs de notre faute. La cocarde tricolore a été insultée par des chevaliers, à la barrière de quarantaine. La Convention nationale exige des explications.

— Il y a eu échange d'injures, dit Rohan. Je ne présenterai point d'excuses.

— Et ces préparatifs de défense, que vous faites sur nos côtes ! N'est-ce pas le meilleur moyen d'attirer la foudre ?

— Par les temps qui courent, bien fol qui ne prendrait pas quelques précautions. »

La République française avait lancé une démonstration navale en Méditerranée, sous la direction d'un ancien noble, l'amiral Latouche-Tréville. La cour de Naples poussait des cris d'orfraie. A Malte, on avait jugé utile de réactiver les milices indigènes, pourtant peu sûres.

« Nous associons les Maltais à notre sécurité, poursuivit gracieusement Rohan. Voilà qui devrait contenter vos principes. J'ajoute que, pour mieux fermer le bassin de Marsamxett, j'ai chargé votre ami Tousard de fortifier la pointe Dragut. »

Petite pique sans méchanceté. Tousard, professeur et ingénieur, était l'un des rares démocrates de Malte, et donc un allié de Ransijat.

« Fort bien, dit le grand argentier, j'ajouterai cette dépense à ma liste. »

Faisant mouvement vers la sortie, il frôla le petit chien, qui recula en grondant. Ransijat et lui ne s'aimaient guère. Un soleil clairet égayait la place. A la fois satisfait et mécontent de sa demi-victoire, M. le trésorier piqua droit vers un pigeon qui se chauffait sur un pavé. Il détestait ces volatiles gras et gonflés d'eux-mêmes — ces espèces de prélats.

« Courage, conclut-il à sa propre adresse, le grand maître finit toujours par m'entendre. »

Notamment, les cours dispensés aux novices, c'était sur son intervention. Grâce à lui, Malte cessait d'être l'école du libertinage. Encore un effort, et l'on en ferait la meilleure université d'Europe.

Alors qu'il se frottait les mains, l'huissier lui indiqua qu'un chevalier fraîchement débarqué désirait le voir.

« Ce chevalier tombe mal.

— Le chevalier est monsieur votre frère. »

Ransijat se gratta la joue. Il avait oublié cette menace. Avec le désordre du courrier, n'importe qui pouvait survenir sans préavis.

D'un pas lourd, le commandeur François-Louis de Bosredon fit son entrée. Il avait cinq ans de plus que son cadet, et paraissait davantage. Les deux hommes s'embrassèrent sans trop de chaleur.

« Fatigué ? Assieds-toi donc. Bien entendu, tu logeras chez moi. »

François-Louis ne remercia même pas. Le souci lui plissait le front.

« Je vais te faire servir à déjeuner. Mais Malte n'est plus celle que tu as connue. Finie la bonne chère.

— Comment va notre grand maître ?

— Je sors de chez lui, figure-toi. Il baisse. C'est moi qui tiens l'Ordre à bout de bras.

— Tu lui diras, mon cher Jean, que je lui ai pardonné ses offenses depuis longtemps. »

Cabochard comme tous les Bosredon, François-Louis s'était fait jadis expulser d'une assemblée générale, et avait perdu un procès contre l'Ordre. Mais l'âge venant, il ne songeait plus à fronder l'autorité légitime, bien au contraire.

Le domestique maltais disposa un napperon, une assiette de fèves. Sous le regard moqueur de son cadet, le nouvel arrivant traça un signe de croix sur son pain.

« Et cette coalition d'Auvergne, que devient-elle donc, mon cher François-Louis ? »

Une légion de gentilshommes levée au centre de la France, à l'appel des princes émigrés. Les chevaliers de Malte y figuraient en nombre. A elle seule, la famille de Bosredon formait une compagnie.

« Nos alliés prussiens se sont repliés sans se battre, dit François-Louis d'un ton las. On les dit achetés par les sans-culottes. Nous avons manqué périr dans la boue. Jamais de ma vie, je n'avais essuyé tant de pluie.

— Et te voilà ici, dit Ransijat. Une bouche inutile de plus.

— J'ai servi neuf ans sur les vaisseaux de la Religion », répondit l'autre avec fierté.

Puis il se leva, chassa quelques miettes de son habit noir :

« A la réflexion, je ne logerai point chez toi. J'irai à l'Auberge d'Auvergne. On y trouvera bien une demi-chambre pour un commandeur sans ressources. »

Il est des chevaliers qui gémissent, des chevaliers qui rêvent, et d'autres qui font la part du feu. Le bailli de F... est de ces derniers. Ayant longtemps géré les intérêts de l'Ordre en

Provence, il a eu la sagesse d'accepter un commandement dans la garde nationale de Marseille.

Aussi est-ce à lui que s'adresse Rohan pour négocier avec les jacobins, après l'échec des amateurs du genre Dolomieu. Investi d'une mission secrète, M. de F... monte à Paris. Il offrira la protection de l'Ordre pour les navires de commerce français. En échange, il tentera d'obtenir une subvention qui compenserait les revenus perdus.

Afin de prouver la bonne volonté du grand maître, il est même autorisé à recruter comme chevaliers de bons militaires sans naissance. Une seule condition : qu'ils soient célibataires.

Le temps d'arriver dans la capitale, la guillotine a déjà tranché le col du malheureux Louis XVI. Comment négocier avec des régicides ? Après un moment de découragement, le bailli se ressaisit. Ce serait trop bête, d'avoir fait tout ce chemin pour rien.

« La mort d'un roi n'est pas la fin du monde, explique-t-il à des confrères parisiens. La vie continue. L'Ordre continue. »

Et le dialogue se noue. Le Comité de salut public s'inquiète de voir péricliter le commerce français d'Orient. Il se préoccupe aussi du ravitaillement de la France. Ne pourrait-on créer un entrepôt à Malte, pour le grain acheté en Barbarie ?

« A votre disposition », dit le bailli.

Le Comité laisse luire l'espoir d'un dédommagement financier. M. de F... accepte d'accompagner deux agents de la République à Malte. Mais il ne faut pas avoir l'air d'arriver de France : les monarchistes de l'île devineraient la manœuvre, et entreraient en fureur. L'on choisit de passer par Gênes.

Malheureusement, la guerre ravage la région. Les Français ont envahi les États du roi de Piémont-Sardaigne. La petite équipe se faufile dans les montagnes, par des chemins dont un mulet ne voudrait pas. Le bailli sexagénaire enfonce jusqu'au genou dans la neige.

Gênes, enfin. Surprise : les sbires du doge mettent la main au collet du bailli.

« Mais je suis chargé d'une mission par la République française !

— C'est elle-même qui demande votre arrestation. »

Des divergences semblent s'être produites au sein de la famille

Robespierre. M. de F... est enfermé dans une dépendance du palais du doge. On lui remet des gazettes. Seconde surprise : elles annoncent sa mission à Malte. Quelqu'un a dû parler trop fort. La nouvelle va atteindre l'île sans préparation, et soulever un bel émoi.

Bientôt, en effet, M. de F... reçoit une citation à comparaître devant le tribunal de l'Ordre, à La Valette.

« Comment pourrais-je m'y rendre ? répond-il. Je suis sous les verrous. »

Entre la défiance des uns et la vengeance des autres, le voilà bien pris. Guerre sur la terre aux hommes de bonne volonté.

***

Au moment d'attaquer le trille, la corde du violon se rompit. Le chevalier de Raczynski reposa l'instrument.

« Où est ma provision de cordes ?

— Vous n'en avez plus, seigneur Vincent », répondit le domestique.

C'était un homme attaché depuis longtemps à sa famille, et qui continuait de lui donner son nom de petit garçon. Il voulut courir au seul magasin de musique de La Valette.

« Laisse », dit le chevalier. A quoi bon la mélodie, l'harmonie et tout le reste ? A quoi bon l'art ?

La fenêtre dépassait de peu le niveau du rempart. L'on pouvait observer le va-et-vient des fonctionnaires et, au-delà, le manège des barques autour de l'île du lazaret. Dressée sur son mamelon comme un signal, l'église de Sliema protégeait les maisons de pêcheurs.

Une fois de plus, les troupes russes avaient occupé la Pologne. La Prusse avait refusé l'aide promise. On parlait d'un second partage, qui ne laisserait que des os.

L'état du grand prieuré polonais de l'Ordre reflétait celui du pays. Russophile, enfermé par les patriotes, le grand prieur s'était enfui vers une destination inconnue.

« Rentre, écrivaient les amis de Varsovie.

— Ma présence ne changerait rien, avait répondu M. de Raczynski. Je préfère maintenir une présence polonaise à Malte. »

Sans doute le croyait-on retenu par une affaire de cœur. Et ce petit Saint-Ex, au fond, n'était-ce pas cela ? Sa gentillesse avait charmé, sa candeur avait ému. Raczynski gardait comme un talisman le mouchoir oublié dans sa chambre : un carré d'étoffe blanche, usée, reprisée, où l'on distinguait à peine les vestiges de la couronne paternelle.

Mais où pouvait mener une telle passion ? Un garçon qui n'entendait rien à la musique ! Avant peu, comme tous les autres, il jouerait au jeune coq.

« Suis-le en ville, ordonna Raczynski à son valet polonais. Dis-moi ce qu'il fait. Dis-moi surtout s'il a une donzelle. »

Après quelques séances de filature, le domestique jura que ce n'était point le cas. Vincent le triste implora l'aide de la Vierge de Czestochowa et, pour se changer les idées, décida d'aller dans le monde.

Le monde, à La Valette, se limitait au ménage Poussielgue : le capitaine du port et son épouse. Gérants de l'Auberge de Bavière, ils en invitaient volontiers chez eux les pensionnaires, au nombre desquels figurait Raczynski. En remerciement, l'un des fils Poussielgue avait été nommé chevalier dans cette même Langue, malgré les cris de jalousie.

Mme Poussielgue n'était plus toute jeune, mais encore belle. Il suffisait de l'entendre dire, de sa voix tendre, « mon pauvre Polonais », pour avoir envie de pleurer.

Et le soir, en sortant de chez les Poussielgue, l'on voyait une grande lueur rouge sur les façades. C'était la boulangerie centrale, entreprise publique, qui desservait toute la ville.

Les mois passèrent. La Pologne mourut. La Pologne tenta de ressusciter.

Quand Vincent Raczynski voulut rejoindre le général Kosciuszko et ses insurgés, le grand maître lui fit tenir les lignes suivantes :

La Pologne nous est chère. Mais l'Ordre doit préserver à tout prix ses bonnes relations avec l'empire de Russie. Il ne sera pas dit que j'aie envoyé un chevalier se battre contre lui.

Ledit chevalier se rongeait d'attente. Et chaque fois qu'il passait devant l'Auberge de Provence, il recevait une nouvelle morsure de la longue bête douloureuse appelée amour.

Antoine de Saint-Exupéry avait grandi, forci. Malte lui profitait. Bientôt, personne n'oserait plus l'appeler Blondinet.

Aucune nouvelle n'arrivait de France. Il supposait ses parents toujours à Bordeaux. Ses camarades se trouvaient dans la même incertitude. Le père de l'ami Bonvouloir, ancien député aux États généraux, se terrait quelque part dans les Vosges.

Mais soixante navires de commerce français en partance pour l'Orient attendaient la fin des tempêtes dans le grand port de La Valette. Tous, ils battaient pavillon tricolore. Malgré les défenses répétées, certains chevaliers entraient en conversation, essayaient d'en savoir davantage.

A l'Auberge de Provence, le vent claquait les portes et grondait dans les corridors :

« Tant mieux, commentait le bailli de Rességuier. Notre Ordre a besoin d'air. »

Antoine apprenait l'italien avec un vicaire de Sainte-Barbe. On lui avait donné pour manuel un vieil exemplaire de la *Jérusalem délivrée,* auquel manquaient des pages. « La Jérusalem déchirée », disait-il pour rire. Quant à l'ami Charles, il refusait glorieusement de parler tout autre idiome que le français. La terre entière se devait de le comprendre, y compris le Monomotapa.

Des remparts de Malte, Antoine regardait le vent d'ouest pousser sa cavalerie dans le ciel. Inlassablement, les nuages s'en allaient en campagne, et ne revenaient jamais : comme pour une longue croisade, où ils auraient tous péri.

Auprès des métairies de Malte, Antoine cherchait ces amies qui avaient enchanté son enfance : mesdames les oies. Mais, si loin du Périgord, elles se faisaient désirer. Et puis un jour, quand même, il les vit passer, raides et solennelles, observant un rigoureux ordre de préséance, comme je ne sais quelle confrérie noble et très collet monté.

Le pécule du jeune homme avait fondu. Heureusement, Charles recevait quelque argent par des voies mystérieuses, et en faisait profiter les copains, sans gêne de part ni d'autre. Dans les Auberges françaises, d'ailleurs, l'impécuniosité était devenue la règle. Être pauvre et seul, quelle épreuve pour un gentilhomme ! Tous ensemble, c'était presque drôle.

Les trente écus du grand maître furent accueillis comme une bénédiction. Trente par tête et par mois. Mais quand l'Auberge avait retenu au passage le prix de la pension... Trente écus, c'était assez pour ne pas mourir. Ce n'était pas suffisant pour vivre.

« Le grand maître avantage les Français », grogna-t-on ici ou là. Les Français n'étaient point les seuls malheureux. Dans d'autres pays, les biens de l'Ordre supportaient des contributions de guerre. Néanmoins, certains grands prieurés espagnols ou italiens votèrent un impôt spécial, afin de seconder les efforts d'Emmanuel de Rohan. Chevalerie d'abord.

L'ami Charles se fit bombarder officier des milices. Il régnait sur une phalange de Maltais, qu'on avait la cruauté de convoquer le dimanche — les six autres jours étant consacrés au bêchage de leurs champs. Joli spectacle, en vérité, que ces petits hommes noirauds, trapus, défiants, commandés par un grand jeune sous-lieutenant dans un italien prononcé à la normande.

« Ce n'est pas en marchant au pas qu'ils apprendront à nous défendre, se moquait Antoine.

— Le pas cadencé fait la discipline des armées », répondait l'autre, superbe.

Et il allait dans la campagne, menant comme un berger sa troupe aux pieds nus.

Antoine, quant à lui, avait été affecté à la frégate *Sainte-Élisabeth*. L'été prochain, il sortirait en caravane, avec toute la flotte, pourvu que l'état des crédits le permît : une parade magnifique et, entre nous soit dit, peu utile. L'hiver, on se contentait de faire la police du détroit de Sicile.

« Mon garçon, proféra le commandant, vous n'avez pas l'air plus sot qu'un autre. Mais il faudrait vous démener davantage. »

C'était un vieux loup de mer, de nation provençale, et nommé Annibal de Sobirats. Derrière son dos, on l'appelait Babal.

Un pêcheur maltais donna l'alerte : les *frelons* étaient de retour. Une heure plus tard, le navire d'Antoine glissait sur les eaux, laissant derrière lui l'autre frégate, que l'on ménageait pour raison d'âge. Elles aussi, les galères restaient à l'ancre ; on ne les sortait qu'à la belle saison. Cette fois, il n'y eut ni jolies filles ni mouchoirs déployés, mais simplement des marins français en escale, qui observaient le départ depuis leurs flûtes ou leurs barques marchandes, en tirant sur leurs grosses bouffardes.

« Mes enfants, dit M. de Sobirats, montrons à ces ruffians que nous savons encore notre métier. »

Sitôt en pleine mer, et malgré le mauvais temps, il mit toute la voile. Les membrures craquaient, les haubans menaçaient de se rompre. La mine inquiète d'Antoine faisait rire les matelots maltais.

Le lendemain à l'aube : « Frelon à l'horizon. » Antoine n'avait rien aperçu encore. Mais un point sombre grossissait sous le ciel blême. Plus loin se profilait une silhouette côtière, une terre interdite : le cap Bon.

« Ce salop-là espère se réfugier à Sousse, dit Babal. Choponsle avant. »

Sousse, dépendance de Tunis. Sa Seigneurie le bey envoyait des abricots confits au grand maître, mais ses corsaires continuaient d'écumer les mers.

« Un lougre, dit le commandant en second, lorgnette aux yeux. Seize canons. »

Pour les quarante bouches à feu de la frégate, ce n'était pas un morceau trop considérable. Babal fit charger les tubes.

« Saperlotte, dit l'aumônier, il a le culot de nous tirer dessus. »

Quelques boulets labouraient la mer. Un autre vint s'encastrer dans le bois de la frégate, avec un bruit sourd. Puis un projectile attardé coupa une vergue, juste au-dessus d'Antoine.

« Prenez garde, il pleut des branches, dit Babal. Feu à volonté. Mais visez haut. Prière de ne pas me couler ce bateau, comme la dernière fois.

— Nous voulons la coque et les hommes, renchérit le second. Malte a besoin de rameurs. »

Le mât principal de l'adversaire s'affaisse, dans une dégringolade de voiles. Les matelots de la hune ennemie sont tombés à l'eau, on les voit gigoter comme des insectes. Un personnage en culottes bouffantes agite un drapeau blanc.

Sans trop comprendre, Antoine agrippe un filin et se laisse descendre sur le pont barbaresque. Un grand craquement se produit dans son habit. Il arrive les mains saignantes, et quelque peu étourdi. C'est pour trouver un type en turban qui se précipite sur lui, sabre au clair. Le pavillon blanc n'était qu'une feinte. Ces diables de moricauds vont se défendre chèrement.

Antoine recule de deux pas. L'agresseur glisse sur les planches trempées, se prend les pieds dans un cordage et tombe. Au moment où Antoine allait lui casser la tête d'un coup de pistolet, l'individu se prosterne : demande de vie sauve. Devant, derrière, des soldats de Malte sautent et courent, avec des cris de victoire.

Machinalement, Antoine ramasse le cimeterre, tire sur le turban de son captif. Le linge blanc se déroule brusquement, laissant voir un crâne rasé, une mèche flottante. La figure du suppliant se redresse. Elle est jeune, bien taillée. Des yeux noirs brillent dans une figure mate.

« *Ma ismak ?* demande Antoine, tout fier d'étaler sa science.

— Kassem ben Hussein.

— Kassem. Très bien. *Oua kam snin ant ?*

— *Tamantâche.*

— Ah, dix-huit ans. Très bien. Moi aussi. »

La tunique rapiécée laisse voir un torse robuste, encore lisse. On lie les mains du nommé Kassem, on l'enfonce dans une soute avec quelques congénères. Antoine proteste : son prisonnier ! Les matelots maltais rient de sa candeur.

« Bravo moussaillon, lui dit Sobirats, nous vous recommanderons pour une récompense de quarante écus. » L'Ordre lui doit bien cela.

Le jeune drôle appelé Kassem fera merveille sur les galères. On connaît des forçats qui, convenablement traités, ont duré dix ou quinze ans. Pour le préserver des poux, bien qu'il ait l'air propre, dès l'arrivée au bagne on lui rasera aisselles et pubis.

Quant au navire ennemi, la frégate l'a pris en remorque. Dûment retapé, il sera vendu à un corsaire maltais, et fera régner la terreur parmi les marchands de Tunis ou de Sousse. Juste retour des choses.

Mais voici une autre silhouette suspecte, au ras des flots. On la prend en chasse. Incapable de se joindre à cette poursuite, le lougre est invité à rallier La Valette par ses propres moyens, avec un équipage réduit dont Antoine fait partie.

Antoine apporte lui-même des biscuits de mer à Kassem. Un

peu plus, on allait l'oublier, ce malheureux garçon. Kassem demande à dire sa prière sur le pont, car la soute est trop étroite. L'autorité supérieure objecte : Kassem a prouvé qu'il était dangereux. En manière de compromis, Kassem fera oraison sous la garde d'Antoine, et restera les mains liées. Qu'il s'estime heureux de ce régime de faveur.

Mais à l'arrivée, quand les captifs s'éloignent en direction du bagne, Kassem feint de ne pas reconnaître son bienfaiteur.

Saint-Ex se rend au magasin d'habillement, montre la déchirure dans l'étoffe rouge.

« Cet habit est quasiment neuf, lui répond-on. Vous n'en aurez point d'autre.

— Ne voyez-vous pas qu'il a été blessé au combat ?

— Les combats ne font point cette sorte de blessure. C'est vous qui aurez été maladroit. »

L'ami Charles fredonne son dernier tube, *C'est la mère Michel qui a perdu son chat.* Il attend avec impatience les quarante écus d'Antoine. De quoi boire plus d'un verre de punch à la Floriane.

« Je ne puis accepter cet argent, dit soudain le bénéficiaire. C'est le prix de la liberté d'un homme.

— Ne fais pas le dégoûté, répond Charles. Tu verras, quand tu te retrouveras au bagne d'Alger.

— Ce Kassem a notre âge.

— La belle raison ! Tout le monde a eu dix-huit ans. Même le monstre Robespierre. »

De sa récompense, Antoine fait deux parts. L'une ira à Kassem lui-même, pour améliorer son ordinaire ; car le bagne renferme une taverne. Ne faisant aucune confiance aux sous-officiers ni aux gardiens, le donateur décide de remettre sa contribution lui-même, malgré la règle suivant laquelle messieurs les chevaliers ne parlent point aux bagnards.

Couché sur une natte, le dénommé Kassem grignote des pépins de courge. Il a maigri, et troqué son turban contre le bonnet rouge des galériens. Ne sachant comment s'expliquer, Antoine lui glisse les pièces de monnaie dans la main et sort d'un pas rapide.

« Ses camarades vous ont vu faire, dit le sergent. Ils le rançonneront.

— Kassem est assez fort pour se défendre », répond Antoine.

Et les forçats musulmans, lui a-t-on assuré, se respectent davantage les uns les autres que les forçats chrétiens, ou prétendus tels.

La deuxième part de la récompense ira à Sainte-Barbe — l'église de la Langue de Provence. Antoine pénètre dans la nef ovale, choisit le tronc le plus caché, fait tomber ses pièces une à une. Or il y en a une kyrielle, car la Trésorerie, en sa malice, ne lui a remis que des pièces d'un demi-écu. Chacune émet un bruit argentin, en tombant sur les précédentes.

Antoine découvre alors une toute jeune fille, qui observait son manège. Une petite personne qui l'interpelle :

« *Quant' è ricco*[1] *!*

— Pas du tout, répond Antoine. Je suis pauvre.

— *Allora, che bella generosità.* »

Elle tire son voile noir sur sa jolie frimousse et s'enfuit. Jésus, la silhouette est bien gracieuse.

Il la cherche des yeux dans la rue Royale. Elle a déjà disparu. Tout songeur, il rentre en son Auberge. Une allumeuse, peut-être, une fille galante. Quelle fraîcheur, pourtant.

Le surlendemain, miracle, la revoilà. C'est l'une des lavandières qui viennent chercher le linge sale à l'Auberge de Provence et le rapportent propre. Sans doute connaissait-elle Antoine de vue : d'où son audace. Cette fois, les rôles sont inversés. Caché dans un renfoncement, Antoine la regarde passer avec ses amies. Brunette, rieuse, les joues roses.

Sans hésiter, il la suit. Elle descend la rue Saint-Jean, corbeille sur la hanche, ployée par l'effort. Mais ses pieds nus trottinent avec une légèreté aérienne. Elle évite un cochon, évite une chèvre, pose un instant son couffin sur le perron de l'église Saint-Augustin. Il doit lutter contre une envie de l'aider. Le plus fort est qu'elle ne laisse rien tomber.

Par les rues basses, l'on arrive au Mandragg, de mauvaise réputation. La lavandière pénètre dans l'une de ces maisons creusées dans le roc, dont chacune abrite trois ou quatre familles. Des façades ferment ces sortes de grottes, dont le fond est de craie vive.

1. Comme vous êtes riche !

Non, la petite n'est pas encore entrée. Elle se libère de son fardeau, s'étire, se retourne. Rouge sur fond blanc, Dieu sait si Antoine est repérable. Ayant repris sa corbeille, elle monte l'escalier intérieur. Et lui reste planté là devant comme un nigaud.

Une fenêtre s'ouvre à l'étage. C'est elle encore, qui se penche, éclate de rire, et referme précipitamment, comme si on allait lui tirer un coup de fusil.

***

« Lady Méditerranée, je vous salue. »

Depuis des milliers d'années, les poètes en ont fait bien des embarras, de cette mer. Campé sur sa dunette de commandement, le capitaine de vaisseau Nelson la contemple en fronçant le sourcil. Un peu trop bleue pour être honnête, cette créature. Il gonfle la narine : cela manque de consistance. Où est l'odeur de marée, où est l'odeur de varech ?

En digne fils de pasteur, il lutte contre la séduction d'une pécheresse. Mais, déjà, sait qu'il devra se rendre.

Lui aussi, l'*Agamemnon* paraît heureux de fendre ces eaux nouvelles, auxquelles son nom le prédestinait. Les feuilles de cuivre dont on a doublé sa coque accroissent sa vitesse et le protègent des petites bêtes. Un beau navire, *my goodness !*

Après une touchée à Toulon, qui s'est insurgé contre les jacobins, Nelson va chercher des renforts à Naples. Le roi local monte à bord, offre à dîner. Beaux messieurs, belles dames. La ravissante lady Hamilton, ambassadrice d'Angleterre, décoche des œillades à réveiller un mort.

Les renforts n'étant pas prêts, Nelson pique vers Tunis, où s'est réfugié un convoi français. Le bey refuse de le livrer. Sans doute cette vieille bête s'est-elle laissé acheter par le consul de France.

« Sir, demandent les hommes, allons-nous forcer le goulet ? »

Les défenses sont trop robustes. Nelson remonte vers le nord. Une autre côte se présente, plus escarpée. Pas un clocher, pas une maison.

« L'île de Malte, sir. »

Comme par défi, elle ne lui montre que sa face inhospitalière.

Il consulte sa carte. La Méditerranée forme deux grandes ailes de papillon. Malte se trouve juste à la charnière.

« L'île de Calypso, sir. Mais, pour l'heure, elle appartient aux chevaliers de Saint-Jean. »

Les chevaliers, Nelson n'en a qu'une vague idée. Un vieux truc papiste. Des gens qui ne devraient pas posséder d'îles.

D'un geste distrait, il reprend sa lunette. Joliment situé, ce petit mouillage appelé Malte.

Que faire, quand la grande politique déçoit, et que l'argent fait défaut ? Mon Dieu, l'on joue au billard.

Le palais a une salle réservée à cet office. Quelques chevaliers s'envoient de grands coups de queue, tout en ménageant le drap vert. Tiens, je jette la France sur la Savoie. Et moi, je pousse la Hollande contre la Prusse. Enfoui dans sa bergère, Rohan applaudit à des carambolages qu'il ne peut même pas voir.

Le trésorier Ransijat sort de ses gonds :

« Monseigneur, j'en apprends de belles. On bat le tambour dans nos campagnes. Engagez-vous dans la flotte anglaise ! Venez toucher les primes du roi George !

— C'est vrai, j'ai autorisé cela, dit doucement le grand maître.

— Et vous croyez que la nouvelle République nous rendra nos commanderies ? »

Les joueurs se sont interrompus.

« Je n'ai pris parti pour personne, proteste Rohan, sans élever la voix. Notre archipel porte plus de monde qu'il n'en peut nourrir. Si l'Angleterre veut nous en prendre, libre à elle, et tant mieux pour les Maltais. »

Ransijat s'assied, desserre sa cravate bouffante. Décidément ! Il pensait avoir entraîné Rohan dans la voie d'un compromis avec la Révolution. Mais la mission F… tourne mal. Et, à Malte, les partisans de l'Ancien Régime se déchaînent.

« Monseigneur, j'ai une seconde remontrance à vous faire. On me dit que vous voulez interdire le port aux navires français.

— Ils pourront y rester tant qu'ils voudront, mon cher trésorier, à condition d'ôter leurs flammes tricolores.

— Grave exigence, observe Ransijat.

— Nous devons ménager les sentiments du roi de Naples.

— C'est bien la première fois, monseigneur, que nous nous soucions de ce roi-là. »

D'habitude, le Bourbon de Naples faisait rire les chevaliers, quand il rappelait sa prétention d'être leur protecteur. Or voici que Rohan prend des gants avec lui. A l'égard de Paris, au contraire, tous les procédés sont bons. Rohan a interdit au consul de porter la cocarde tricolore, et tolère qu'on affiche des placards injurieux sur sa porte.

« Ne me fatiguez pas avec ce consul », dit le grand maître, dans un soupir.

Un Maltais du nom de Caruson. Embauché au service du roi de France, il s'est tourné avec ardeur vers les idées nouvelles. Rohan l'avait nommé donat de l'Ordre, un petit honneur assez apprécié. Caruson a rendu sa croix de donat !

« Caruson nous espionne, renchérit un jeune chevalier. Tout ce que nous faisons, il le rapporte à Paris.

— Si nous ne faisions rien de mal, réplique le secrétaire du Trésor, cela ne tirerait guère à conséquence. Et que pensez-vous de vos amis les Anglais, qui se permettent d'intercepter nos dépêches ? »

Brandissant sa queue de billard, le jeune homme en menace Ransijat. Mais Rohan ne veut rien voir, il abaisse ses paupières gonflées. Furieux, l'offensé sort en claquant la porte.

« Je me démets de mes fonctions », jette-t-il à la sentinelle stupéfaite.

Ah, qu'il est doux de démissionner, quand on est irremplaçable !

Depuis quelques semaines, Malte a la coqueluche, et cette maladie s'appelle Louis de Boisgelin. L'officier qui a fait rire aux larmes la garnison de Nancy, et qui composait des livrets d'opéra comme on se mouche. M. de Boisgelin, chevalier de Saint-Jean, revient à présent de la Laponie.

Tel le personnage de La Bruyère, mais à meilleur escient, il a tout lu, tout vu. On se pousse pour l'entendre à l'Auberge de France. Son nom même ne manque pas de piquant : Boisgelin de

Kerdu, le bois du faisan et la maison noire. Un instant, il parvient à faire oublier aux chevaliers l'étroitesse de leur destin, et l'infortune d'être devenus pauvres.

A l'issue de l'une de ses conférences, deux novices viennent le trouver d'un air timide :

« Vous qui avez une plume, vous devriez écrire un drame sur le siège de Malte par les Turcs. Nous aimerions jouer sous votre direction.

— Le malheur est que je repars ! s'exclame la vedette.

— Vous arrivez à peine.

— Comment vous appelez-vous, jeunes gens ?

— Bonvouloir et Saint-Exupéry », répondent-ils ensemble, sans qu'on sache qui est qui.

Boisgelin les considère de son œil noisette, agile et perçant. Déjà, il les a jaugés : deux bons garçons sans rien d'extraordinaire, mais que les circonstances peuvent élever au-dessus d'eux-mêmes, s'ils savent les saisir.

« La vie est trop courte, mes jeunes amis, pour s'attarder sur un rocher où il ne se passe rien.

— Malte va être attaquée, objecte le plus grand des deux. Nous devons rester afin de la défendre.

— Qui dit cela ?

— Un peu tout le monde.

— Ne serait-ce pas plutôt un prétexte que l'on se donne pour ne rien faire ? »

Boisgelin les laisse décontenancés. Lui, il refait ses paquets. Car l'Europe, non loin d'ici, vit une époque à la fois terrible et passionnante.

« Vous nous quittez déjà ! proteste Son Altesse, cramponnée à ses accoudoirs. J'aimerais tant connaître la suite de vos aventures à la cour de Copenhague.

— Je vais me battre à Toulon. »

Sous ses dehors frivoles, sachez-le, Boisgelin le Breton est un homme de cœur.

« Ne me brouillez pas avec la République, prie le grand maître.

— Vous n'avez plus à la craindre, monseigneur. Toulon s'est révolté. Marseille s'est révolté. Lyon s'est révolté. La Vendée s'est révoltée. »

Par prudence sénile, le vieil homme continue de redouter le monstre.

« J'ai des comptes à régler, explique encore Boisgelin. Mon frère l'abbé a été massacré en septembre de l'an dernier. Mon frère le colonel a été guillotiné. »

Quelques camarades acceptent de l'accompagner vers le continent. Braves filles, les Langues françaises versent un pécule à chacun. Au moment de lever l'ancre, un affreux pressentiment saisit M. de Boisgelin. Et Célestine ? Reverra-t-il jamais Célestine ?

Il l'a laissée sous bonne garde, pourtant, à l'Auberge de France. C'est sa malle d'homme de lettres. Elle contient ses notes des pays du nord, dont il tirera, si Dieu veut, plusieurs volumes ; et ses notes sur Malte, dont il fera une description monumentale. Célestine, c'est un autre lui-même.

Un muletier va chercher Célestine. Contre toute raison, il la sent plus en sécurité avec lui, en campagne, que dans cette île oubliée par les guerres. Et vogue le navire.

Robespierre a juré de reprendre Toulon, comme il a repris Marseille. Mais l'or anglais, l'opiniâtreté anglaise ont mobilisé contre lui une vraie ligue des nations : des Mecklem bourgeois au service de l'Angleterre, des Suisses au service de l'Espagne, des brigands au service de Naples. C'est à qui paradera dans les rues de la ville, et mangera du jacobin. Parfois, deux croix de Malte se rencontrent :

« Chevalier de Boisgelin, pour vous servir.

— Chevalier Caracciolo. »

Célèbre casse-cou, mis l'an passé aux arrêts de forteresse pour avoir enlevé deux chebecs algériens dans les eaux françaises, alors qu'on n'était pas encore en guerre. Capitaine de vaisseau dans la marine napolitaine, il supporte mal la supériorité anglaise, l'arrogance anglaise..

« J'arrive de Malte, dit Boisgelin. Le destin de cette île m'inquiète.

— Ne vous inquiétez pas, répond Caracciolo. Malte revient de droit à mon maître le roi Ferdinand.

— Qu'il apprenne à régner sur sa femme, réplique Boisgelin, avant de vouloir régner sur nous. »

Caracciolo lance un regard sombre. Il est petit, buté, olivâtre ;

le vaste front montre qu'on n'a pas affaire à n'importe qui.

Avec Célestine, Boisgelin s'est inscrit au Royal-Louis, régiment composé de bonnes volontés locales et d'émigrés rentrés. Il se voit confier une compagnie de carabiniers. L'on sert sous l'ancien uniforme de Picardie, blanc à parements bleus.

« Le régent va venir, chuchotent les braves gens. Le régent est annoncé. »

Mais le gros régent, *alias* comte de Provence, et frère du pauvre Louis XVI, aime trop ses aises pour se risquer en un tel endroit.

Le lendemain de sa nomination, Boisgelin est blessé au combat. Légèrement, grâce à Dieu. Le général anglais a été fait prisonnier. La peur commence à resserrer son étreinte autour de cette ville pleine de réfugiés de Marseille, d'Aix, d'Avignon...

Les canons ennemis font mouche ; superbe artillerie française, rénovée par Louis XVI, et qui maintenant sert une tout autre cause. L'assiégeant a coupé le ruisseau qui faisait tourner les moulins de la ville.

« Nous les tournerons avec nos bras », réplique Boisgelin.

Le Royal-Louis fond sous le soleil de décembre. Car il faut bien montrer ce que l'on vaut à tous ces Ostrogoths. Les pertes sont comblées comme l'on peut.

17 décembre 1793 : les Anglais évacuent le fort Malbousquet. La pression des assaillants se reporte sur le fort La Malgue. La flotte anglaise commence à sortir du port, sans souci de la population civile ! Ce sont les navires espagnols et siciliens qui doivent s'occuper d'elle. Des grappes humaines se précipitent dans des canots. On ne compte plus les noyés..

« Tenons bon, répète Boisgelin à ses hommes. Sans vous, la retraite deviendrait déroute. »

Toute la nuit, sous la pluie battante, sous la mitraille républicaine, le Royal-Louis se cramponne à une position qui n'est même pas retranchée. Le lendemain seulement, les survivants sont autorisés à embarquer.

« Et les malades ? s'indigne Boisgelin. Et les blessés ? Nous avons quatre-vingts hommes à l'hôpital. Ils vont être passés par les armes !

— Ne faites pas l'enfant », dit le major du régiment.

Célestine a plus de chance. Une âme charitable a pensé à la ranger dans une cale.

De son côté, le chevalier Caracciolo prend à son bord, sous le tir de l'ennemi, tout un régiment albanais.

En partant, les Anglais ont bouté le feu à l'arsenal, et à dix bâtiments de l'ancienne escadre française. Ils n'emmènent que les meilleurs morceaux, comme ce *Commerce-de-Marseille* de cent dix-huit canons, l'un des plus gros vaisseaux jamais construits au monde.

Boisgelin s'en veut d'assister à cette débâcle. N'aurait-il pas mieux valu rester à Malte, havre de paix provisoire, et coucher sur papier ses réflexions sur la marche du monde ?

Une violente explosion secoue les alentours : c'est la poudrière qui vient d'éternuer. Et, pendant des heures, une grande lueur rouge embrase le rivage, tandis que les deux cent cinquante bateaux de la flotte coalisée s'éloignent en une lourde procession, tous fanaux allumés dans la nuit.

Assis sur son paquetage, l'ancien boute-en-train de Nancy ressasse sa brillante jeunesse. Avec un camarade, et sous de fausses identités, il mystifiait les populations. Il écrivait à une actrice pour lui vendre un remède-miracle, ou à une entremetteuse pour lui proposer deux jeunes filles (variante : à un sergent recruteur pour lui proposer deux garçons). Les victimes mordaient à l'hameçon, elles répondaient. Elles avaient alors la surprise de voir leurs lettres publiées, anonymes mais authentiques. Après le temps des rires, le temps des larmes.

Et la *Junon,* qui devait venir de Malte ? La frégate anglaise qui menait à Toulon les marins et soldats insulaires recrutés avec la permission du grand maître. La *Junon* arrive plusieurs jours après la bataille. Ignorant la chute du port provençal, elle s'y est présentée. Les Bleus ont failli l'arraisonner. La voici enfin, saine et sauve.

Le chevalier de Boisgelin monte à bord, réconforte les passagers dans son maltais de cuisine. Puis l'escadre fait route vers l'île d'Elbe. Hélas, le typhus se trouve au rendez-vous. Le major du régiment Royal-Louis y succombe. A sa place, les hommes élisent Boisgelin. Oui, l'élisent. On a beau vomir les démocrates, il arrive qu'on emprunte leurs méthodes. Les urnes et les scrutins ne figurent-ils d'ailleurs pas au nombre des traditions de l'Ordre de Malte ?

Boisgelin sera à la fois major et chef de corps : car le régiment est trop amaigri, désormais, pour justifier un colonel. L'on perçoit une solde anglaise, mais l'on garde l'étendard fleurdelisé.

Faute d'avoir sauvé Toulon, messieurs les coalisés décident de conquérir la Corse. C'est d'ailleurs assez facile, elle s'est rebellée contre les Français. Venue en renfort d'un neveu Boisgelin. Prise de Bastia. A Saint-Florent, nouvelle épidémie.

Contre l'adversité, un seul remède : l'humour noir. Louis de Boisgelin y rivalise avec son confrère le chevalier Caracciolo. En même temps, il se perfectionne dans la langue de Shakespeare. Il essaie même d'apprivoiser le capitaine de vaisseau Nelson. Mais ce brave homme, cet homme brave n'a guère de conversation.

Siège de Calvi. Le capitaine de vaisseau Nelson perd un œil. Prise de Calvi. Un Anglais est nommé vice-roi de Corse. Nommé, cette fois, et non élu.

« Vous autres chevaliers de Malte, dit-il à Boisgelin, vous pourriez nous rendre un service. Malte regorge de munitions qui ne lui servent à rien. Elle a de la graine de matelots, et de la graine de soldats. Tout ce dont nous manquons. »

Bref, on va y envoyer une ambassade, chargée de négocier des fournitures en divers genres. Louis de Boisgelin hésite à accepter ce rôle. Les sans-culottes restent redoutables, ils viennent de le montrer devant Toulon. Ne compromettons pas trop l'Ordre.

« Alors ? » s'impatiente le vice-roi.

Un autre candidat se présente : le chevalier Louis-Philippe de Sade, ancien officier de la marine royale, un peu plus âgé que Boisgelin. Un bel esprit aussi, curieux de politique et de science. Mais quand il fait rire, lui, c'est sans l'avoir voulu.

« Mon cher confrère, dit Boisgelin, vous connaissez l'Angleterre. Une fois qu'elle aura mis le pied à Malte, on ne pourra l'en ôter.

— Voyez Toulon, ricane M. de Sade. Elle a décampé plus vite qu'elle n'aurait souhaité.

— Toulon n'est pas une île, réplique Boisgelin. Voilà toute la différence. »

Et M. de Sade s'embarque pour le sud sur une corvette anglaise, en multipliant les propos rassurants : il ne s'agit pas d'implanter quiconque à Malte, mais d'y acheter de la poudre.

Boisgelin et ses hommes, eux, ont préféré le nord. Arrivés à Portsmouth, on leur apprend qu'ils vont être versés dans un régiment d'émigrés formé pour débarquer en Bretagne. D'accord pour la Bretagne, mais pas pour la fusion. Le Royal-Louis n'a-t-il pas assez payé son droit d'exister ? Mieux encore : les Anglais contestent à Boisgelin son grade de major. Chez eux, on n'a encore jamais vu d'officier élu.

Furieux, ledit élu adresse un mémoire au comte d'Artois, autre frère du malheureux Louis XVI. Autant en emporte le vent d'ouest. Les rescapés de Corse n'auront qu'une satisfaction, celle de voir leur nouveau régiment reprendre le nom de Royal-Louis.

La contrariété fait glisser Boisgelin dans la rue. Il se casse la jambe. La flotte anglaise appareille sans lui, portant les preux qui vont reconquérir la France.

Quiberon. Désastre. Des milliers de fusillés, dont bon nombre de chevaliers de Malte. Jambe cassée, vie sauvée.

Mais Boisgelin n'a pas fini d'expier cela. Moins heureuse que Célestine, la caisse du régiment a été volée durant la débâcle de Toulon. L'intendance anglaise somme l'ancien major de rembourser les sommes perdues. Il se débat comme dans une toile d'araignée.

Mes amis que l'on a fauchés le long des haies de Bretagne, n'ayez point de regret ; car la médiocrité est la pire des morts.

La mère Buhagiar pelait des oignons avec les larmoiements d'usage.

« Maman, dit Lucija, je suis amoureuse.

— Eh bien, il ne manquait plus que cela. *Salib imqaddes*[1] *!* »

Lucija n'avait que sa beauté pour dot. Elle pouvait en tirer un parti convenable, à condition de tenir la dragée haute aux soupirants.

« D'ailleurs, mon enfant, ce n'est pas ton premier béguin. Il y a déjà eu Fernando.

— A peine avons-nous échangé trois mots.

1. Sainte Croix !

— Alors qui est le nouveau, ma colombe ? Carmelo ? Rodrigo ? Le roi des Deux-Siciles ?

— Un chevalier. »

La mère Buhagiar referma vivement le tiroir, au risque de renverser la table, qui ne tenait que sur trois pieds.

« Vous vous êtes parlé ? Qu'a-t-il dit ?

— Rien. »

La génitrice haussa les épaules. La petite se hâta de corriger :

« Il a dit : je suis pauvre. Mais c'est faux. Je l'ai regardé mettre des pièces dans un tronc à Sainte-Barbe. J'ai compté. Il y avait quarante pièces.

— Tu ne les as pas vues, les pièces, bécasse. »

On la sentait quand même rassurée. A Malte, si les campagnes restaient vertueuses, la situation de femme entretenue était depuis longtemps admise en ville. Pardi, comment faire vivre cette île trop peuplée ? Pour Malte, l'Ordre drainait les richesses de l'Europe entière. L'Ordre employait les hommes sur ses navires ou ses chantiers. L'Ordre passait des colliers d'or au cou des belles.

« Sois prudente, conclut la mère Buhagiar. Ne donne rien sans te faire récompenser. »

Elle-même comptait ses sous, et besognait dur. Le mari était mort, le fils aîné s'était engagé dans la flotte française, au temps de la guerre d'Amérique ; nul ne savait ce qu'il était devenu. Restaient trois bouches à nourrir : le jeune Filippinu dit Pinu, et les deux petites sœurs. Lourde charge, qui revenait chaque jour comme le soleil.

La jeune fille s'en fut toute contente avec sa corbeille à linge. Elle se rendait tantôt en Provence, tantôt en Aragon. Les mâles du cru lui avaient déjà fait plus d'une avance, sans qu'elle y répondît.

« Vingt-sept vêtements, dit la femme de l'intendant de l'Auberge. Attention à ne rien perdre.

— Je n'ai jamais rien perdu », répondit Lucie.

Elle aimait laver le linge des chevaliers, car ce travail faisait rejaillir sur elle, infime créature, un peu de la gloire de l'Ordre.

« Eh, Lucija, dirent les lavandières, tu as un galant qui te suit dans les rues.

— Un abbé ? Un bailli ?

— Non, un jeune chevalier, tout de rouge vêtu.

— Eh bien, gardez-le pour vous, ma chère. Les jeunes chevaliers sont des paniers percés. »

En cette fin de printemps, la fontaine du Mandragg donnait encore. Mais bientôt, il faudrait laver à l'eau de mer. Pouah !

A l'Auberge de Provence, les femmes de charge n'étaient point admises dans le vestibule. Lucija se dirigea vers la petite porte avec deux amies, et vit là son béguin qui paraissait la guetter. Il bredouilla quelque chose — mais était-ce seulement de l'italien, ou du turc ? Puis il saisit la petite main rougie, et la baisa, comme à une dame. Les copines gloussaient.

Vraiment, il lui plaisait, avec ses cheveux blonds, son sourire timide. Et surtout, sa fossette au menton. Avec lui, au moins, elle ne serait ni battue, ni trahie. De plus, si elle avait bien compris, il s'appelait Antoine. Dans le panthéon personnel de Lucie, saint Antoine de Padoue occupait une place éminente.

Durant toute la semaine, elle fut quelque peu distraite. Elle perdit une serviette de l'Auberge d'Aragon, en coton uni, d'où amende qui lui mangea le plus clair de son salaire. Peu lui importait.

La fois suivante, le chevalier Antoine l'attendait derrière l'Auberge de Provence. Il avait dû se renseigner sur les jours de linge. Mais il se contenta d'un signe de tête imperceptible. Blessée, se demandant la cause d'une telle disgrâce, elle entra, posa sa corbeille devant l'intendante et se mit à compter les pièces de linge.

Une intuition lui dit qu'Antoine était entré sur ses traces, et qu'il l'observait dans son dos. L'intendante fut appelée dans la pièce voisine. Le jeune chevalier se précipita, baisa la joue de Lucie avant qu'elle eût pu esquisser une défense. Pas si timide que ça, le gaillard.

« Petite gourgandine ! s'écria l'intendante en revenant. Je ne veux plus de toi ici.

— J'irai à l'Auberge d'Allemagne », répondit Lucija.

Empochant la monnaie qu'on lui tendait de mauvaise grâce, elle reprit sa corbeille vide et s'enfuit sans pleurer. Le bel oiseau rouge s'était envolé.

Au logis, ce fut l'interrogatoire en règle.

« Alors, ton amoureux ? Tu n'en parles plus. Tu as cessé de lui plaire ? »

La mère était prête à griffer ce personnage qui dédaignait la beauté de sa fille.

« Il est un peu craintif, maman. Nous ne savons où nous rencontrer. »

La mère tira une casserole du feu :

« Tu peux l'amener à la maison. Que sainte Lucie te protège. »

Ayant copieusement bâillé, elle fit un signe de croix devant sa bouche avec son pouce, afin de conjurer le mauvais sort.

Antoine accepta de venir. Il avait révélé son nom entier. Exupéry, quel était ce drôle de saint ? Quelle maladie guérissait-il ?

A l'entrée du visiteur, la mère Buhagiar le salua sans mot dire et se réfugia dans l'autre pièce avec sa marmaille. La porte de communication fermait mal. Le jeune chevalier fit le tour de la chambre, gratta la roche brute du bout de l'ongle, considéra les bondieuseries qui ornementaient le mur :

« C'est cela, ton lit ? »

Le grand lit défoncé des parents. Lucija partageait un bat-flanc avec Pinu et les deux petites. Antoine lui baisa les lèvres une fois, deux fois, trois fois. Difficile d'oser davantage, avec la maman qui écoutait de l'autre côté. Puis il offrit un mouchoir brodé à ses armes : peu de chose. Et prit congé des enfants, un par un. Penchée à la fenêtre, la mère Buhagiar le regarda s'éloigner :

« Il est bien jeune. »

Elle moucha la petite dernière, allongea un coup de pied au chat :

« Par-dessus le marché, il est français, non ? Tu m'avais caché cela. Ignorerais-tu, sotte bête, que les Français sont fauchés comme les blés ?

— Il nous comblera de bienfaits quand la révolution de France sera terminée.

— Ah ouiche, tu peux y compter. J'en parlerai à Dun Rokku[1]. »

Un cousin, premier vicaire à Saint-Augustin ; un gros homme

1. Dom Roch.

de prêtre que Lucija n'aimait guère, mais qui jouait les protecteurs et arbitres de la famille. On espérait, ô merveille, que Dun Rokku finirait par être promu curé d'une paroisse.

Quand Lucija indiqua que son galant souhaitait revenir le mardi suivant, la mère Buhagiar ne souffla mot.

Une heure avant le rendez-vous, Dun Rokku fit son entrée. Assez rouge, il s'assit en soufflant dans l'unique fauteuil. Lucija lui apporta du saucisson à l'ail qu'il se mit à mastiquer tout seul. Elle aurait voulu donner l'alerte à l'Auberge de Provence. Mais Dun Rokku la regardait d'un œil fixe.

Antoine toqua à la porte. Dun Rokku se leva. Les présentations furent brèves.

« Monsieur le chevalier, dit le premier vicaire dans son italien des dimanches, vous avez dépravé une innocente créature. Quelle sorte de réparation envisagez-vous d'accorder ? »

Antoine balbutiait.

« Monsieur le chevalier, nous porterons plainte auprès du grand maître. »

*
**

« Comment, s'écrie l'ami Charles, toi, un chevalier, tu t'es laissé insulter par un prêtre ?

— Quel culot, ces Maltais ! renchérissent les camarades. Depuis que la Révolution nous a ruinés, ils se croient tout permis. »

Une expédition punitive est bientôt décidée. Antoine supplie de n'en rien faire. En cas de scandale public, il sera la première victime.

Personne ne l'écoute. L'abbé Buhagiar, premier vicaire à Saint-Wistin[1] ? On a tôt fait de repérer sa porte. Sans prévenir Antoine, l'équipe de Provence y donne une fameuse sérénade, avec sifflets, casseroles et injures trilingues.

« Il a eu grand peur, annonce Lucie le lendemain. Il croit sa vie en danger. »

Par bonheur, la flotte de l'Ordre part en caravane d'été.

1. L'église Saint-Augustin.

Antoine n'est pas mécontent de mettre quelques centaines de milles nautiques entre Dun Rokku et lui. Cette année, les novices participeront à la manœuvre des voiles, et même à celle des canons. C'est l'influence des idées nouvelles : pour commander, sache d'abord obéir.

Quant aux officiers, ils récriminent : le plan budgétaire du sieur Ransijat a ôté soixante rameurs de la galère capitane, et quarante de chacune des autres. Finies, les courses de vitesse qui faisaient se pâmer les jolies spectatrices.

Palerme ouvre sa baie accueillante. Par raison d'économie, les Argonautes n'iront pas plus loin. Une grande cité, bien construite, riche en palais et en femmes élégantes. Mais dès le second jour, les chevaliers français sont consignés à bord. Les curés ont tellement monté les Palermitains contre la révolution de Paris qu'il suffit de parler français dans les rues pour être écharpé. Aristocrates, démocrates, ce sera le même prix.

Restons alors à contempler les montagnes de Sicile, en faisant des ronds dans l'eau. Du pont de la *Sainte-Élisabeth,* le regard plonge sur la galère la *Victoire,* et reconnaît l'un des forçats :

« Kassem ! »

Le jeune maugrabin s'approche, sous le regard d'un garde-chiourme tolérant. Son italien commence à devenir compréhensible. « Un jour, affirme-t-il sans crainte, l'islam vous vaincra. »

Cette année, faute de crédits, l'on ne recevra point de princesse à bord. Alors, oublions Palerme.

Au retour à Malte, braquant sa lorgnette, Antoine aperçoit Lucie qui lui fait fête. Lucie, dansant sur ce haut bastion qu'on appelle la Grande Baraque. Lucie avec des fleurs rouges.

« Comment la trouves-tu ? » demande-t-il à l'ami Charles. Lequel répond par une chanson peu courtoise :

Dans mon pays,
Y en a de plus jolies,
Et ri et ran
Ran pataplan

Monsieur est un peu jaloux.

Pas de nouvelles de Dun Rokku. Il a eu son compte. Il se tient coi. « Ton abbé n'est qu'un tigre de papier », tranche le jeune Bonvouloir.

Les deux tourtereaux prennent l'habitude de se revoir, à la Grande Baraque, précisément. Une partie de la terrasse a été couverte et convertie en parc d'artillerie. Mais le reste est devenu jardin par la générosité d'un bailli. De là-haut, l'on embrasse le port, le groin de pierre du château Saint-Ange, la pointe de La Sengle, elle aussi bastionnée, la calanque aux galères, où les grands insectes ont replié leurs pattes...

« Préférez-vous Malte, ou Bordeaux ? » demande Lucija. Elle ne voudra jamais lui dire tu.

Bordeaux : la longue façade classique au bord du fleuve. Malte : les doigts de la mer qui s'enfoncent dans un gâteau de maisons et d'églises.

« Les chevaliers ont changé, dit encore Lucija.

— Comment cela ?

— Ils sont devenus pauvres.

— C'est beau d'être pauvre ! »

Mais difficile à faire comprendre à une frotteuse de linge.

« Les chevaliers, continue-t-elle, ne sont plus aussi braves qu'avant. »

Antoine éclate :

« Est-ce de notre faute, si les Turcs n'osent plus nous attaquer ? Tu verras, le jour où un ennemi paraîtra devant nos murs !

— Ne vous fâchez pas, dit-elle de son air de petite renarde naïve. Je répète simplement ce que j'entends autour de moi. »

D'autres soirs, l'on se rend au bastion des moulins, au-dessus du bassin de quarantaine. Inlassablement, les moulins broient le grain venu de Sicile et, au soleil couchant, leurs grandes ailes tricotent des ombres fantastiques autour des amoureux.

« Alors, dit l'ami Charles, quand passez-vous aux choses sérieuses ?

— Quelles choses sérieuses ? » s'étonne Antoine. On lui explique. Il rougit.

Une rencontre est organisée à la maison Dolomieu. Maintenant que le grand Casimir est allé se battre au loin, la gardienne y autorise les rendez-vous galants, moyennant pourboire. Très émue, riant quand même, Lucija inspecte les échantillons de minéraux. L'oncle Dolomieu lui tapote le menton. Antoine a prévenu : rien à craindre d'un homme si âgé.

Lucija ne recevra pas un sou. Elle le sait. Elle ne demandera rien. Il lui faudra donc cacher cette frasque à sa mère.

« Eh bien ? s'enquiert l'ami Charles, en consultant une montre imaginaire. Vous y êtes restés deux heures.

— Nous avons surtout parlé », confesse Antoine.

Quelques jours plus tard, les amants vont se rouler dans un pré. Des coquelicots ont fleuri partout.

« Avec leurs habits rouges, on dirait des chevaliers », remarque-t-elle.

Mais, de l'autre côté du chemin, la fenaison a déjà commencé. Les corolles écarlates gisent dans l'herbe, comme une jeunesse moissonnée. Le cœur serré, Antoine exige de rentrer en ville.

L'instruction des novices se poursuit. Le professeur Tousard continue ses cours, entre deux chantiers d'ingénieur. Séduite par ses talents, et poussée par Ransijat, Son Altesse décide de lui donner de l'avancement. Elle l'avait déjà nommé chevalier de grâce. Maintenant, le voilà chevalier de justice, à l'égal des porteurs de quartiers de noblesse.

« C'est pour donner un gage au gouvernement de Paris », chuchotent les gens bien informés.

La Langue de France s'assemble, en son Auberge de La Valette. Tousard en est membre. Elle n'a pas été consultée sur la promotion de ce roturier.

« Roturier ? proteste Tousard. Mon père était écuyer. »

Le plus bas degré de l'aristocratie. La Langue refuse de reconnaître le nouveau promu. Elle dépose un pourvoi contre la bulle du grand maître. Et, pour le cas où le Conseil de l'Ordre oserait lui donner tort, elle fait savoir d'avance qu'elle en appellera au pape. On se croirait revenu au temps des dolomiades.

L'imprudent Tousard réplique en critiquant à haute voix les privilèges de la naissance.

« Nous n'assisterons plus à ses cours, dit l'ami Charles.

— Eh bien moi, je continuerai d'y aller, dit Antoine.

— Jacobin ! Bonnet rouge ! »

Si Tousard donne lieu à controverse, un autre professeur fait l'unanimité : Giulio Litta, commandeur milanais, chargé d'initier ces jeunes gens au combat naval. Autant Tousard est plébéien et rugueux, autant Giulio Litta est élégant et souple. Il rentre avec une auréole d'un séjour de trois ans dans les forces navales de Catherine II. Qu'allait donc faire cet Italien de bonne maison en Russie ? Il allait chercher la gloire. Et il l'a trouvée.

« Messieurs, dit Giulio Litta, vous entendrez peut-être dire que les galères sont condamnées par le progrès. La récente campagne de la Baltique prouve tout le contraire. »

Sous sa direction, les bateaux à rames de la tsarine ont capturé le vaisseau-amiral suédois. Ensuite, à vrai dire, la Suède a pris sa revanche. Mais Sa Majesté Impériale n'en a pas voulu à son brillant chevalier de Malte. Elle l'a élevé au grade de contre-amiral !

Bâton de craie à la main, il reconstitue ces batailles. Pendant quelques semaines, les jeunes chevaliers se divisent en Russes et en Suédois. Emporté par son élan, le commandeur Litta refait même la bataille d'Actium. Certaines jeunes têtes rêvent de César, et d'autres de Cléopâtre. Mais rien de tout cela ne leur servira contre les Barbaresques, qui ne combattent point selon les règles. Les Barbaresques ne connaissent que le coup de main suivi de la fuite.

Nuit et brouillard sur l'ancien royaume de France. Tout ce que l'on sait de la situation à Bordeaux, c'est qu'un nommé Tallien y manœuvre la guillotine.

Chaque année, le jour des morts, la confrérie des Ames du purgatoire organise une procession dans les rues de La Valette. Par dévotion envers sa mère, elle-même zélatrice de cette œuvre pieuse, Antoine décide de se joindre au cortège.

« Nos prières iront aux victimes de la Révolution, annonce-t-il au réfectoire.

— Ne vous donnez pas cette peine, réplique un chapelain de Provence. Elles sont montées droit au ciel. »

Et cette déclaration met la tablée en joie, car son auteur est un mécréant notoire.

Cagoules noires, robes noires. Trop courte, celle d'Antoine laisse voir ses bottes. Une corde lui ceint les reins. Un costaud brandit une croix d'or au bout d'une hampe. Deux autres portent la statue d'*Il Marbut*, le Christ aux liens. Dès le lever du jour, l'on descend la rue Royale à grand renfort de sonnailles, en bravant les courants d'air qui éteignent les cierges. Soutenu par deux gardes, Rohan salue depuis son balcon. Rue Étroite, les cagoulards recueillent les aumônes que jettent par la fenêtre des filles de petite vertu.

Mais la rue Étroite, c'est aussi celle des duels. A chaque croix noire commémorant une mort d'homme, la caravane s'arrête, récite un requiem.

« A quoi bon, mes chers confrères ? s'exclame en italien un pénitent maltais. Ces duellistes sont allés droit en enfer. Nos oraisons ne sauraient les en tirer. »

Curieusement, il a le gabarit et la voix de Don Rokku, le terrible oncle de Lucie.

« L'enfer ne fait plus recette, raille doucement le voisin d'Antoine. Et le purgatoire n'est qu'une invention de saint Thomas d'Aquin. »

Sans doute n'oserait-il pas proférer de telles horreurs, s'il n'était arrière-petit-neveu d'un grand maître, et descendant des empereurs de Byzance. Il se nomme Théodore Lascaris, et il a un frère également chevalier. Mais le frère est devenu fou, depuis que l'armée française a envahi les propriétés familiales, du côté de Nice. On a dû éloigner Théodore de lui. Or les Lascaris, bien que sujets sardes, relèvent de la Langue de Provence — car la géographie de l'Ordre se rit des frontières. Et voilà comment ce Théodore est devenu camarade de chambrée d'Antoine.

« L'Europe n'est qu'une taupinière, professe-t-il volontiers. Tournez vos regards vers l'Orient. »

Arrive Noël, à pas furtifs. Les Maltais préfèrent l'Épiphanie. Antoine, qui a économisé sou par sou, offre à sa bien-aimée un napperon de dentelle locale, avec une croix de Malte. Elle-même lui fait présent d'un gâteau à l'huile de sésame. Et l'on déguste ensemble les succulentes oranges de 1794.

Figure de proue de la Langue de Provence, le bailli Elzéar de Mirabeau est tombé malade. Les médecins décident de le transporter à l'hôpital. Depuis longtemps, le bailli souffrait d'une jambe mal ressoudée. Les orteils sont recroquevillés, transformés en une plaie purulente. On craint la gangrène. L'âge du sujet interdit l'amputation.

Antoine est l'un des chevaliers désignés pour le veiller. Non que l'on manque d'infirmiers ; mais ce sont des mercenaires, d'anciens prisonniers pour dettes. Il ne sera pas dit qu'un des grands de l'Ordre puisse mourir en de telles mains.

Dans son délire, le bailli Elzéar convoque des fantômes : son frère, le célèbre auteur, qui écrivait des traités de philanthropie, mais ne correspondait avec sa famille que sur papier timbré ; son neveu, le fameux tribun, qui aurait pu sauver la monarchie ; son autre neveu, Mirabeau-Tonneau, colonel d'un régiment d'émigrés, qui faisait placer des têtes de mort sur les shakos.

Inlassablement, le bailli Elzéar agite son passé. Il a manqué être ministre de la Marine, sous Louis XV. Il a manqué devenir grand maître. Il a tout manqué. On l'a nommé grand prieur de Toulouse, certes, mais au moment précis où cet emploi avait perdu toute valeur.

A présent, le vide se referme autour de lui, dernier mâle d'une lignée tumultueuse. C'était un bel homme un peu fort, et respecté. Ce n'est plus qu'un pauvre être tordu par la souffrance, qu'Antoine tient par la main pour qu'il se sente moins seul.

« Comment t'appelles-tu, toi ? demande le malade pour la dixième fois, en se redressant parmi les oreillers.

— Antoine.

— Moi aussi. Jean-Antoine-Elzéar. Écoute, nous les Mirabeau, nous nous sommes alliés par le sang à toute la noblesse de Provence. Le roi nous a faits marquis. L'Ordre reçoit nos cadets à chaque génération.

— C'est admirable, balbutie le jeune homme.

— Eh bien, nous vous avons possédés, nous les Mirabeau. Nous avons dupé le roi. Nous avons trompé l'Ordre. Des Riquet descendus de la montagne sur notre derrière, voilà tout ce que nous sommes. »

Antoine lui fait respirer un flacon de sels anglais. Mais le flot sacrilège continue de s'enfler :

« Nous avions payé des témoins, pour fabriquer des généalogies. Riquetti, célèbre dynastie florentine, ah ! ah ! En vérité, des Riquet du caillou de Provence. Et, maintenant que je m'en vais, personne ne le saura plus. Sauf toi, peut-être, mais tu refuseras de me croire. »

En effet, le jeune Saint-Ex s'empresse d'oublier cette plaisanterie de mauvais goût.

Gentiment, la cloche de la chapelle de l'hôpital sonne le glas pour M. de Mirabeau. Sans perdre une heure, les médecins décident de disséquer l'auguste cadavre : coutume qui s'applique aux patients ordinaires, mais plus encore aux chevaliers, par esprit de mortification.

« Que Dieu me pardonne ! dit Antoine. Je n'y assisterai certainement pas. »

On lui en intime l'ordre. Il faut s'aguerrir, morbleu. Le médecin chef — une lumière de la science — prend un pistolet, lève le drap mortuaire et tire une balle dans le gras de la cuisse du défunt. Un assistant s'emploie à l'extraire. Antoine détourne le regard.

Seconde balle, dans l'épaule cette fois. Second assistant. Plus habile que le premier, il reçoit des compliments.

On termine par la mâchoire. La balle s'est logée dans l'os. Le troisième assistant essaie une pointe de fer, déclare forfait. Le médecin chef remet le drap en place, s'incline profondément :

« Merci, M. de Mirabeau.

— Souvenez-vous, mes frères, ajoute le chapelain de service, que vous n'êtes qu'un tas d'os et de viande. »

C'est par ces procédés que la médecine de l'Ordre se maintient au premier rang d'Europe.

Le lendemain, Rohan ordonne de belles funérailles pour cet ancien rival. La Langue de Provence conduit le deuil. Comme le défunt a été général des galères, les forçats forment une haie d'honneur. D'un coup de sifflet, on les jette à genoux au passage du catafalque.

« Ainsi s'en va le siècle », murmurent les témoins. L'irremplaçable, le très regretté dix-huitième siècle.

Rassurez-vous, la bureaucratie chevaleresque fonctionne encore. Sitôt le bailli de Mirabeau sous terre, son grand prieuré de Toulouse est attribué au chef de la Langue de Provence. Puis l'on s'offre une élection pour remplacer l'intéressé. Comme par hasard, comme toujours, c'est le plus ancien qui est élu. Ballet de nuages et principautés d'ombre.

« Je me demande combien de temps nous pourrons jouer à ces jeux, dit l'ami Charles, qui pose au fin politique. Malte a besoin d'un allié, d'un généreux protecteur qui lui rende les moyens d'être elle-même. »

Justement, l'on en discute dans les antichambres. Angleterre ou Russie ?

« Angleterre », répond d'une voix ferme le chevalier Louis-Philippe de Sade.

Envoyé du vice-roi anglais de Corse, cet homme d'allure décidée mène avec le grand maître des tractations dont on ignore le détail.

« Vous avez dit Sade ? s'étonnent certains. Ne serait-ce le frère du fameux marquis ?

— Mais non. Louis-Philippe appartient à la branche de Tarascon. »

Et, pour mieux le montrer, il snobe le fils du marquis, un malheureux jeune homme qui végète à l'Auberge de France.

« Angleterre, répond lui aussi le vice-chancelier d'Almeyda, en trottinant sur ses jambes gonflées.

— Oui-da, lui répond-on. N'êtes-vous point portugais ? »

Depuis près de cent ans, le Portugal suit l'Angleterre comme une chaloupe.

« Angleterre ? s'interroge le bailli de L.T.D.P.M. Je suis marin. J'ai été l'un des lieutenants de Suffren aux Indes. Je n'en dirai pas davantage. »

Chez les anciens de la Royale, on a l'horreur d'Albion dans les moelles.

« Russie », réplique le bailli de Loras, en roulant sa bosse avec grâce. Sa thèse n'est pas si sotte. Catherine II a longtemps fait risette à l'Ordre. Elle désirait, la chère femme, une base navale pour prendre les Turcs à revers. Surveillés par Versailles, les chevaliers sont restés sourds. Maintenant que Versailles n'est plus, et que l'Ordre se trouve dans le besoin, le temps n'est-il pas venu d'ouvrir les oreilles ?

M. de L.T.D.P.M. s'avoue ébranlé :

« L'Angleterre tient déjà Gibraltar et la Corse, rappelle-t-il. La Russie est bien moins dangereuse pour notre indépendance. »

Loras gâte son projet en proposant d'envoyer à la tsarine une de ses créatures, un certain Maisonneuve, de fâcheuse réputation. Fils d'un aubergiste des environs de Lunéville, Maisonneuve a fait carrière en couchant avec une nièce du roi Poniatowski. Puis s'est introduit dans l'Ordre en fondant une commanderie polonaise, avec l'argent de sa maîtresse. Non monsieur, c'en est trop.

« Alors, prenez Litta », suggère quelqu'un.

Un peu jeune pour l'emploi, peut-être. Mais Catherine l'a fait contre-amiral. Elle sera fort aise de le revoir.

« Litta ! Litta ! » s'écrient Antoine et Charles, sur l'air des lampions.

Que fait donc Son Altesse en cette heure décisive ? Son Altesse dresse un chiot, Amadis II, remplaçant du vieil Amadis Ier qui vient de mourir d'une indigestion de chocolat.

« Ni Angleterre, ni Russie, intervient le trésorier Ransijat. France ! Tout le mal venait de Robespierre. Maintenant qu'il est mort, nous allons pouvoir conclure un arrangement financier. Dépêchons-nous. Ne laissons point passer l'occasion. »

Thermidor, joli nom pour un massacre. Le courrier commence à se rétablir avec Marseille ou Toulon. Sous censure, on l'imagine, mais enfin, du courrier. Le grand maître exulte. Il va pouvoir renouveler sa provision d'eau de Balaruc.

La famille Saint-Exupéry a survécu à Bordeaux sous la Terreur, en se prétendant républicaine. A présent, elle a regagné le Périgord, car les campagnes sont redevenues assez sûres. Quant à toi, mon pauvre Antoine, tu figures sur la liste des émigrés : d'où interdiction de rentrer au pays, même après la fin de tes caravanes. C'est d'ailleurs le lot commun des chevaliers de Malte.

« Émigré ? s'indigne le garçon. Ils savent bien que c'était mon devoir, de venir ici.

— Émigrés ? plaident les juristes de l'Ordre. On nous a retiré la citoyenneté française. Donc nous sommes étrangers. Nous ne pouvons être à la fois étrangers et émigrés. »

Contrairement à son habitude, l'ami Charles ne dit plus rien. Une dent de sagesse gâtée lui gonfle la joue.

« Va chez le bagnard », conseillent les copains. Un ancien forçat napolitain, gracié par Rohan, et qui s'est établi soigneur de quenottes.

Ainsi Malte poursuit son petit train, tandis qu'à côté d'elle la grande histoire se tourne et se retourne dans son lit. Dernier potin de la semaine : le bailli de L.T.D.P.M. a fait venir son frère, ses sœurs, sa belle-sœur, un neveu, plus une portée de nièces en bas âge. Le grand maître est prié de nourrir cette tribu, qui crevait de faim sur le continent. Antoine engage la conversation avec le neveu, dont la pâleur l'intéresse.

« J'étais chevalier moi aussi, répond le neveu. Je n'ai pu terminer mes caravanes. Mais le grand maître m'a autorisé à porter la croix de dévotion que voici.

— Vous paraissez fort triste.

— Notre château du Dauphiné a été brûlé. Notre hôtel de Grenoble, mis à sac. Et j'ai perdu ma mère.

— Récemment ?

— Il y aura bientôt huit ans. »

Ce jeune homme a le deuil tenace. La femme qu'on voit au bras de son père n'est qu'une seconde épouse.

« Tandis que nous séchons sur pied à Malte, continue le jeune L.T.D.P.M., des membres de notre saint Ordre se gobergent à Paris. Ainsi Dolomieu, celui qui joue au savant, et qui n'est autre que le conseiller privé de Robespierre.

— Robespierre n'est plus de ce monde », objecte Antoine.

Le pâle jeune homme se courbe sous le vent d'ouest, renfonce son tricorne :

« Êtes-vous capable, monsieur, de garder un secret ? Déodat de Dolomieu a déshonoré ma mère, et elle en est morte de chagrin. Comment voulez-vous que je vive ? »

Mais d'après les mauvaises langues de Malte, toujours aussi actives, la feue marquise de L.T.D.P.M. s'était déshonorée elle-même, et fort allègrement.

« Pauvre garçon, conclut Charles de Bonvouloir. Il urge de lui trouver une petite amie. »

Alors messieurs, prenez parti : alliance anglaise, alliance russe, alliance française ? La diplomatie de l'Ordre croit pouvoir jouer les trois cartes à la fois.

« Voyez, confie le bailli des Pennes à Antoine, Malte est un balcon, d'où nous observons tous les pays. Ils se battent, ils nous sollicitent. Le concert des nations n'a jamais duré bien longtemps, sauf à Malte. L'Europe, c'est nous. »

Antoine se rengorge d'avoir été pris pour confident, cinq minutes, par ce vieux singe plein de sagesse. « Malte est un belvédère », répète-t-il à son tour.

Furieux qu'on n'ait pas encore répondu à ses offres, le chevalier Louis-Philippe de Sade fait des révélations, documents à l'appui : les jacobins, conseillés par le bailli de F..., s'apprêtent à marchander la vie de chevaliers emprisonnés en France contre l'installation d'une tête de pont à Malte. Dans les Auberges, ce n'est qu'un cri d'indignation. Personne ne s'interroge sur les preuves produites. Ce ne seraient pas les premiers faux fabriqués par la propagande anglaise.

« Mon pauvre Antoine, commente l'ami Charles, nous ne sommes pas près de revoir la mère patrie. »

Ravi de son coup, Louis-Philippe de Sade repart pour la Corse avec le vaisseau anglais le *Sincère*. Il a pris à son bord cent quarante Maltais, embauchés dans le corps des artificiers britanniques, et quelques douzaines de mousquets. Une aumône, en regard de ce qu'il espérait. Le chevalier de Corn-Queyssac, autre agent britannique, reste derrière lui pour tenter de lever un régiment d'infanterie ; sans grande illusion.

L'Angleterre ? Exclue. La France ? Récusée, du moins pour quelque temps. L'heure de la Russie a sonné.

« L'Angleterre est une baleine, dit le bailli de Loras, en tressautant de la bosse. La Russie est un éléphant. Mais l'éléphant peut apprendre à nager, tandis que la baleine ne saura jamais marcher. »

A Malte, si on n'a plus d'argent, on a encore de l'esprit.

La jeunesse et la vigueur ne sont pas toujours des bénédictions. On a placé Kassem en tête de rame, une extrémité si volumineuse qu'il ne peut la saisir à pleines mains. Pour la manœuvrer, il doit agripper des poignées de fer fichées dans le bois. Il se lève, appuie un pied sur le siège de devant, puis se rassied vivement sur son banc, où un coussinet de peau de bœuf amortit sa chute — tandis que la rame lui passe au-dessus de la tête. Et cela des heures durant. Les premiers jours, il a cru qu'il en mourrait.

« Mon gaillard, lui dit le médecin de bord, vous êtes taillé pour vivre cent ans. »

Car maintenant l'on veille sur les petites santés de messieurs les forçats. Le temps n'est plus où, pour un qui succombait à la tâche, les vaisseaux de Malte en capturaient dix autres. La vie humaine devient précieuse, nom de Dieu !

Pour faciliter sa gymnastique, on lui laisse les pieds libres, alors que ses cinq camarades ont chacun une jambe entravée. Mais les gardes-chiourme distribuent les coups avec une injustice révoltante. Il ne fait pas bon être fils du prophète, sur les galères de Malte ! Quand une querelle éclate dans une rangée, c'est toujours le mahométan qui a tort. Et pourtant, quelle chiennerie que les forçats chrétiens, ou prétendus tels ! Tous des bandits de grand chemin, quand ce ne sont pas des assassins.

Souvent, Kassem envie le sort des plus malingres, ou des plus malins, que l'on a faits cuistots, magasiniers, valets. Lui, le sifflet gouverne sa vie. Forcez l'allure, en avant toute ! Et maintenant tournez-vous vers la proue, ramez en marche arrière ! Naguère, un sous-officier élevait dans une cage un canari qui imitait le sifflet à la perfection, et commandait de fausses manœuvres. Par une nuit sans lune, les forçats ont jeté la cage à la mer.

Quant aux officiers, engeance supérieure, un simple galérien ne saurait les fréquenter. Mais il subit les effets de leur humeur. « Cette galère avance comme une charrette ! » s'écrie un homme en habit rouge. Et les fouets s'abattent à qui mieux mieux. L'un de ces chevaliers était différent, oui : le jeune Saint-Exupéry. Manque de chance, on l'a muté sur une frégate. M. Lascaris le remplace à sa manière, qui est assez étrange. S'étant mis en tête d'apprendre l'arabe littéraire, M. Lascaris vous étourdit de discours auxquels vous ne comprenez goutte.

Relâche dans un port. Cela ne signifie point qu'on chômera. Comme chaque semaine, les sous-officiers ont décidé une bourrasque, c'est-à-dire un grand récurage du navire à la brosse de fer. Car il ne suffit pas qu'une galère soit vaillante, et rapide. Le croiriez-vous, il faut aussi qu'elle soit propre. Fermant les yeux, Kassem songe à sa ville bien-aimée, Sousse la belle, Sousse l'heureuse dans ses remparts, là-bas sur la côte d'Afrique. Sousse aux terrasses blanches ou bleu pâle, où les sœurs de Kassem viennent d'étendre du linge, parmi les roucoulements des tourterelles.

Et l'on repart. Heureusement, le vent se montre galant homme, il consent à pousser, de manière que les forçats se reposent un peu. Les matelots manœuvrent les voiles ; ce sont des Maltais libres, et Kassem, les regardant avec envie, se souvient du temps où c'était lui qui hissait le maraboutin, sur les chebecs de Sousse.

Rentré à Malte, il s'en va remercier Dieu à la petite mosquée dont les chevaliers ont autorisé la construction hors les murs. Et aussi lui poser quelques questions — s'il est permis d'interroger un si puissant personnage. Quelle faute lui a valu son sort, au pauvre Kassem ? Il ne se souvient pas d'avoir été pire qu'un autre. Certes, il a été corsaire. Mais contre les chrétiens, c'est permis. Et il n'a même pas violé de prisonnières. Alors ?

« Le ciel nous a envoyé cette épreuve, explique un ami lettré, afin de s'assurer que nous sommes de vrais croyants. »

La même semaine, comme pour souligner cette parole, l'aumônier du bagne propose à Kassem de devenir chrétien. En échange de la liberté ? Pas tout de suite, ce serait trop facile. Mais les convertis sont détenus à part, et bénéficient d'un sort amélioré, en attendant d'avoir suffisamment prouvé leur sincérité.

Kassem refuse.

L'hiver, à Malte, les forçats peuvent pratiquer de petits métiers. Kassem n'a pas la chance de Djaber qui sait réparer les serrures. Ni de cet Italien rusé qui gagne sa vie comme écrivain public (mais il s'est fait taper sur les doigts, ou plutôt sur l'échine, pour avoir accepté de fabriquer un faux testament). Contrairement à d'autres, Kassem dédaigne de tricoter des bas, vendus ensuite à vil prix. Alors l'Ordre loue ses biceps à des particuliers.

On l'a chargé de relever un appentis, dans le jardin d'un vieux notaire. La notairesse est encore jeune, et assez jolie. Kassem travaille en chantonnant. La notairesse le surveille avec une insistance qui le surprend. Soudain, elle ose lui caresser l'avant-bras. Il sourit. Discrètement, elle le fait entrer dans une pièce intime, pleine d'édredons, de houppes et de plumes.

Passons aux aveux : Kassem n'a jamais eu de femme. Car au pays de Sousse, pour en avoir une, il faut lui constituer une dot, ou aller au quartier réservé. Kassem ne connaît encore que les garçons.

Sans même laver ses mains pleines de plâtre, il jette la notairesse sur les couettes, la prend avec force. Elle le couvre de baisers. Elle en redemande. Et il la prend de nouveau, toujours plus loin, toujours plus fort.

Quand il se rhabille, elle baise goulûment les cicatrices des coups de fouet, sur son dos.

Mais à peine Kassem s'est-il remis au boulot que le notaire arrive avec des sergents de ville. Une servante a entendu la scène, et dénoncé sa patronne. Kassem est interrogé, confronté avec la notairesse. Elle soutient qu'il l'a prise contre son gré. C'est hélas sa seule possibilité de défense. Personne n'est dupe, mais il faut bien sauver la face d'une bourgeoise honorable.

En d'autres temps, Kassem ne l'ignore pas, on l'aurait fouetté à mort. Dieu merci, Malte n'est plus ce qu'elle était. Les bons rameurs se font rares, on les ménage. Kassem sera puni juste ce qu'il faut pour l'exemple.

On commence par le mettre à la *berlina,* à l'angle de la rue des Marchands et de la rue Saint-Jean. Bras et jambes entravés, il doit s'accroupir dans une niche creusée à même la façade. Les gamins se moquent de lui, font des concours de crachats. Les vieilles femmes se signent sans s'arrêter.

Vers le soir, une servante voilée lui glisse un petit gâteau dans la bouche, et le fait boire à un gobelet. Peut-être un cadeau d'adieu de la notairesse. Ah, la garce !

Ramené au bagne entre deux soldats, le coupable voit se dresser devant lui un colosse, un mulâtre du Maroc.

« Que ta main me soit légère, ô mon frère, implore Kassem.

— Comme tu y vas, répond l'autre en riant. Si tu ne cries pas assez, c'est à moi que l'on caressera les côtes. »

Un chevalier n'a point besoin d'espérer pour se battre. Avec deux de ses frères, Alphonse de La Tourrette a donc servi dans l'armée des princes, puis dans celle de Condé. Leur vaillance n'a pas empêché la perte des Pays-Bas. Et voici que la Prusse pose les armes, qu'elle laisse le champ libre à la France jacobine. De qui se moque-t-on ?

« Je pars pour Malte », décide Alphonse.

Malte où il a été heureux. Malte où il pourra enfin se consacrer à la mer, qui est son élément véritable, au lieu de patauger dans la boue.

Ayant passé les Alpes et quelques fleuves, le chevalier arrive à La Valette sans un sou vaillant. On le loge comme on peut, à l'Auberge d'Auvergne. On le nourrit de légumes et de poisson. Même le vin a pris un goût lugubre. Ô Malte la brillante, Malte la joyeuse, qu'êtes-vous devenue ?

« Ah mais, s'écrie M. de La Tourrette, si l'on croit que je vais me racornir avant l'âge ! »

Pour vivre encore en seigneur, malgré l'infortune des temps, une seule solution : se faire corsaire. En vue de s'acheter un bateau, La Tourrette démarche les commanditaires possibles : le vieux Formosa de Frémaux, consul de Hollande, fermier des douanes du grand maître ; son rival l'industrieux Antoine Poussielgue, capitaine du port, consul de Venise et de l'empereur ; voire la Sinjura Bettina, riche veuve qui a des capitaux à placer (veuve ? certains le contestent).

« J'ai combattu l'Anglais sur différentes mers, expose le candidat. J'ai participé au bombardement d'Alger, il y a douze ans. J'ai enlevé une batterie républicaine près de Strasbourg. »

Les bailleurs de fonds se laissent séduire. Reste à se trouver des lieutenants. La Tourrette avise deux caravanistes dont la mine honnête lui convient, et qui se sont bien conduits, paraît-il, face aux Barbaresques : le jeune Bonvouloir et le jeune Saint-Exupéry.

« Vous plairait-il d'écumer l'archipel turc ? »

Hier, le roi de France interdisait aux chevaliers de s'y aventurer. Maintenant qu'il n'y a plus de roi en France, on va pouvoir se rattraper. Contrairement à la côte maugrabine, où il n'y a rien de fameux à prendre, cet archipel regorge de proies bien grasses.

« Vous verrez du pays, ajoute La Tourrette. Vous aurez des femmes. Vous serez utiles à l'Ordre, qui perçoit dix pour cent du butin.

— Et si nous sommes pris ?

— Vous connaîtrez une mort glorieuse. »

Allusion au chevalier de Téméricourt, capturé en course quelques dizaines d'années plus tôt, et décapité pour avoir refusé d'embrasser l'islam. Le lendemain, les deux garçons reviennent un peu penauds :

« Le grand moghol interdit aux novices de faire les corsaires. »

Tant pis, La Tourrette se rabat sur deux confrères de l'Auberge d'Auvergne.

Nègrepont : drôle de nom, pour un modeste port de Grèce. Mais c'est aussi une ancienne commanderie de l'Ordre. En somme, La Tourrette ne fait qu'y exercer un vieux droit de propriété. Il saisit des ballots d'étoffes, et assez de savon pour laver tout un régiment. Ayant renvoyé chez eux les prisonniers chrétiens, il vend les musulmans à l'encan sur le marché de Malte. Et comme certains chevaliers blâment ce retour à d'anciennes pratiques :

« Ne soyez pas plus charitables que le pape. Sa Sainteté elle-même a fait acheter quelques-uns de ces gaillards pour son arsenal de Civitavecchia. »

Seconde prise au large du fort de Spinalonga, en Crète. Moins de gibier humain, mais grande abondance de vin de Malvoisie, pour améliorer l'ordinaire. La Tourrette offre une fête à l'Auberge d'Auvergne. Plus d'un chevalier roule sous la table. Le bailli de L.T.D.P.M. condamne ; il rejette tout ce qui peut détourner la chevalerie de sa guerre sainte contre la Révolution.

« Eh, mon cher bailli, rétorque le corsaire en levant son verre, vous nous prêchez la croisade, et vous ne bougez guère. Tandis que moi, j'agis. J'entraîne des marins au combat, pour le profit de l'Ordre. »

Troisième virée. Le temps se gâte, une avarie se déclare. Le navire mouille dans une anse grecque. Les pêcheurs du cru prêtent main-forte pour radouber la coque. Mais quelles sont ces voiles, derrière le cap ? Déveine absolue, une flotte en promenade, commandée par le capitan-pacha en personne. Inutile de vous défendre, messieurs de Saint-Jean.

La Tourrette et ses deux lieutenants sont conduits au capitan-pacha, qui fume son narghilé sur un épais tapis. Il les interroge dans un italien assez élégant :

« Combien êtes-vous à Malte ?

— Cent mille.

— Vous m'avez mal compris. Combien de chevaliers ?

— Dix mille. »

Vingt fois la réalité. Il faut décourager un éventuel coup de force. Le pacha passe sa main pâle dans sa barbe teinte au henné. Les trois hommes s'attendent à devoir se convertir. Déjà, ils ont décidé qu'ils accepteraient ; une conversion arrachée, cela ne compte pas.

« Vous êtes de mauvais chrétiens, énonce le vainqueur, et vous avez commis de grands crimes. Vous en répondrez en haut lieu. »

Chargés de chaînes, on les mène à Constantinople. Ils défilent dans la rue, sous les lazzis et les crachats. Cela faisait longtemps qu'on n'avait pas attrapé de chevaliers de Malte ! Fier comme Artaban, le capitan-pacha les présente au sultan lui-même. Il remet à ce souverain les croix de Malte en or prises sur leurs personnes.

Le Grand Seigneur n'est qu'une ombre d'homme, épuisée par les plaisirs. Il considère ses visiteurs d'un œil mort, soupèse les insignes, puis, en un geste inattendu, en épingle un sur la semelle de sa babouche.

Les cimeterres vont-ils s'abattre en sifflant sur la nuque des coupables ? Non pas, ces misérables sont trop précieux pour périr si vite. Allez ouste, à Yedi Kulé.

Les Sept Tours du Bosphore, sombre forteresse et mémorable tombe.

Giulio Litta attendait dans sa famille, à Milan, la décision du grand maître. Pour occuper agréablement ses loisirs, il fréquentait le nouveau théâtre *alla Scala :* presque un bien de famille, d'ailleurs, puisqu'on l'avait bâti sur l'emplacement d'une église, elle-même fondée par une aïeule.

Entre deux opéras, Giulio Litta se rendit au bal. La toujours sémillante comtesse Z..., qui avait été sa maîtresse quelques saisons plus tôt, lui lança des regards langoureux par-dessus son éventail rose.

Le père et les frères de Giulio s'inquiétaient des événements politiques. Le monstre tricolore avait avalé Nice et la Savoie, puis les pays du Rhin, et la flotte hollandaise prise dans les glaces, comme si la nature elle-même s'était mise au service de cette brute. Un jour ou l'autre, inévitablement, viendrait le tour de la douce Lombardie.

« Quels couards vous faites ! » répondait Giulio.

La missive attendue arriva de Malte. Giulio donna une claque dans le dos de son esclave Sabaheddine :

« Matin-de-la-religion, tu vas être content. Nous revenons en Russie. »

Le pauvre maugrabin eut un sourire triste. Il n'aimait pas la neige.

Puis vinrent les lettres de créance destinées à la tsarine, avec sceaux de cire, rubans rouges et tout le saint-frusquin. En prime, une charmante boule de poils, dont Giulio était prié de faire le meilleur usage : Clorinde, demoiselle noble, née de la même portée qu'Amadis II. Parallèlement, pour éviter que le messager de tout cela ne parût trop jeune, un bref du pape obtenu par Rohan le faisait bailli de l'Ordre de Saint-Jean.

Avant le départ, l'heureux promu fit ses dévotions à la Madone de Léonard de Vinci qui ornait la chapelle familiale. Devant cette mère heureuse au sourire liquide, devant cet enfant crépu et blond qui tétait avec vigueur sur fond de lointains bleutés, il se sentait l'héritier de toute une tradition de culture et de savoir-vivre, qu'il allait abandonner pour une terre primitive. Barbarie poudrée, barbarie quand même.

Et l'on prit le chemin du col du Tarvis, accompagné d'un secrétaire-abbé, de l'esclave Sabaheddine et d'un valet lombard qui ne lui adressait point la parole.

A Vienne, Giulio parut à la Cour. Sa famille avait bien servi l'Autriche en Italie. L'accueil fut gracieux. Mais personne ne semblait se soucier du destin de l'Ordre. On était bien trop préoccupé par celui de la Pologne.

Catherine II fit bientôt savoir par courrier qu'elle serait charmée d'accueillir M. de Litta comme plénipotentiaire.

« Charmée, vous entendez bien », dit le maréchal Colloredo en lui remettant l'enveloppe.

A la fois militaire autrichien et grand prieur de l'Ordre de Malte pour la Bohême, il était si couvert de gloire, et depuis si longtemps, qu'on ne savait plus si on avait encore affaire à un être vivant.

« Vous êtes beau, vous êtes jeune, poursuivit ce vieux guerrier. Tout pour plaire à la tsarine ! Le grand maître sait ce qu'il fait. »

Litta se mit à rire. Il se flattait d'avoir été choisi pour son nom, pour ses campagnes, pour son esprit avisé — plutôt que pour l'avantage assez subalterne d'un corps bien bâti.

Une fin d'été pluvieuse avait transformé la route en fondrière. Dès l'entrée en Pologne, la voiture fut engloutie dans la boue, et il fallut appeler des paysans pour l'en tirer. Les cavaliers que l'on croisait étaient crottés jusqu'aux yeux. Habitués au pays, Litta et Matin-de-la-religion ne disaient rien. Le valet et l'abbé protestaient à hauts cris. Pis encore : décimés par la guerre de l'année précédente, les chevaux venaient à manquer. A chaque relais, c'étaient des discussions épiques avec le maître de poste.

Les voyageurs furent bientôt contrôlés par l'armée. L'officier de service portait l'uniforme autrichien, mais c'était un autochtone et il s'exprimait en français.

« Malte ! s'exclama-t-il en lisant les passeports. Malte et la Pologne sont tout ce qui reste de chevalerie en Europe. »

Et il salua. On avait beau être russophile, cela serrait le cœur.

A Varsovie, le jeune bailli descendit chez l'archevêque de Thèbes, nonce du pape en Pologne, qui n'était autre que son second frère, Lorenzo Litta. Depuis l'époque où ils étudiaient tous deux à Rome, Giulio et lui étaient restés dans une étroite communauté de pensée, malgré une différence d'âge de sept ans.

Lors de la révolte polonaise, Mgr Lorenzo n'avait pu empêcher la pendaison de deux prélats collabos. Mais il s'était heurté vivement à Kosciuszko, le chef des insurgés. Les puissances occupantes lui en savaient gré.

« Bien joué, commenta le petit frère. Nous ne pouvons changer grand-chose aux événements. Soyons donc du côté des gagnants. »

Varsovie présentait un visage sinistre. Les faubourgs avaient été incendiés. Giulio se rendit chez le prince Poninski, grand prieur de Pologne dans l'Ordre de Malte. Il avait à lui remettre une lettre d'encouragement de Rohan.

Le prince se tenait sur ses gardes. On dut parlementer avec des cerbères, emprunter un corridor dérobé. Un vieil homme encore élégant attendait sur l'épave d'un canapé.

« J'ai manqué périr mille fois », dit-il pour excuser ces précautions.

Les patriotes polonais l'avaient jeté en prison, pour cause de compromission avec les Russes. D'où évasion vers la France, et retour dans les fourgons de l'étranger. Adam Mathias Poninski, plusieurs fois maréchal de la Diète polonaise, hetman du régiment d'Ostrog, général-lieutenant des armées de la Couronne, général russe, chevalier de Saint-Alexandre-Nevski et autres ordres du tsar, dignitaire de la Rose-Croix, chevalier de l'Orient et du Bouclier d'Or à la Loge du Bon Pasteur de Varsovie, bailli de l'Ordre de Saint-Jean de Jérusalem... Il tremblait dans son frac vert, plissant vers son visiteur un visage légèrement asiatique.

« Vous avez devant vous un homme ruiné. On m'a tout confisqué.

— On va vous le restituer, dit doucement Giulio.

— Me rendra-t-on ce qui a été vendu ? Me rendra-t-on ce qui a été volé par les fidéi-commissaires ? La liste de mes propriétés faisait dix-sept pages, vous entendez ! Sans parler de mes meubles. »

Au temps de sa splendeur, le prince avait été le promoteur de l'ébénisterie d'art en Pologne.

Quant au grand prieuré, ce n'était plus que décombres. Certains chevaliers avaient été tués ou blessés au service des différentes factions en présence. D'autres se cachaient. Par un chassé-croisé avec son père, le propre fils du prince, ancien lieutenant de Kosciuszko, s'était réfugié sur les bords de la Seine.

« Notre Ordre, observa Giulio, n'a pas reçu un sou de Varsovie depuis six ans.

— Qu'y puis-je ? dit Poninski. L'Ordre ne possède pas de terres en Pologne. Il n'a qu'une créance perpétuelle sur six cents villages. La Russie se les est appropriés. A elle de vous dédommager. »

C'était la logique même.

La voiture de Litta sortit de Varsovie par le pont Poninski. Il pleuvait de nouveau, et la face de la Vistule était criblée de petits traits rageurs. Le cocher juif fut remplacé par un autre cocher juif : cette corporation semblait jouir d'un monopole. A chaque étape, Giulio répandait sur sa couche une liqueur qu'on lui avait donnée à Malte contre les punaises. L'un des aubergistes, ô surprise, entendait le latin. Et l'on parla latin.

A Grodno, le voyageur épingla sur sa poitrine la décoration de l'Aigle Blanc, et demanda à être reçu par Sa Majesté Stanislas. Il lui devait bien une visite : quand Giulio avait quitté les pays du nord, trois ans plus tôt, le roi de toutes les Polognes lui avait décerné cette décoration, afin de complaire à la maîtresse de toutes les Russies.

Mais, depuis lors, ce monarque s'était réduit à peu de chose. On lui reprochait de ne pas avoir pris parti — ou plutôt d'avoir embrassé tous les partis les uns après les autres. D'où son exil dans cette bourgade, où il n'avait guère d'autre occupation que de contempler son titre royal, tant que Mme Catherine voudrait bien le lui laisser.

« Votre fidélité me va droit au cœur, dit-il à Giulio. Il faut être chevalier de Malte, pour oser visiter un infortuné comme moi. »

Stanislas Poniatowski jouait aux dominos avec ses domestiques. C'était un brillant causeur, animé d'une énergie intermittente. Un second Rohan, plus alerte et moins digne. Comme prévu, il refusa de discuter des biens de Malte :

« Adressez-vous à la tsarine, je vous prie. »

Puis, après avoir récité des vers français de son cru :

« La Pologne est morte de ses divisions. Prenez garde que le même sort n'advienne à votre Ordre.

— L'atmosphère s'y est beaucoup assainie, dit Giulio. L'adversité réconcilie. »

Stanislas lui jeta un regard sceptique, par-dessus ses bésicles.

« Vous verrez bientôt Mme Catherine, conclut-il. Dites-lui toute l'affection que j'ai pour elle. »

Cette femme dont il avait été l'amant, et dont il n'était plus que le jouet.

On avait traversé la Podlachie. On attaqua la Samogitie et la Courlande. Il fallut jeter des branchages sous la voiture, pour passer des bourbiers. Puis la boue polonaise fit place aux sables de la Baltique, et aux chaussées de rondins. Chaque verste était marquée d'un poteau rouge et blanc. Sous une influence germanique, les auberges devenaient meilleures.

Les domestiques continuaient de se plaindre. Mais à chaque arrêt, à chaque hésitation, Litta criait le but du voyage : « Pietroburgo. » Son passé russe lui remontait à la tête. Au vrai, pourquoi avait-il quitté ce pays de cocagne ? Les étrangers y étaient accueillis à bras ouverts, et pouvaient s'y tailler de prodigieuses carrières ; alors que, dans l'ancien monde, tout était compté, tout était chipoté.

Et Pétersbourg montra ses avenues triomphales, Pétersbourg déploya ses façades vert amande ou jaune paille, sur lesquelles s'élevaient des colonnades blanches. Quelques dizaines d'années avaient transformé cette nouvelle riche en grande dame.

« C'est beau quand même, dit Giulio.

— Rien n'est plus beau que les montagnes de Bougie », dit Matin-de-la-religion en fermant les yeux.

A l'hôtel de Londres, près de l'Amirauté, on refusait du monde. Il fallut se rabattre sur l'hôtel Demuth, tenu par des Allemands, devant le canal de la Moïka.

« Vous voilà de retour, Giulio ! Quelle charmante idée », dirent les beaux messieurs et les belles dames. Une société à la fois cosmopolite et diablement russe. Les gens convenables n'employaient pas moins de cent domestiques (c'étaient des serfs, ils ne coûtaient que leur subsistance). Cette profusion de main-d'œuvre conduisait à des extravagances, dont même le jeune Litta, habitué de famille à un certain train de vie, ne laissait pas de s'étonner. Un tel possédait une troupe théâtrale en pleine propriété. Tel autre avait disposé, pour son anniversaire, des porteurs de torches sur deux lieues. Rien n'était trop cher pour dissiper l'ennui, pour combattre le froid du nord.

Tous les nobles de Pétersbourg portaient un titre de prince, sauf ceux qui n'étaient que comtes. Naturellement, les princes morguaient les comtes, qui le leur rendaient bien. Ces prétentions faisaient sourire — à l'intérieur — le descendant des Visconti et des Borromée.

La souveraine lui accorda une audience solennelle. Giulio se demanda s'il s'y rendrait dans la grande robe noire des cérémonies de Malte — la cloche, comme on disait — avec la croix à huit pointes pour seul ornement. Il craignait de passer pour une espèce de prêtre. L'uniforme de contre-amiral russe parut plus indiqué.

Parvenue au faîte de sa puissance, Catherine II s'était tassée, avait grossi. Enfoncée dans les coussins de son trône, elle dodelinait de la tête. Après les salamalecs d'usage, l'ambassadeur se fendit d'un beau discours dans la langue de Diderot. Les revendications financières de l'Ordre n'y apparaissaient que par allusion. Mais il les avait formulées de manière plus claire dans un mémoire remis au secrétaire privé.

Parvenu à sa péroraison, il vit que l'impératrice somnolait. « Humbles pygmées, continua-t-il d'une voix forte, nous déposons nos respects aux pieds d'une géante. » Elle ouvrit les yeux et sourit. Une bonne grand-mère, en somme.

« Ainsi, monsieur le bailli, vous voilà de retour, après une infidélité de trois ans.

— Que Votre Majesté me pardonne. J'avais une furieuse envie de fruits. »

Les courtisans rirent. A Pétersbourg, rien ne mûrissait, et ce qu'on y envoyait d'ailleurs arrivait pourri.

« Vous aurez des myrtilles, promit l'impératrice. Et des airelles. Et même des choux-raves. »

Les courtisans rirent à nouveau. C'était leur fonction. Ils portaient perruques et dorures. Le vent de la Révolution française n'avait pas encore atteint leurs têtes.

Jugeant l'ambiance suffisamment dégelée, Giulio présenta une corbeille à nœud rose :

« Majesté, le grand maître vous offre une jeune compagne. Cicéron, César, Néron et Caracalla ont eu des chiens favoris de la même espèce.

— Eh bien, dit dame Catherine en embrassant la petite tête, nous essaierons de succéder dignement à Néron. »

Des gardes nobles reconduisirent Litta.

« Si le docteur Rogerson vous rend visite, lui glissa un familier plus déluré que les autres, vous saurez ce que cela veut dire. »

Lorsqu'elle choisissait un nouvel amant, la tsarine commençait par lui envoyer son médecin, pour s'assurer de l'absence de maladies honteuses.

« C'est tout vu, répondit Giulio sur le même ton. Je sacrifierai ma vertu pour l'Ordre de Malte, comme Judith sacrifia la sienne pour sauver Israël. »

Mais personne ne vint. L'impératrice avait un favori en titre, nommé Platon Zouboff, et qui veillait au grain.

Giulio dut se trouver un logis. Il le choisit assez vaste pour pouvoir étoffer le personnel de son ambassade, le moment venu. Cela se trouvait sur la perspective Nevski, près de l'église papiste de Pétersbourg, et de la gracieuse église arménienne : un quartier encore excentrique, mais qui n'allait pas le rester longtemps, avec cette fureur de bâtir.

Une fameuse folie, cette ville. Parfois, un canal mal domestiqué engloutissait un morceau de quai. Avec ses larges avenues, ses grandes places, cette débauche d'espace, Pétersbourg était le contraire de La Valette. Et pourtant, les deux cités procédaient l'une et l'autre de la volonté d'un homme.

Après quelque temps, Giulio jugea convenable de s'inquiéter des suites de son mémoire diplomatique. L'ennui, dans cette capitale, c'est qu'on n'arrivait pas à savoir qui s'occupait des Affaires étrangères. Il n'y avait plus de chancelier en titre. Le vice-chancelier Ostermann était vieux, radoteur, inutile. Un certain Markoff, arrogant personnage, jouissait d'une influence mal définie :

« Mon cher bailli, il ne fallait pas rendre visite au roi Stanislas !

— C'était sur mon chemin », lui répondit simplement Giulio.

Les gens bien informés faisaient grand cas d'un troisième fonctionnaire, nommé Bezborodko : autrement dit Barbe Coupée, en souvenir d'un temps où c'était une singularité de se raser, parmi les Russes. Mais quand Litta envoyait un mot à ce Bezborodko, cela tombait dans le vide. Quand Litta traversait la Grande Néva sur le pont de bateaux et se rendait au Collège des affaires étrangères, Bezborodko restait inabordable.

« Ne vous donnez pas tout ce mal, conseilla une âme charitable. En ce pays, toutes les décisions dépendent de Zouboff. »

L'odieux Platon, maître des sens de la tsarine. Giulio se refusait à assister, comme tant de comtes et de princes, au petit lever de ce parvenu. D'autant que l'entreprise n'était pas exempte de dangers : le singe du puissant favori sautait sur la tête des visiteurs et leur tirait les cheveux.

Quant à Catherine elle-même, elle ne bougeait pas de ses coussins. Trop occupée à digérer la Pologne.

La Néva gela. Des stalactites apparurent aux corniches des palais de Pétersbourg. Italie des glaces, Italie sans mesure, rehaussée de quelques clochers scandinaves.

Giulio adressait des lettres moroses à son père, à son frère de Varsovie, à Rohan. Il en recevait un réconfort assez vague. A La

Valette, sans doute, Ransijat et compagnie déblatéraient déjà sur lui, rapprochant le coût de son ambassade d'un rendement encore nul.

Un soir, quand même, il parvint à coincer Bezborodko dans un salon. C'était un homme assez fort, à la figure molle. Bezborodko répondit en russe. Dans sa malice, la tsarine avait confié sa politique extérieure au seul de ses diplomates qui ne sût point le français !

Par compensation, le bailli Litta fit une autre rencontre la semaine suivante, chez les Galitzine. A travers la foule des invités et des domestiques porteurs de limonade, l'on distinguait une sorte d'alcôve, occupée par un sofa. Il s'approcha. Une jeune femme d'une exquise beauté s'y trouvait étendue. La blancheur de sa peau était rehaussée par une fourrure de zibeline noire. Elle recevait les hommages d'un air dolent.

Par mégarde, Giulio fit craquer le parquet. Il reçut un regard fondant de douceur.

« Madame, bégaya-t-il, je crois bien avoir déjà eu l'honneur de vous être présenté. »

Mais où donc, mille diables ? Elle le considérait en balançant sa chevelure d'or bruni.

« A Milan, reprit-il, chez mon père, voici quatorze ans.

— Sans doute, monsieur. Nous avons vu beaucoup de monde à Milan. »

Habituée aux hommages, bien sûr, accoutumée aux adulations. Une déesse.

« Vous êtes la comtesse Skavronskaïa, insista Giulio. Vous partiez pour Turin, et moi je partais pour Malte. »

La belle créature leva de nouveau le regard. On la sentait troublée. Giulio prit une coupe de sorbet à un laquais et la lui tendit. Elle refusa d'un signe. On ne savait plus que se dire.

« Quelle charmante idée d'avoir choisi une fourrure noire, jeta-t-il dans un dernier effort.

— Mais monsieur, c'est que je suis veuve ! »

Et elle partit d'un rire flûté, qui la rendait plus adorable encore.

***

Angleterre, Russie, France. Pourquoi pas Espagne ?

A la surprise générale, le grand maître accepta l'invitation espagnole. Ces derniers temps, il avait limité ses voyages aux cent pas qui séparent le palais de l'église Saint-Jean. Et il s'inscrivait soudain pour une partie de campagne, en plein été ! Ces gens allaient le tuer.

« Le grand maître va mieux, avança un familier.

— Le grand maître se souvient de sa jeunesse », ajouta un autre.

En effet, c'était l'Espagne qui, d'un petit exilé français, avait fait Emmanuel de Rohan. Mais quelle vieille histoire !

« Il doit y avoir anguille sous roche, murmura un malin.

— Et même un serpent de mer », répondit un rieur.

Selon le protocole de Malte, Son Altesse ne pouvait se déplacer sans un petit nuage de dignitaires. Mais le ministre d'Espagne avait omis de convier Jean de Ransijat, secrétaire du Trésor. Fronçant le sourcil, celui-ci partit aux informations.

Après avoir ferraillé sans grand résultat contre la République française, l'Espagne s'apprêtait à tourner casaque, et à s'allier avec son ennemie d'hier, contre l'Angleterre : comme au temps où les Bourbons régnaient à la fois à Paris et à Madrid. Les dynasties passaient, les intérêts demeuraient.

Ransijat, néanmoins, ne pouvait s'empêcher d'éprouver une certaine défiance envers la monarchie la plus arriérée d'Europe, *ex aequo* avec Naples.

« Venez quand même, trancha Rohan. Les Espagnols croiront à une erreur. »

Le cortège s'ébranla dès l'aube. Son Altesse ouvrait la marche dans une chaise à porteurs ; on ne pouvait l'exposer aux cahots de la route. Les bâtons de chaise couraient au petit trot, se relayant de loin en loin. Un chevalier de garde caracolait à leur hauteur, suivi de M. de Roquefeuil, page monté sur un mulet. Puis venait le carrosse à six chevaux, énorme incongruité dans le plat paysage de Malte, avec son chargement de baillis ballottés d'avant en arrière.

Ransijat vit qu'un malin hasard l'avait placé face au bossu Loras, auquel il ne parlait plus depuis des années, et qui faisait du zèle antirévolutionnaire. Mais on ne pouvait se haïr toujours.

« J'aime à vous voir si bonne mine, dit-il.

— Les fêtes ne sont plus si communes à Malte, répondit Loras en agitant ses manchettes de dentelle. Alors étourdissons-nous de celle-ci.

— D'autant plus que c'est Madrid qui régale ! »

En tant que chef de la Langue d'Auvergne, et maréchal de l'Ordre, Loras commandait les forces terrestres de l'île — du moins sur le papier. Et c'était une dérision de plus, que de voir la défense de l'île confiée à cet avorton.

« J'aimerais bien savoir, dit ce stratège, ce qui se trame aujourd'hui autour de notre grand maître.

— Voilà l'occasion d'exercer votre art divinatoire », répliqua Ransijat.

Le bossu s'était récemment fait remarquer, entre autres singularités, par une amitié malheureuse pour Cagliostro.

« Une petite friandise ? » proposa Loras, sans paraître ressentir la pique. Et il ouvrit son drageoir, dont les bonbons, selon les méchantes langues, contenaient un soupçon de cantharide, afin d'honorer mieux les dames. Ransijat déclina l'offre. Se défiant du sexe, il préférait les cartes.

Le paysage de l'île défilait devant les glaces baissées : un labyrinthe de murets, renfermant des champs desséchés, des pièces de vigne déjà bonnes pour la récolte, des cotonneraies en pleine pousse. Pas l'ombre d'un arbre.

A l'entrée de Luqa, deux cavaliers attendaient les invités : le ministre d'Espagne — un membre de l'Ordre, comme il se devait — et le *hakem,* un Maltais, gouverneur des campagnes pour le compte de Son Altesse.

« C'est le beau-frère de la fameuse Bettina, commenta Loras. Il lui doit sa carrière.

— Croyez-vous vraiment ce qui se dit ?

— Mais bien sûr ! Notre grand maître n'est pas insensible à la beauté. »

Mise en valeur par un pli de terrain, la villa Bettina se profilait justement à l'horizon. Ransijat n'y avait jamais été reçu, et en éprouvait quelque dépit.

Ayant traversé le maigre bourg de Qrendi, le cortège parvint au terme du chemin carrossable. Les dignitaires durent mettre pied à terre.

« Alors, dit le grand maître au ministre d'Espagne, depuis sa chaise à porteurs, il paraît que vous allez ouvrir le feu contre l'Angleterre.

— Les Anglais, monseigneur, montrent un immense appétit pour nos colonies d'Amérique. »

Le petit Roquefeuil offrit son mulet au vieux chancelier de l'Ordre, qui tenta vainement de s'y hisser. Le sentier descendait vers une calanque éblouissante de blancheur — l'une des rares brèches dans le rempart que Malte dresse au sud. La mauvaise face de l'île, sa face sarrasine, pour tout dire. Ransijat s'appliquait à paraître plus alerte que d'autres.

Le grand maître descendit de sa chaise, aidé par son hôte. Son bras droit tremblait de manière convulsive. Deux felouques attendaient le plaisir des visiteurs. On n'avait pas lésiné sur les coussins.

« Notre général Godoy, dit l'un des Espagnols, vient d'être fait prince de la Paix, à la suite du traité signé à Bâle avec la France. »

Godoy, cet aventurier qui régnait sur le cœur de la reine, et par suite sur toutes les Espagnes.

« Vous l'en féliciterez de ma part, dit Rohan. Mais je déplore que votre Cour ait omis d'associer l'Ordre aux négociations. C'était l'occasion ou jamais de réclamer nos biens français. »

Sur les conseils de Ransijat, le grand maître avait voulu envoyer le commandeur Tousard à Bâle : un démocrate, un roturier promu, tout pour plaire aux jacobins. Hélas, la diplomatie espagnole s'était trop pressée de conclure.

« Ne regrettez rien. Nous avons mieux à vous proposer », confia le ministre d'Espagne, d'un air mystérieux qui acheva de mettre les dignitaires en transe.

Soulevé par trois paires de bras, Rohan était passé dans l'un des bateaux. Le jeune Roquefeuil bondit à bord, comme un animal apprivoisé. Loras et Ransijat s'approchèrent. On s'aperçut qu'il n'y avait plus de place. Un coup monté !

Le temps de monter dans la seconde felouque, celle du grand maître était déjà loin. Les rames frappaient l'eau paisible.

« Entendez-vous ce qu'ils disent ? demanda le bailli de Loras, fort inquiet.

— Ma foi, je crois qu'ils parlent castillan », dit le commandeur de Ransijat.

Affirmation gratuite, mais il aimait taquiner. Loras se tut.

Une voussure profonde s'ouvrait sous une arche de craie : la grotte bleue de Malte, moins célèbre que celle de Capri, et aussi moins galvaudée. La voix du grand maître s'éleva, soudain audible. C'était du français :

« Si tu tombes à l'eau, je te renvoie du corps des pages. »

Compliment adressé au sieur de Roquefeuil, douze ans. En vérité, cet enfant était l'une de ses mascottes, et il lui passait tout. A son tour, la deuxième barque se glissa dans la caverne. Des reflets bleutés se promenaient sur les parois.

« Nous voilà devenus des dieux marins », dit Loras de sa voix chantante.

Bêtement, le nautonier appela l'écho, et rompit le charme. A l'embarcadère, déguisés en Turcs, des serviteurs attendaient avec des boissons fraîches.

« Qu'a dit le grand maître ? demanda discrètement Ransijat au jeune page.

— Rien. Il a parlé tout le temps espagnol. »

Les dignitaires échangèrent des regards consternés.

A distance respectueuse, des pêcheurs offraient quelques poissons, et une sorte de lézard à trois queues qui déchaîna l'enthousiasme du chevalier de Roquefeuil. Cette bestiole extraordinaire, d'un bleu noirâtre, provenait de l'île voisine de Filfla : une roche désertique où rien d'autre ne pouvait vivre.

De sa prise, l'homme demandait deux écus. Pour couper court, Loras les tira de sa bourse.

« Quel enfant gâté ! » s'écria le grand maître, qui en était pourtant la cause.

En se retournant, il avisa Filfla, lourde table calcaire que l'on voyait naviguer au loin.

« Veux-tu être nommé commandeur ?

— S'il plaît à Votre Altesse, dit le page, d'un air bien poli qui fit sourire.

— Eh bien, je te fais commandeur de Filfla. »

Vieille plaisanterie, que l'on servait à tous les jeunes.

Le convoi contourna une ancienne armurerie de l'Ordre, devenue la résidence secondaire d'un particulier. M. de Roquefeuil, petit habit gris, culotte pourpre, fermait la marche en faisant des moulinets avec sa courte épée. Des vivats s'élevèrent à l'entrée de Zurrieq, le *bourg bleu,* en maltais ; ainsi nommé, prétendait-on, à cause des yeux clairs de ses habitants. Rohan voulut revoir l'église, et les tableaux peints par Mattia Preti durant une épidémie de peste. Le curé courut chercher quelque éclairage.

Brusquement, le ministre d'Espagne se remit à parler castillan. Avide d'en savoir plus, Ransijat s'approcha.

« Notre trésorier, dit aimablement Rohan, est un homme d'absolue confiance. »

Et l'on poursuivit en français, à regret. Quelques noms tombèrent : Porto Rico, la Trinité... L'Espagnol excluait Cuba, trop importante.

Ainsi, le gouvernement de Madrid entendait échanger Malte contre une de ses possessions antillaises. Il voulait jouer les premiers rôles en Méditerranée.

« Notre grand maître, révéla Ransijat au bailli de Loras, s'est intéressé au mouvement de cette Vierge, sur le panneau du fond. »

Mais dès qu'il le put, il rappela à Rohan le fiasco de la précédente expérience coloniale. Ayant possédé Saint-Christophe, Saint-Barthélemy, Saint-Martin et Sainte-Croix, dans les Petites Antilles, l'Ordre n'avait pu en tirer grand-chose.

« Cela ne prouve rien, répondit Rohan. Les plantations n'ont pas eu le temps de pousser. »

Malgré lui, Ransijat pénétrait à son tour dans ce rêve. Au lieu de gratter la terre avare de Malte... N'exagérons pas, les chevaliers ne grattaient rien, mais leur sort était lié à celui des gratteurs. Au lieu de mener une vie mesquine sur ce rocher, ils pourraient cultiver le café, l'indigo, la canne à sucre. Avec les restes du monceau d'argenterie, l'on pourrait acheter des nègres doux et obéissants. Bref, au lieu d'être un tourment, les finances de l'Ordre deviendraient un plaisir.

Ces pensées occupèrent le temps du déjeuner, offert par le ministre d'Espagne en sa maison des champs. Comment, vous, Ransijat, lecteur de Jean-Jacques, vouloir acquérir des esclaves !

Tout un passé se révoltait en lui. Ayant vécu le plus clair de sa vie à Malte, elle lui était entrée dans la peau. Il pouvait songer à d'autres îles, plus vertes, plus juteuses. Jamais il ne les rejoindrait pour de bon.

Cependant, le chevalier de Roquefeuil poussait des cris de

désespoir, parce que sa bestiole s'était faufilée dans un trou, et n'en voulait point sortir.

Au retour, Rohan se permit une pointe contre le souverain qui venait de le traiter !

« Dieu sait, dit-il, le respect que j'ai pour la maison de Bourbon. Dommage qu'elle se laisse gouverner par les épouses. »

Délicate allusion au cocu de Madrid, à celui de Naples, et aussi au pauvre Louis XVI. Le grand maître avait toujours placé les Bourbons quelque peu en dessous des Rohan.

« Notre chef a rajeuni de dix ans », commenta Loras.

Son Altesse allait-elle présider elle-même à un départ vers les Amériques ? Ou abdiquer pour confier cette tâche à un homme plus jeune ?

Le lendemain, ses médecins diagnostiquèrent une forte fièvre.

Ransijat prit sa plus belle plume, afin d'alerter le gouvernement français, au travers de son ami Dolomieu. Mais peut-être les machinateurs de Paris, ravis d'avoir désormais l'Espagne pour alliée, allaient-ils pousser cet étrange projet, au lieu d'y mettre le holà.

Chantons, cela nous fera du bien, sans nous coûter cher. Chantons *Hébé,* cantate offerte par les Langues françaises au grand maître, et aussi à cette déesse de la jeunesse qui pousse chaque année vers l'Ordre une nouvelle vague d'adolescents.

Livret du commandeur de Saint-Priest, frère d'un ministre de Louis XVI : ce n'est pas Racine, mais on fait ce qu'on peut. Musique de Nicolo Isoard, un jeune Franco-Maltais qui promet.

« Pour économiser le tissu, propose Antoine, je propose que l'on joue jambes nues.

— Quelles façons jacobines ! »

Et maintenant, passons à une affaire sérieuse. Officier de l'armée de Condé, le commandeur de Fargues vient lever des troupes à Malte. Encore un tentateur. On ne saurait lui accorder ce qui a été refusé aux Anglais.

Non et non, dit le grand maître. Mais de plus en plus faiblement, car Loras, L.T.D.P.M. et consorts font son siège.

« Savez-vous ce qu'ils sont en train de faire ? révèle Théodore

Lascaris, d'un ton mi-amusé mi-acerbe. Ils licencient les meilleurs soldats du régiment de Malte, sous divers prétextes. Un tel est malade, tel autre a causé du scandale avec des filles. Et aussitôt Fargues les embauche.

— Ainsi l'Ordre peut se dire innocent de ces recrutements, observe l'ami Charles.

— Je crains que cela ne trompe personne », corrige Antoine.

Quant aux chevaliers, Rohan les laisse libres ; que ceux qui veulent y aillent, sans engager le gouvernement de La Valette.

« Bien entendu, dit le bailli de L.T.D.P.M., mon cher Saint-Ex, vous en êtes.

— Euh...

— Vous connaissez le verset de l'Écriture. *Si le sel de la terre vient à s'affadir...* »

Lui-même a déjà offert à la cause la personne de son neveu, le pathétique jeune homme, toujours en deuil de sa garce de mère.

« Tu n'iras pas, tranche Lascaris. Cette armée de Condé n'est qu'un débris féodal. » Et il se replonge dans la lecture d'un fort volume : Volney, l'Orient, le vent du large.

Après réflexion, Antoine fait savoir qu'une affaire de cœur le retient captif en cette île. Dieu merci, on sait vivre à Malte, ce genre d'excuse y est encore admis.

En cet automne de 1795, le futur régiment de Fargues s'embarque sans lui : deux cents mercenaires et une trentaine de chevaliers — pour la plupart des Auvergnats, neveux ou cousins du recruteur. Comme tout le monde ne peut être officier, les jeunes nobles devront servir comme simples soldats.

Affaire de cœur, vraiment, M. de Saint-Exupéry ? Est-il permis d'aimer une petite rien-du-tout ?

« C'est lui faire suffisamment d'honneur, estime l'ami Charles, que de coucher avec elle. »

Et pourtant, elle a conquis son conquérant, avec ses boucles de jais et ses joues roses. Peut-être parce qu'elle ne demande rien. La première fois qu'Antoine lui révèle ses sentiments, elle ne comprend même pas.

Un jour, elle arrive en pleurant. Sa mère l'a battue — moins pour inconduite que pour absence de profit. Il suffirait d'une petite somme, Antoine le sent bien, pour ramener le sourire dans cette maisonnée. Il suffirait d'une poignée d'écus, pour que le jeune frère cabriole à nouveau dans les rues.

Alors Saint-Ex se traîne chez les Trois Sœurs : figures typiques de Malte, qui ont débuté dans la galanterie, et tiennent le tripot à la mode. Les rideaux de brocart, les chandeliers allumés disent assez leur prospérité. Une esclave distribue de la limonade. Ce soir, on joue au macao à une table, et au biribi à l'autre. Les chevaliers français ne sont pas les derniers à tenter leur chance ; on se demande d'où leur viennent les fonds.

« Asseyez-vous, mon prince, dit la moins affreuse de ces Parques. La fortune va vous sourire. »

Antoine secoue la tête. Il ne veut pas se donner en spectacle. Ni mettre sur le tapis une somme trop misérable.

Le commandeur de Ransijat se lève en riant. Lui vient de plumer un bailli gênois. A Gênes, on a encore de quoi, saperlipopette !

« Monsieur, glisse-t-il, je n'ai pas le plaisir de vous connaître. Mais votre visage m'est sympathique.

— Très honoré », répond Antoine.

Ransijat le prend par le coude, l'entraîne hors de portée :

« Vous plairait-il de terminer cette soirée à mon domicile ? »

Les convenances interdisent aux jeunes chevaliers de jouer avec leurs anciens. Tant pis, personne n'en saura rien.

« Je dois vous avertir, monsieur le commandeur, que j'ai la bourse à peu près plate.

— C'est assez pour se donner un peu de bon temps. D'ailleurs, je possède encore moins que vous. Ces pistoles que vous m'avez vu gagner, je les dois à plusieurs personnes. Je ne suis riche que de dettes. »

Et pour un montant considérable, selon la rumeur de Malte. Antoine ne peut s'empêcher de trembler. Dans quel gouffre met-il le pied ? Restons lucide. S'il perd, il n'y laissera pas grand-chose. S'il gagne, ce sera le bonheur de Lucija et des siens.

Ransijat l'introduit dans un appartement austère. Des tentures unies, aucun colifichet ; en ce domaine au moins, le secrétaire du Commun Trésor donne l'exemple. Un domestique allume quelques chandelles, sans paraître surpris de la visite du jeune homme : ce n'est assurément pas le premier. Le maître de céans caresse son butin gênois, serré dans un petit sac de toile :

« Monsieur, vous êtes prévenu. C'est aujourd'hui mon jour de chance. Vous ne m'en voudrez pas si je vous laisse nu comme un ver.

— La chance est fille légère, réplique Antoine. Elle aura tôt fait de vous quitter. »

Il mise la moitié de son maigre avoir. Ransijat ne peut dissimuler un sourire de pitié. Antoine bat les cartes, distribue. Son partenaire se défausse, et retourne le valet de trèfle. Antoine retourne le sept de cœur. Perdu.

Avec un sourire forcé, Antoine mise la moitié restante. Ransijat bat les cartes. Antoine coupe, ramasse ses cartes et passe. Ransijat se défausse, complète sa main, expose un brelan de huit. Antoine se lève :

« Monsieur le commandeur, je vous remercie. Vous voyez, mon moment de plaisir n'aura guère duré.

— Mon cher, il ne tient qu'à vous. Je puis vous prêter ce que vous venez de perdre. Mon principe est de donner toujours à l'adversaire une occasion de revanche, dût-il m'en cuire. »

Direct, robuste, un peu rude, il exerce une sorte de séduction. Antoine se rassied, malgré un léger bourdonnement aux tempes.

« Pique, pique ! s'écrie Ransijat d'un ton conjuratoire. C'est ma couleur. Et la vôtre ?

— Le cœur. Je suis amoureux.

— Vous allez donc perdre. C'est bien connu. »

Antoine perd. Regagne un peu. Reperd une fois, deux fois, trois fois, l'argent que Ransijat lui reprête aussitôt. Le domestique ne peut réprimer un sourire ; il aura un bon pourboire.

« Encore ? demanda Ransijat, tendant le paquet de cartes.

— Arrêtons-nous là. Je ne suis qu'un jeune fou.

— Je vous l'avais bien dit. »

Antoine se lève à nouveau :

« Pourquoi ne jouerions-nous pas, suggère Ransijat, cette jolie médaille que je vois à votre cou ? »

Antoine détache sa médaille, à l'effigie de la Madone. C'est sa marraine qui la lui a offerte, le jour de son baptême, dans une petite église du Périgord. Pauvre femme, si candide, si confiante. Les larmes jaillissent :

« Non, monsieur le commandeur, je ne saurais jouer cet objet. Je vous le donne, pour votre salut éternel. Combien vous dois-je ? »

Il a jeté la médaille sur la table.

« Trois cent vingt écus », répond Ransijat, impassible.

Antoine ne prend pas la peine de vérifier, et sort en titubant. C'est presque un an d'allocation. Compte tenu des prélèvements de l'Auberge, il ne pourra jamais rembourser.

« Qu'as-tu donc ? lui demande Lascaris le lendemain matin. Tu as passé la nuit à te retourner dans ton lit. »

Heureux Lascaris, qui se contente des chimères des livres, et n'a pas besoin de celles du jeu. Antoine évite son amie Lucija. Il erre sur les remparts de la ville, en roulant des idées affreuses.

« C'est très simple, opine Charles de Bonvouloir. Tu vas raconter partout que Ransijat a triché. On te croira. On te soutiendra. D'ailleurs, pourquoi ne serait-ce pas la vérité ? »

Dans sa candeur, Antoine a pu se faire rouler sans rien voir.

« Non, dit Lascaris, notre Antoine ne commettra point d'infamie. Il ira implorer la clémence de son vainqueur. Malgré les apparences, ce Ransijat est un homme bon. »

La mort dans l'âme, Antoine se fait annoncer à la Trésorerie. Ransijat le reçoit dans un fatras de registres. Sans lever les yeux vers son visiteur, il contrôle des additions à l'aide d'un boulier. Sa main déplace des milliers d'écus avec une agilité prodigieuse. Mise en scène !

« Mon jeune ami, daigne-t-il enfin dire, j'ai le plaisir de vous apprendre que la balance est juste. Mes calculs tombent toujours juste.

— Monsieur le commandeur, dit Antoine, vous pourriez être mon père, et je me trouve à votre merci. Si vous n'écoutez pas ma requête, je n'aurai plus qu'à me brûler la cervelle.

— Hum ! Avant de la brûler, il faudrait en avoir une. »

Ransijat fait servir un café brunâtre.

« Remettez-moi ma dette, supplie Antoine, et vous aurez droit à ma reconnaissance éternelle.

— Comme vous y allez, jeune homme. Et mes dettes à moi, qui me les remettra ?

— Vos créanciers vous font crédit depuis longtemps, plaide Antoine, il n'en sont plus à cela près.

— Mes dettes s'accroissent de mois en mois suivant la loi des intérêts composés. Connaissez-vous cette dure loi ? Revenez me voir un autre jour, et je vous expliquerai. »

Ransijat ouvre un nouveau registre.

« Monsieur le commandeur, dit encore Antoine, vous passez pour républicain. Vous croyez donc à la fraternité.

— Eh ! La fraternité commence par le paiement des dettes. »

Soudain, le trésorier referme son grand livre, se fait apporter du papier, grince de la plume :

« Voilà, jeune homme. Signez ici. L'encre me suffira. Je n'irai pas jusqu'à demander votre sang. »

Dans un brouillard, Antoine lit qu'il doit trois cent vingt écus. On se moque de lui ! Il relit : payable le 1er janvier 1806. Donc dans dix ans.

« Monsieur le commandeur, dit Antoine avec enthousiasme, je vois que les républicains sont meilleurs que les autres hommes. Dix ans me suffiront bien. Dans dix ans, je serai capitaine de frégate. Ou mort et enterré.

— Il me reste donc à vous souhaiter longue vie », répond Ransijat dans un rire quelque peu humiliant.

Soulagé d'un sacré poids, le garçon remonte la rue en gambadant jusqu'à l'Auberge de Provence. Mais cette aventure lui laisse, malgré lui, de l'amertume envers Malte et l'Ordre de Malte.

« Tu as raison, laisse tomber Lascaris, entre deux méditations. Notre confrérie court vers sa fin. »

Il pourrait montrer quand même un peu plus de gratitude. Au début, on leur refusait l'allocation du grand maître, à son frère et à lui, en tant que sujets sardes. Puis on la leur a donnée, pour ne point créer de différence à l'intérieur de la Langue de Provence.

« Vous autres nobles de France, professe-t-il encore, vous ne pouviez éviter 1789. Trop de vapeur s'était accumulée sous le couvercle. Mais en vous montrant plus intelligents, vous auriez évité 1793. Malheur aux aveugles ! »

Souvent, en discutant avec Lascaris, Antoine sent le sol se dérober sous ses pieds. Pour ce jeune penseur, si l'Ordre a encore un avenir, ce ne peut être que sous la forme d'un club charitable, sans distinction de naissance. Qu'un olibrius du genre de Ransijat soutienne de telles théories, passe encore. Mais un garçon d'apparence normale, et de si bonne famille !

Mes amis, ne parlons plus de la Révolution, elle est finie. Enfin presque. Les remous causés par le passage du chevalier de

Sade se sont apaisés. Voici le moment, estiment les autorités, de tenter un geste envers Paris. La *Dame-du-Mont-Carmel,* pinque napolitain chargé de noyaux d'olives, a été capturée par un corsaire français et remorquée jusqu'à La Valette. Un tribunal local se trouve saisi.

« La prise est bonne, décident les juges. L'équipage a eu le tort de s'opposer à la visite du corsaire. »

Et l'on poursuit dans la voie de la réconciliation. Cet hiver, une frégate française s'est réfugiée dans le grand port : la *Sensible.* Venant de Tunis, et démâtée par une tempête. Normalement, on aurait dû lui refuser l'hospitalité, car Naples, puissance protectrice de Malte, se trouve toujours en guerre avec la France. Par politique, Rohan a décidé de l'accueillir. La voilà radoubée. Elle va repartir pour Toulon. En remerciement, le capitaine accepte de prendre quelques chevaliers à son bord.

« Vous allez être jetés aux fers dès votre arrivée, objecte L.T.D.P.M.

— Nous avons, répondent-ils, des papiers de Caruson attestant que nous n'avons pas servi dans l'armée de Condé. »

Caruson, l'agent consulaire français, un Maltais quelque peu jacobin, longtemps regardé comme un pestiféré. De ce côté aussi. Rohan a mis de la politique dans son vin. Il a forcé le prédécesseur de Caruson, l'homme du roi de France, à lui livrer ses archives. Il a autorisé Caruson à placer les armoiries de la République sur sa porte. En remerciement, Caruson délivre des laissez-passer sans poser de questions.

Antoine hésite. Ses parents lui ont écrit. Ils ont recueilli des témoignages à Bordeaux. Sa présence en cette ville est prouvée jusqu'à la date de son départ de Malte. Mais cela n'a pas suffi pour le faire rayer de la liste des émigrés.

« Aucune importance, assure l'ami Charles. En France, maintenant, personne ne s'inquiète plus de votre passé. Même mon père a pu sortir de sa cachette.

— Allons, profitez de cette frégate, dit le chevalier de Barras avec un sourire fat. En ma compagnie, vous ne sauriez avoir d'ennuis. »

C'est un cousin du directeur Barras, celui qui fait à présent la pluie et le beau temps à Paris. Avec l'accord du grand maître, il va tenter une négociation sur les biens de l'Ordre. Obtenir un dédommagement, sous une forme ou sous une autre. Idée fixe !

Antoine ne parvient pas à se décider. Que deviendra-t-il en France ? Qui accepterait d'embaucher un chevalier ? Partir sans même avoir achevé ses caravanes. Partir en brisant le cœur de Lucija... Il se sent retenu en cette île comme par un sortilège. Calypso pas morte.

Les voiles de la *Sensible* s'éloignent à l'horizon. M. de Saint-Exupéry est à la fois soulagé et mécontent de lui-même. Sa petite amie Lucija gambade, rit et chante. Elle ignore tout du danger qu'elle a couru.

Un autre départ compensera celui qu'Antoine a manqué : celui de l'esclave Kassem, injustement puni. En l'aidant à s'évader, Antoine se vengera de la médiocrité de la vie quotidienne, du manque d'héroïsme de certains supérieurs, de l'humiliation infligée par Ransijat. Il fuira Malte par personne interposée.

Depuis son aventure avec la notairesse, Kassem n'aspire plus qu'à l'air du large. Et ses geôliers, trop confiants, le laissent déambuler en ville sous prétexte de menus travaux.

« Compte sur moi », a chuchoté Antoine. Tant pis pour le risque.

Peut-être a-t-on trop attendu déjà. La flotte de l'Ordre va repartir en caravane, et Kassem ramera sous bonne surveillance. Hâtons-nous de trouver un navire étranger qui accepte un passager clandestin. Un Britannique ? Quand d'aventure il en passe un, on enferme tous les esclaves. Un Français ? La jeune République entretient de bons rapports avec les régences barbaresques, à qui elle achète du blé. Mais Antoine se défie des matelots provençaux : ils ont appris dès l'enfance à haïr les corsaires, et seraient bien capables de rendre Kassem à sa servitude.

« Tu partiras sur un Ragusain », promet Antoine.

La ville libre de Raguse, sur l'Adriatique, paie depuis longtemps tribut à la Porte. Elle ménage l'islam, et vit avec lui.

Kassem secoue sa tête frisée. Ses yeux étincellent. Justement, voici une flûte ragusaine le long du quai. Antoine esquisse un signe de croix et monte à bord. L'équipage parle italien.

« Quand levez-vous l'ancre ?

— Demain matin.

— Mon domestique maltais doit se rendre en Dalmatie chez des cousins. Pouvez-vous le prendre à bord ? Il aidera au lavage du pont. »

Antoine glisse au Ragusain le résidu de son allocation mensuelle. Si peu de chose qu'il craint qu'on ne le lui jette à la figure. Mais l'homme accepte sans rechigner.

Par bonheur, Kassem a un petit pécule, qui pourra compléter l'offrande. Reste à lui donner l'air maltais. Ce ne sera pas bien difficile. Beaucoup de fils de cette île ressemblent à des Barbaresques. Lucija a retrouvé une vieille souquenille de son frère — celui qui n'est jamais rentré d'Amérique. Elle ajoute une croix de laiton que le galérien devra accepter de porter au cou, s'il veut vraiment la liberté.

En ce moment, Kassem est loué à un chaudronnier. Malgré son aventure galante, on n'a pas voulu laisser dormir le capital musculaire qu'il représente. On se borne à prévenir les femmes, partout où il passe, contre son ardeur entreprenante.

A la fin de la journée de travail, Lucija entre chez le chaudronnier, sous couleur de demander du linge à laver. Elle laisse tomber près du forçat la souquenille et la petite croix.

Mine de rien, Antoine s'est posté aux abords. Il voit d'abord sortir Lucija, son panier sous le bras, puis deux apprentis, puis Kassem revêtu de son vêtement maltais, la croix bien en évidence sur sa poitrine. Kassem oblique vers le quai du Commerce et monte paisiblement à bord du navire.

Antoine rentre à l'Auberge. L'heure fatidique sonne à Sainte-Barbe, à Saint-Jean, à Saint-Dominique, à Saint-Augustin : celle où les portes du bagne se referment à triple tour, et où l'on commence l'appel du soir. Bientôt va retentir le tocsin, comme pour chaque évasion d'esclave. Bientôt toute la ville saura qu'il y a une prime à gagner.

Mais c'est le silence. Kassem aurait-il été repris ? On va le torturer. Il va donner le nom de ses complices. Lucija sera fouettée en public. Antoine, dégradé, exclu de l'Ordre...

« Te voilà encore malade, observe le chevalier Lascaris. Tu t'es retourné dans ton lit toute la nuit.

— C'est l'amour qui me démange », répond Antoine.

***

« Quatre-vingt-dix-sept, compta Ransijat en levant son épée.

— *Novanta sette,* répéta le sous-officier en ajoutant un trait sur la grande ardoise.

— *Sabaa oua tissaïne* », traduisit l'envoyé extraordinaire du roi du Maroc.

Le quatre-vingt-dix-septième esclave rejoignit en riant ses camarades libérés.

Au fort d'une grande maladie, Sa Majesté chérifienne avait fait le vœu de racheter ses sujets captifs des geôles de Malte. Et Allah, sensible à son geste, avait bien voulu la guérir.

Pour le Trésor de Malte, c'était du pain béni, car l'émissaire du sultan ne regardait pas trop à la dépense. Les galères auraient moins de bras, mais comme deux d'entre elles approchaient l'âge de la réforme...

« Quatre-vingt-dix-huit », annonça Ransijat.

Un éclopé, celui-là. Au début, l'envoyé extraordinaire ne voulait prendre que les sujets valides. Ransijat lui avait fait remarquer que, du point de vue du salut de l'âme du sultan, les estropiés comptaient autant que les autres, sinon davantage. On s'était mis d'accord moyennant une petite réduction de prix.

« Quatre-vingt-dix-neuf ! »

A chaque candidat au retour, l'envoyé extraordinaire posait quelques questions, pour s'assurer de son origine.

« Comment t'appelles-tu ?

— Kassem fils de Hussein. »

Un jeune gaillard, l'air malin. Turbulent aussi, à en juger d'après son dos strié de rouge.

« Où habite ton père ?

— Mon père est mort. Ma mère vit à Tanger.

— Quelle rue à Tanger ?

— Impasse des Pois Chiches. »

Se trouvait-il vraiment, dans cette ville, une impasse aussi drolatique ? Quelqu'un le certifia. Mais l'envoyé du sultan fit la grimace. Il avait reconnu l'accent :

« *Houwa tounsi.* C'est un Tunisien. »

Rigolard, le sergent de garde s'approcha de Ransijat, lui glissa quelques mots à l'oreille. Ce Kassem avait couché avec une notairesse ! Et, non content de cette prouesse, s'était presque évadé.

« Prenez-le quand même, proposa Ransijat. Le royaume de Maroc s'enrichira d'un fameux numéro. »

L'envoyé extraordinaire secoua la tête et toucha son turban, pour attester de sa résolution négative.

Cependant, une houle de rires gagnait le bataillon des forçats. Ils se mirent à frapper dans leurs mains. En somme, ils avaient tous forniqué avec la chrétienne, par l'entremise de ce joyeux luron.

Une fois tout ce bétail compté et recompté, l'envoyé chérifien paya comptant, avec des caisses entières de douros. L'Ordre était renfloué pour un temps. Ransijat exultait. Mais une aigreur se mêlait à son plaisir. Avec cette aubaine, les chevaliers de Malte allaient encore différer les réformes nécessaires. Et repousser le moment de négocier sérieusement avec la France.

Ransijat ne croyait plus à la mission F... Malgré ses bonnes intentions, ce bailli marseillais restait trop rétro pour plaire au Directoire. Naturellement, F... ne s'était point présenté au tribunal de l'Ordre, qui voulait le juger. Mais, sitôt les passions retombées, le grand maître avait eu la faiblesse de lui écrire en sous-main, pour lui demander de reprendre des contacts à Paris, au sujet des biens de l'Ordre.

Tu parles ! A Paris, l'infortuné F... trouva deux concurrents, Secundus et Tertius, qui s'estimaient chargés de la même mission. Secundus était un homme malade, au bout du rouleau. Tertius, un jeune roturier, fils d'un ancien secrétaire de l'Ordre. Ce Tertius consacrait ses propres deniers au fonctionnement de l'ambassade ; mais des sentiments généreux n'ont jamais suffi pour faire un bon négociateur.

A Malte, Ransijat bouillait. Quel gâchis ! Ces gens profitaient de la maladie du grand maître pour mener chacun leur politique.

De surcroît, un quatrième personnage préparait son entrée en scène, à la frontière suisse. Sans doute Mgr de Rohan avait-il jugé habile d'avoir plusieurs fers au feu. Grand expert en intrigues, le commandeur de Maisonneuve attendait donc pour venir à Paris qu'on l'eût rayé de la liste des émigrés. Heureusement, Tertius s'employait à empêcher cette radiation. Brave Tertius, moins inutile qu'on n'aurait pu le croire.

Bientôt, les quatre se retrouvèrent cinq, grâce à l'arrivée du chevalier de Barras. Celui-là, Ransijat l'avait encouragé depuis Malte. Un peu présomptueux, sans doute, mais sincèrement démocrate, et bien placé pour réussir, par son cousinage avec l'autre Barras. Aussi ses quatre devanciers ne tardèrent-ils point à se liguer contre lui.

Altesse, il faut vous décider. Lequel choisissez-vous ? Seul Barras a des chances. Soyez réaliste.

Son Altesse choisit un sixième larron ! Un bailli tout ridé dont le seul mérite, aux yeux du gouvernement de Paris, était de n'avoir point quitté la France durant la Terreur. Il fut nommé ambassadeur.

« Je ne comprends plus, avoua Ransijat.

— Souvenez-vous, il a aidé Rohan à mater la révolte des prêtres, en 1775.

— Autant dire qu'il a aidé Noé à l'époque du déluge. »

Coalisé contre ce sixième homme, le quintette des candidats évincés parvint, non seulement à lui faire refuser l'agrément de la République, mais aussi à l'expulser du territoire français ! Alors que les émigrés mal blanchis rentraient au pays par dizaines, l'ambassadeur de Malte dut vider les lieux.

Ransijat s'offrit le luxe de parodier l'Écriture : « Malheur à l'île dont le prince est un vieillard. »

Loin de perdre courage, le prince et ses conseillers inventèrent alors d'accréditer à Paris un Espagnol. Cela valait mieux, pensaient-ils, qu'un noble français, nécessairement suspect. Puisque l'Espagne était de nouveau l'alliée de la France, l'on devait en profiter.

« Je pense que vous avez compris la manœuvre, dit à Ransijat le bailli des Pennes. Cet Espagnol se rend à Paris avec une mission précise : préparer l'élection de Godoy.

— Quelle élection ?

— Le chef de notre Ordre n'est pas immortel. »

L'aventurier Godoy, fringant célibataire, et amant de la reine d'Espagne, s'était mis en tête de succéder à soixante-dix grands maîtres. Les chevaliers espagnols avaient instruction de l'y aider.

« Ceux que Jupiter veut perdre, il les rend fous », s'écria

Ransijat. Et il courut à la sortie de la messe, en l'église Saint-Jean, afin d'obtenir des explications complémentaires.

« Tiens, mon cher trésorier ! dit Rohan. Il m'est agréable de vous voir enfin dans ce lieu saint. Venez, j'ai une surprise pour vous. »

Une grande forme de marbre se dressait dans la sacristie.

« Qu'est-ce donc ? s'enquit Ransijat. Une statue ?

— Mon tombeau, dit Rohan. Ne vous plaît-il point ? »

Une sculpture dont la beauté coupait le souffle. Les précédents grands maîtres s'entouraient de trompettes et de Renommées. Nicolas Cotoner faisait porter son sarcophage par des atlantes à tête de galériens. Rohan, lui, n'avait voulu qu'un buste de marbre noir, se détachant sur des drapeaux de marbre blanc. Un bouclier, lui aussi en marbre blanc, montrait un pélican nourrissant ses petits de son propre cœur : Rohan lui-même, à l'évidence.

Pour l'heure, ce mausolée attendait dans un endroit retiré. Au décès de son propriétaire, on le transporterait en la chapelle de France, où il témoignerait pour les siècles de la bonté du prince Emmanuel.

« C'est si harmonieux, dit le bailli de Loras, que cela vous donne presque envie de mourir. »

Ransijat reprit sa respiration. Comme par un complot, personne ne lui avait parlé de ce monument qui, depuis plusieurs semaines sans doute, faisait l'admiration des intimes. Après chaque grand-messe, Rohan y allait en pèlerinage. C'était sa friandise du dimanche.

« Je regrette, monseigneur, que vous vous soyez caché de moi. Ce travail est-il payé ?

— Vous recevrez sous peu le mémoire du sculpteur, dit Rohan. Et celui du marbrier.

— Tout l'argent marocain y passera !

— N'exagérons rien. »

Les assistants se regardèrent.

« Vous aussi, vous mourrez un jour, monsieur le commandeur, enchaîna Rohan. N'avez-vous pas réservé une dalle armoriée dans la nef de Saint-Jean ?

— Le diable m'en préserve ! Je ne veux rien coûter. Je lègue ma carcasse aux vers ! »

Ransijat se dirigea vers la sortie, se retourna une dernière fois :

« Monseigneur, je considère ce tombeau comme une offense personnelle. »

***

« Puisque Catherine II nous oublie, se dit à lui-même Giulio Litta, faisons notre cour à l'héritier du trône. »

Par un ami russe, il sait que le grand-duc Paul s'intéresse à la chevalerie. Bientôt, comme par hasard, arrive une invitation. Le représentant de Malte revêt son habit de caravane, rouge à parements noirs. Et tant mieux s'il attire les regards.

Le traîneau file à travers une campagne encore gelée. Paul s'est retiré à Gatchina, loin de son encombrante mère. Dans un grand parc, des statues de fonte peintes en blanc rouillent doucement sous la neige. A cette heure, la revue militaire n'est pas encore terminée. Sans manteau, mais armé d'une canne, Paul Pétrovitch fait manœuvrer deux compagnies en uniforme prussien, avec coiffures à longue queue : au pas de l'oie, comme des automates.

« C'est tous les jours ainsi », explique un familier.

Paul est allemand tant par sa mère Catherine que par son regretté père, né Holstein-Gottorp. Tout au plus arrive-t-on à lui trouver un quart de Russe, en cherchant bien.

Et il n'est pas beau, certes non : petit, les yeux globuleux, la figure camuse. Quand il ôte son tricorne, un front dégarni apparaît. Si Catherine le tient à l'écart, c'est peut-être par honte d'avoir engendré cela. A quarante et un ans, il n'a encore reçu d'elle aucune responsabilité.

« J'ai déjà eu l'honneur, dit Giulio, d'être présenté à Votre Altesse Impériale. C'était à Milan, en 1782.

— Parfaitement, répond Paul Pétrovitch. Votre famille m'avait réservé le meilleur accueil. Je garde le plus haut souvenir de mon voyage à travers l'Europe. »

Le seul moment de sa vie où il a eu l'illusion d'être quelqu'un, de jouer un rôle. Le grand-duc entraîne ses invités vers la salle à manger. Mobilier médiocre, disparate, avec une profusion de pendules. Au moment de passer à table, l'une d'elles sonne une heure, et Paul vérifie à sa montre.

« Les horloges du grand-duc ont un horloger rien que pour elles, explique le cicerone à voix basse. Sa mission est de les faire tinter toutes ensemble. Mais il n'y est encore jamais parvenu.

— Le grand-duc est obsédé par la fuite du temps », chuchote Mlle Nélidoff.

C'est sa favorite. Par une curieuse mortification, il l'a choisie laide, et plus toute jeune. Mais son œil noir pétille. La Cour et la ville se divisent en deux camps : ceux qui la croient sa maîtresse, ceux qui ne lui attribuent qu'une influence morale.

On sert une chère spartiate ; autre manie grand-ducale. La grande-duchesse Marie souhaite la bienvenue à Litta dans un excellent italien, avant de revenir au français qui est la langue de société. Difficile d'imaginer plus vif contraste qu'entre cette grosse blonde et son bilieux époux. Marie rayonne de bonté, et d'une réelle culture. Elle semble s'entendre parfaitement, ô paradoxe, avec sa rivale Nélidoff. Comment devenir jalouse d'une créature pareille ?

« Malte est la victime des jacobins », explique Litta. Déclenchant ainsi, à dessein, tout un couplet du grand-duc, qui a une phobie de ces gens-là.

« Je déteste ces sans-culottes qui m'ont pris mon beau pays », appuie la grande-duchesse, née Wurtemberg-Montbéliard.

Puis la conversation se porte sur les chevaliers eux-mêmes. Paul Pétrovitch en connaît un rayon. Il a fait placer une croix octogone sur le fronton de l'hospice des invalides de la marine, dont il est le fondateur. Il a lu l'*Histoire de l'Ordre* par l'abbé de Vertot — l'un des grands succès littéraires du siècle. Il pose à son hôte des questions sagaces sur le rôle des galères de Saint-Jean à la bataille de Lépante, ou sur la tenue que portaient les défenseurs lors du grand siège. Litta répond de son mieux, et, quand il se trouve pris de court, invente avec bravoure.

« La chevalerie est ce qui manque le plus à notre époque, opine Paul dans un mouvement de fourchette. Notre époque est plate, prosaïque, égoïste... »

Sur quoi il se fait apporter un thermomètre, pour vérifier que la température de la pièce est bien égale à quatorze degrés Réaumur. Il suit à la lettre les conseils de santé de son médecin allemand, diplômé de la Faculté de Montpellier.

En sortant de table, Giulio comprend, aux égards que lui

marquent les autres invités, qu'il a produit forte impression.

Durant la promenade digestive dans le parc gelé, il explique la raison principale de sa présence à Pétersbourg : les biens polonais de l'Ordre, tombés dans l'escarcelle de la Russie, et dont les revenus font cruellement défaut à La Valette.

« Attendez seulement que je règne, dit Paul Pétrovitch. En huit jours, j'aurai réglé votre affaire.

— Dieu veuille que l'Ordre puisse subsister jusqu'à cette date, répond Giulio.

— Que Dieu prête longue vie à ma mère », réplique le grand-duc, sans guère de conviction.

Et, comme la capitale est loin, il prie le bailli de Litta de passer la nuit sous son toit. Giulio s'endort sous une couette de cretonne fleurie. A deux heures du matin, patatras, le voilà par terre, et le lit avec. Des domestiques s'empressent, bougeoir à la main. L'auguste châtelain sort de sa chambre en chemise flottante. Il se tient les côtes de rire. C'est lui qui avait fait scier les montants !

« Je me croyais attaqué par les Turcs », dit la victime avec diplomatie.

Telles sont les petites farces du grand-duc Paul.

Le lendemain, au moment du départ, il serre Giulio dans ses bras, le supplie d'une voix de petit garçon anxieux : « Revenez vite. »

Aucune nouvelle, en revanche, de madame sa mère. De temps à autre, Litta se rend devant le palais d'Hiver. Malgré l'évolution du goût, Catherine continue d'habiter cet édifice conçu par une autre — ce grand gâteau bleu turquoise, tout en volutes et moulures. Les voyageurs français le déclarent affreux. Giulio, lui, aime cette fête de la courbe et de la contre-courbe, cette Italie touchée d'un délire slave. Peut-être la propriétaire va-t-elle le reconnaître par la fenêtre ? Hélas, elle se contente de jeter du pain aux corbeaux de la place.

Il pond un nouveau mémoire. Catherine prend ses quartiers de printemps sans lui avoir répondu. Elle se transporte au palais de Tauride, une folie jaune à colonnes blanches, qu'elle avait offerte à son favori Potemkine. Elle n'y recevra guère. Elle continue de digérer la Pologne.

Plusieurs fois, Giulio a revu la comtesse Skavronskaïa. Dans ce milieu où sévit la mode des surnoms français, on l'appelle la « créole du nord » ou la « belle indolente ». Toujours couchée, peu disante, elle en rit elle-même : « Je suis la femme la plus paresseuse de toutes les Russies. »

Bribe à bribe, il lui arrache son fabuleux passé. Elle était l'une des demoiselles Engelhardt, filles d'un nobliau balte, et nièces du grand Potemkine — le géant borgne. Ainsi s'expliquent ses relations familières avec Catherine II. Elle l'a accompagnée dans ces voyages improbables où Potemkine plantait des villages de théâtre au bord de campagnes désertes, pour leur donner l'air prospère et peuplé. Elle a glissé sur le Dniepr dans une galère dorée. Elle s'est réveillée, un matin, au son des violons que Potemkine avait placés dans l'ancien sérail des khans de Crimée.

« Dites-moi, insiste Litta, est-il vrai que la tsarine avait épousé secrètement votre oncle ? Je ne le répéterai à âme qui vive. »

Dans ses lettres, la tsarine l'appelait « mon tigre » ou « mon pigeon ». Mais Skavronskaïa élude la question en souriant.

Elle ne parle guère plus de son propre mariage avec le comte Skavronski. Cinglé de musique, ce personnage interdisait à ses domestiques de s'adresser à lui autrement qu'en chantant. Cette passion l'ayant conduit à postuler une ambassade à Naples, il y avait emmené non seulement son épouse, mais aussi une mère bigote et tyrannique. Bientôt la jeune mariée avait dû rentrer seule en Russie. Alors, comme un châtiment, la maladie s'était saisie du comte, le transformant en une pourriture ambulante. C'est dire si sa mort avait été la bienvenue.

« Quel âge a donc la comtesse ? demande Litta aux gens informés.

— Trente-cinq ans », finit-on par lui avouer.

Aïe, deux ans de plus que lui-même. La plupart de ses contemporaines ont cessé de vouloir plaire. Skavronskaïa, sans effort, conserve ses pouvoirs.

« On vous a vu à Gatchina, remarque-t-elle. Vous avez tort de vous afficher ainsi avec le tsarévitch.

— Pourquoi donc ? Il m'a fort bien reçu.

— Craignez de déplaire à Mme Catherine.

— Elle ne répond pas à mes mémoires ! Aidez-moi donc. Allez la voir. »

La seule pensée d'un tel effort épouvante la comtesse.

« Paul ne régnera point, ajoute-t-elle. La tsarine a désigné son petit-fils Alexandre comme héritier direct. Elle l'a écrit dans son testament. Je l'ai vu. »

Giulio baise la main de la belle indolente. En retour, et comme le veut la politesse russe, elle lui baise le front. Iékatérina Vassilievna !

Pendant ce temps, à La Valette, on s'impatiente du manque de résultats. On y trouve que l'ambassade de Giulio coûte gros. Sait-on, à La Valette, que Pétersbourg est la capitale la plus chère d'Europe, car tout y vient de loin ? Sait-on qu'un laquais parlant français se paie à double tarif ? Sait-on qu'il faut, à chaque réception officielle, louer un carrosse à six chevaux ?

Comble de veine, un général nommé Bonaparte vient d'entrer à Milan. Pour peu de temps sans doute : un proverbe assure que l'Italie est le tombeau des Français. En attendant, il écrase la famille Litta d'un impôt extraordinaire. Ne pouvant plus compter sur elle, ni sur sa commanderie, Giulio adresse au grand maître une demande de fonds fort pressante.

Malgré les conseils reçus, il se rend à une nouvelle invite de Paul. Cette fois, c'est à Pavlovsk, joli château en fer à cheval, meublé avec goût par son épouse. Enceinte pour la énième fois, cette dame approche du terme. Elle est devenue énorme. On la porte.

Quant à la favorite Nélidoff, elle s'est retirée dans un couvent : petite farce qu'elle joue de temps à autre à son ami le grand-duc.

Le rôle de boute-en-train a été repris par Fiodor Rostoptchine, le Mongol aux yeux bleus, qui prétend descendre de Gengis-Khan. Ayant gagné au jeu, dit-on, une belle collection de soldats de plomb allemands, cet officier de très petite noblesse a eu l'idée géniale de l'offrir à Paul, d'où faveur foudroyante.

« Nous nous sommes rencontrés durant la guerre de Finlande, rappelle Giulio. Et j'ai bien connu votre frère, qui s'est fait tuer le plus galamment du monde. »

Rostoptchine remercie d'un signe de tête. Sous son impulsion, chaque dîner grand-ducal est un festival de bons mots, et de calembours en français.

« Mon cher bailli, dit Paul Pétrovitch en revenant à ses

marottes, nous conquerrons l'Empire turc. Vous par un bout et nous par l'autre. »

Il pousse la courtoisie jusqu'à mettre sur le même pied le minuscule Ordre de Malte et son vaste empire.

Après la visite d'un hôpital, menée au pas de charge, l'assistance se retrouve pour goûter. Les demoiselles d'honneur servent le thé, proposent des charades. Giulio fait un doigt de cour à la maîtresse de maison. Elle sourit, rougit un peu. Mais une légère mélancolie flotte autour de sa volumineuse personne. Il n'est pas difficile d'en deviner la cause : Catherine II lui a confisqué ses deux fils aînés, dès leur naissance, afin de les élever à sa guise.

« La prochaine fois, promet le grand-duc à son visiteur, j'organiserai un tournoi en armure.

— Que Votre Altesse Impériale veuille bien m'excuser. Je n'ai jamais mis d'armure de ma vie.

— Ah, je croyais qu'à Malte... »

Quant à Rostoptchine, il se confond en amabilités. Mais Giulio ne peut se défendre d'un malaise. Cet homme était installé dans la confiance du grand-duc. Il s'inquiète, c'est visible, de la faveur témoignée à un nouveau venu. Que ne dira-t-il derrière son dos ?

En reprenant son manteau dans le vestibule, Giulio remarque un tableau de la fête donnée au grand-duc par le prince de Condé, à Chantilly. Décidément, l'horloge intérieure de Paul s'est arrêtée en 1782. Vite, faisons peindre une autre toile à Milan, pour lui rappeler que l'accueil des Litta valait presque celui des Condé.

« Vous vous trouviez encore chez le tsarévitch ! s'étonne la belle Skavronskaïa, en interrompant sa partie de cartes avec ses servantes.

— J'avais cet honneur.

— J'espère bien que Paul ne montera jamais sur le trône. Il nous persécuterait, mes sœurs et moi. Il hait tout ce qui lui rappelle Potemkine.

— Vous n'avez rien à craindre, répond Litta. Il voue un culte à ceux qui l'ont accompagné durant son voyage de 1782.

— Croyez-vous ? J'étais l'œil de Mme Catherine. »

Dans les lettres qu'il envoie en Italie ou à Malte, Giulio

continue de multiplier les éloges de la tsarine, en espérant bien que le courrier sera ouvert et montré à l'intéressée. Car telles sont les Postes russes. Mais les rossignols russes s'égosillent en vain dans les jardins russes.

Autre infortune, un rival se présente. Las d'attendre un hypothétique retour en France, le commandeur de Maisonneuve a décidé de se faire une troisième vie en Russie. Bien qu'ayant épousé Mlle de Latour-Maubourg, il prétend représenter cet Ordre de célibataires. Il a des lettres du bailli de Loras.

« Je suis le seul accrédité du grand maître », répond sèchement Giulio.

Bezborodko et compagnie commencent à ricaner. Pour se concilier l'intrus, Giulio lui offre de l'héberger dans sa légation. Encore plus désargenté que lui, Maisonneuve accepte avec empressement. Le voici apprivoisé.

A l'approche de l'été, la plupart des nobles s'en sont allés sur leurs terres. La ville vit l'étrange période des nuits blanches. D'honnêtes gens oublient de se coucher. Aux principaux carrefours, des paysans vendent du jus de canneberge, cette baie rouge et sucrée qui prospère dans les marais du nord. Vous flânez sans but sous les tilleuls de la Moïka, ou le long du canal Catherine — et soudain, vous vous apercevez qu'il est deux heures du matin.

De son palais de La Valette, sans consulter Giulio, le grand maître a tenté un rapprochement avec la France républicaine. Il a envoyé plusieurs négociateurs, en parallèle. Catherine II a beau n'entretenir aucune relation diplomatique avec Paris, elle finira par savoir. Peut-être sait-elle même déjà. Les commanderies françaises, ou l'indemnité russe : monseigneur, il faut choisir.

Et Giulio s'enfonce dans la poisse. Un bâtiment de l'Ordre a capturé, en Méditerranée, un navire marchand monté par un équipage gréco-turc. Le capitaine a exhibé une patente russe, délivrée par un vague consul. Faux document, décide-t-on à Malte. Mais, à Pétersbourg, on affecte de le trouver valable ; on parle de réparations, d'excuses... Excellent prétexte, de la part de Bezborodko, pour différer *sine die* les conversations sur les créances de l'Ordre.

Quant aux demandes de crédits formulées par Litta, les

bureaux du grand maître y sont restés sourds. Sans doute estiment-ils que les chevaliers doivent se serrer la ceinture en Russie aussi bien qu'à Malte. Politique à courte vue. Fallait-il envoyer une ambassade au loin, si c'était pour la priver des moyens de réussir ? Un courrier emporte à La Valette un nouvel appel au secours.

La réponse arrive plus tôt que prévu, sous la forme d'un petit sac d'or et d'un billet anonyme en français : « *une amie qui vous veut du bien* ». Giulio le lit et le relit, questionne son entourage :

« Auriez-vous la bonté de me montrer quelques lignes de Mme de Skavronski ?

— Iékatérina ? Mais elle ne met jamais la main à plume ! »

Une vieille cousine finit quand même par authentifier l'écriture. Giulio se rend aussitôt chez la donatrice. Qui a pu lui parler de certaines difficultés financières ? Pourquoi s'occupe-t-elle de ce qu'elle n'est pas censée savoir ? Litta jette le petit magot à ses pieds.

« Madame, un chevalier de Malte ne saurait accepter d'argent d'une femme.

— Et si cette femme veut rendre service à son Ordre ? »

Elle est si belle, si blanche, presque diaphane... Soudain, il la prend dans ses bras, pose sa bouche contre la sienne, baise la naissance de ses seins. Elle se laisse déshabiller sans résistance, fournissant un peu d'aide lorsqu'une épingle se dérobe. Peu à peu, sa peau de lait apparaît tout entière. Il la plaque sur le grand lit rose, assorti à la couleur de ses joues :

« J'attendais cela depuis quatorze ans, s'exclame-t-il.

— Ne me vieillissez pas tant », proteste-t-elle dans un sourire.

Il croirait coucher avec un rêve.

Mais bientôt, alors qu'ils reposent tous deux, un bruit suspect se fait entendre sous le lit. L'épée au poing, le jeune bailli soulève les franges.

« Pour l'amour du ciel, arrêtez », s'écrie Skavronskaïa.

Une créature terrorisée finit par sortir en rampant. C'est Petite-Oursonne, la femme de chambre préférée.

« Et alors ? Que fait ici cette espionne ?

— Je ne puis m'endormir, explique la créole du nord, quand Petite-Oursonne n'est pas sous mon lit. »

Mieux vaut en rire.

Mais prenons garde. L'Ordre de Malte a une fâcheuse réputation galante. Depuis son retour en Russie, Giulio s'est employé à l'effacer. Il pose au moine-soldat, au vrai héros de la Terre sainte. Que pensera le grand-duc Paul, quand il apprendra cette frasque amoureuse ?

Sur quoi Mme de Skavronski s'en va estiver sur ses terres, avec vingt et une malles. Héroïquement, Giulio refuse de l'accompagner. L'avenir de Malte exige ce sacrifice. On s'écrira.

Déjà, hélas, la malveillance est à l'œuvre. Litta trouve dans son courrier une caricature déjà ancienne, représentant Potemkine sur un trône, avec à ses pieds deux almées court-vêtues : Skavronskaïa et l'une de ses sœurs. Fâcheuse allusion, qui en rejoint certaines autres. La beauté polaire a un passé, un lourd passé. La transparence de son regard ouvre sur des gouffres...

Malgré sa nonchalance, elle répond par retour. Elle n'avoue rien, ne dément rien. « Comment être jaloux de Potemkine ? s'étonne-t-elle simplement. C'était un père pour moi. Vous aussi, vous l'auriez aimé. »

En effet, comment être jaloux d'un monstre ? Et d'un mort ? Potemkine dort là-bas sous un édifice de marbre, en ces provinces du sud dont la tsarine l'avait fait gouverneur et prince.

Giulio approche la caricature de la flamme d'une bougie. Jamais plus il ne remuera ces vieilles histoires.

S'agissant de sa négociation en panne, une nouvelle idée lui est venue. Son frère l'archevêque Lorenzo se morfond dans Varsovie, réduite au rang de ville de province. Qu'il vienne donc ! Ayant annexé plusieurs millions de sujets catholiques, Catherine II se doit d'avoir un nonce du pape auprès d'elle. Et de tous ses frères et sœurs, c'est de Lorenzo que Giulio se sent le plus proche. Il a besoin de sa pondération, de sa maturité. Les deux Litta vont s'entraider, chacun favorisant les projets de l'autre.

Cette fois, miracle, les choses bougent. Bezborokdo et consorts donnent des signes d'intérêt envers cet archevêque qui voudrait s'établir à Pétersbourg.

Mais un autre événement accapare la Cour et la ville : le mariage du jeune roi de Suède avec une petite grande-duchesse. On a eu peur des Suédois en 1790, quand le canon s'entendait sur le golfe. L'hyménée va consolider une paix toute récente.

Le jeune souverain débarque avec son oncle le prince régent. Il est roux, maigre, assez beau. Fervent luthérien avec cela, lecteur assidu de la Bible. La petite grande-duchesse paraît fort éprise. Toute la Cour se met à roucouler.

Visite royale au père de la fiancée, à Gatchina. Le grand-duc Paul se met sur son trente et un. Pour une fois qu'il joue un rôle public ! Le bailli Giulio est de la fête. Comme il se doit, les Suédois assistent à une revue militaire.

« Vous avez failli nous enfoncer, en 1790, leur dit Litta. Vous étiez de fameux adversaires. Sans rancune. »

Le besoin de plaire est au cœur de sa nature. Et il plaît aux Suédois, comme il a plu aux Russes. On devise le long des allées en se donnant des claques dans le dos.

Les noces auront lieu dans la salle du trône, au palais d'Hiver. Tous les boyards sont là, en perruque et talons hauts. Et le corps diplomatique. Et la comtesse Skavronskaïa, blanche comme neige, sans autre bijou qu'une croix d'or — mais on la regarde plus que les petites debs.

Le marié se fait attendre. L'impératrice consulte son oignon de Nuremberg. Un bruit commence à se répandre : le jeune époux exige que sa femme devienne luthérienne. Et Catherine II, bien qu'élevée elle-même dans cette confession, refuse par dignité russe.

Toujours rien. La tsarine se lève, très rouge. Elle se rassied. Elle a un petit malaise, il va falloir la saigner. On évacue la salle.

Le lendemain, Sa Majesté Impériale va mieux, mais ne se montre point. Le jeune roi paraît quelques minutes au bal qu'on n'a pas voulu décommander, puis il reprend le bateau pour son pays. Furieux d'un tel outrage, le grand-duc Paul est déjà reparti vers Gatchina.

Avec de telles histoires, quand trouvera-t-on le temps d'ouvrir une bonne fois le dossier de Malte ?

Pétersbourg se prépare pour l'hiver. Les ouvriers enferment les statues des parcs dans des guérites de planches. Des montreurs d'ours envahissent la Perspective : et c'est comme une vieille Russie cachée qui vient soudain grogner aux portes de la cité trop neuve.

Inlassablement, la belle indolente tire les cartes pour son amant.

« Le destin te sourit. Vois-tu ce valet de carreau dans le grand soleil ?

— Ma douce amie, je ne suis le valet de personne. »

Il s'est refusé à la nommer Catherine, prénom qui lui rappelle trop certaine grosse dame sur son trône.

« Alors Catiche », suggère-t-elle.

Va pour Catiche, surnom franco-russe à la mode. La première neige vient de tomber. Les ouvriers déménagent le pont de bateaux sur la Néva, avant qu'il ne soit pris par les glaces. Un laquais portant la livrée des Romanoff se présente à la légation de Malte :

« L'impératrice est morte. L'empereur Paul vous mande au palais. »

L'Europe se liquéfie, se resolidifie en formes différentes. Les montagnes sont détruites, les vallées sont comblées. Mais chaque été, la chevalerie de Malte s'en va en caravane.

Antoine sert sur le *Saint-Zacharie,* soixante canons, unique vaisseau de l'Ordre. Le bailli de Saint-Tropez commande l'escadron. Frère cadet du regretté Suffren, c'est aussi, selon les persifleurs, un modèle réduit de ce héros : un peu moins gros, un peu moins brave, un peu moins bon navigateur. Seul l'accent provençal est le même : terrible.

Les chevaliers abrègent son nom en Saint-Trop'. Il affecte de s'en amuser :

« Saint-Ex, Saint-Trop', ces jeunes gens ont la manie de raccourcir les saints. Boufre ! »

Sur quoi, le navire est rebaptisé *Saint-Zac.*

Commerce naval avec le pape : on va lui livrer, à Civitavecchia, deux demi-galères construites à Malte, dont l'une, ô coïncidence, se nomme la *Santa-Lucia.* En contrepartie, le pape remet à l'Ordre une galère entière, que ses chantiers viennent de terminer.

Kassem prend place parmi les rameurs. Trahi par le capitaine ragusain, son évasion n'a pas duré une heure. Mais il a eu le bon goût de taire le rôle de ses complices. Ce vêtement, cette croix ? Volés en ville. Les enquêteurs n'ont pas imaginé un instant qu'un chevalier pût aider un esclave maugrabin à s'échapper.

Escale à Palerme. Cette fois, les chevaliers français ne sont plus consignés à bord. Craignant que l'armée du général Bonaparte ne descende dans la botte, les souverains des Deux-Siciles viennent de conclure un armistice avec Paris. Le cœur n'y est guère, mais nécessité fait loi. Le bailli Saint-Trop' et ses lieutenants sont reçus par le capitaine de vaisseau Caracciolo, chevalier de Malte, étoile montante de la flotte napolitaine. On trinque à la réconciliation.

« Nous n'accueillerons plus les navires de guerre anglais dans nos ports, annonce ce brillant officier. A la place, nous aurons le plaisir d'accueillir les Français. Vive l'oiseau de la paix ! »

Et, d'un coup de pistolet, il descend une mouette.

« Vivent nos deux rois ! » répond Saint-Trop' en arborant une cocarde blanche.

Bien imprudent, le bailli Saint-Trop'. Parmi les Français de l'escadre de Malte, il se trouve sans doute plus d'un cœur jacobin. D'ailleurs, qui garantit que Caracciolo lui-même... Mais l'euphorie règne. Certains prophétisent qu'avant six mois la France aura liquidé sa révolution.

Seul Kassem ne partage pas l'allégresse générale. Mal remis encore des coups de nerf de bœuf, il échange quelques paroles avec son ami Saint-Ex, à la dérobée :

« Je vais me couper trois doigts, pour ne plus ramer.

— Garde-t'en bien. Car alors, on te couperait aussi les oreilles et le nez. »

Au retour, sur les quais de La Valette, Antoine croise un camarade un peu plus âgé, le chevalier Picot de Dampierre, qui s'en va rejoindre l'armée de Bonaparte en Italie.

« Le grand maître le sait ?

— Le grand maître m'a donné un congé en bonne et due forme. »

Suivant l'humeur du jour, on peut appeler cela opportunisme, ou raison d'État.

« Il n'arrivera jamais rien à Malte, explique Picot. Je m'en vais chercher la gloire où elle se gagne. »

En voilà un, au moins, qui ne croit guère au retour des Bourbons à Paris. Antoine lui décoche des regards jaloux. Lui aussi, il aimerait sortir de ce cul-de-sac qu'est l'Ordre de Saint-

Jean, et aller ramasser quelques lauriers. Mais comment s'enrôler dans une troupe républicaine ? Quant au régiment de Fargues, parti sans lui au service de Condé, point de regrets à avoir : les soldats ont déserté, les nobles se sont retrouvés seuls.

A défaut de se battre, il faudrait au moins rentrer au pays natal, afin d'y empêcher d'étranges choses. Antoine étant réputé émigré, sa part du patrimoine familial doit être vendue au profit de la nation. Peu importe que ses parents soient toujours vivants ; les autorités locales les forcent à céder les terres de Sigoniac et de Laborie, pour une bouchée de pain. A ce compte, la nation ne s'enrichira même pas.

Antoine détient un certificat d'un notaire indigène, prouvant sa résidence continue dans l'île depuis les débuts de la Révolution. Il va le faire contresigner par le consul français. Le citoyen Caruson s'empresse, lui donne du « monsieur de Saint-Exupéry » gros comme le bras.

« Tu vois, dit Antoine à son ami Charles, c'est très simple. Il suffisait de demander.

— Regarde bien, répond Charles. Caruson n'a nullement certifié ta résidence à Malte. Il s'est borné à attester que ton notaire est bien notaire. Avec cela, tu n'iras pas loin en France. »

Antoine rentre la tête dans les épaules.

« Pour te consoler, ajoute Charles, viens avec nous au Goze. »

L'île-sœur de Malte, rustique, un peu demeurée. Charles y emmène une petite amie qu'il s'est trouvée pour la circonstance, et Lucija se joint à l'expédition. Serré dans l'une de ces barcasses qui font la navette, le quatuor vogue au-devant de blanches falaises.

Longtemps dévasté par les Barbaresques, Gozo se repeuple à vue d'œil. En carriole à âne, les quatre touristes rendent visite à la Tour des Géants — d'énormes blocs mal équarris, empanachés de fleurs jaunes. Qui a osé entasser cela ? Qui en a eu la force ? Les Sarrasins d'Afrique, affirment les deux filles. Elles n'en démordront pas.

Puis il faut admirer le roc de la Médecine — un piton dans la mer, à petite distance du rivage. C'est là que croît le champignon magique de Malte, *fungus melitensis*. Une espèce d'algue en vérité, blanche de naissance, qui rosit en séchant et, une fois réduite en poudre, guérit toutes les maladies.

« Oh, j'en voudrais un peu », supplie Lucija.

Mais la saison de la récolte est passée. On exploite ce trésor l'hiver par funiculaire et, comme c'est un monopole commercial du grand maître, des sbires montent la garde aux alentours. A présent, il n'y a plus personne, et la nacelle pend au bout de son câble.

« Peu importe, dit Charles de Bonvouloir, nous ne sommes pas malades, Dieu merci. »

A Rabat, la petite capitale, on les laisse grimper les escaliers du château, gouverné par un chevalier. C'est du chemin de ronde qu'apparaît toute la différence entre les deux îles. Malte était avaricieuse, pauvre en herbe, plate dans sa partie utile, sans autre relief et sans autre beauté que ses églises. Bien que fait de la même pierre, Gozo est verdoyant et monstrueux, avec des vallons qui partent du château comme les rayons d'une roue, et dont chacun débouche sur le miracle d'une petite plage.

Les deux garçons se baignent en caleçon. Antoine épate le public par une brasse coulée de son invention. Quant à Charles, bien que descendant des Vikings, il refuse de nager autrement qu'en gardant un pied au fond.

Galettes paysannes grignotées sur le sable, en buvant du vin lourd. Nuit chez l'habitant, car il n'y a point d'hôtellerie, au Goze. Et l'on rentre par la barque de l'aube, en se frottant les yeux.

Quelques jours plus tard, Lucija confesse un gros secret. Durant la caravane d'Antoine, un chevalier français l'a importunée. Et il continue. Tous les jours.

« Comment est-il ?

— Plutôt beau, maigre, parlant fort dans les rues...

— Eh, c'est Alphéran ! »

Un confrère de la Langue de Provence, mais qu'on voit peu à l'Auberge, car il loge chez son ami Belgrand, l'aumônier de l'hôpital. On les rencontre plutôt en ville, Belgrand et lui, bras dessus bras dessous et le verbe haut. Une de leurs spécialités consiste à crier « A bas les carmagnols » vers les minuit, devant la maison du consul de France. Supposés tous acquis aux idées nouvelles, les chapelains français sont aussi l'une de leurs cibles.

Ils en ont rossé un. Ce qui ne les empêche pas, au contraire, de leur emprunter de l'argent.

« *Il cavaliere* Alphéran ? Voyez à l'étage », dit la concierge avec un mépris non dissimulé.

Antoine le trouve en train de friser les ailes de pigeon de sa coiffure. Bien mis, un peu trop pour cette Malte qui ne sait plus ce que c'est que l'élégance.

« Ravi de vous voir, mon jeune confrère. Que puis-je pour vous ?

— Cesser d'importuner une Maltaise de mes amies.

— Vraiment, Mlle Lucie est votre amie ? Parole d'honneur, je l'ignorais, et j'en suis fâché. Asseyez-vous donc. »

Un œil noir grésille sous une forte arcade sourcilière.

« Vous avez bon goût, Saint-Ex. Un doigt de rhum ? »

Antoine refuse :

« Monsieur, vous ne m'avez pas répondu.

— C'est que je réfléchissais tout en parlant. Une jolie fille peut faire le bonheur de plusieurs soupirants. Et je me pique de lui être agréable. Partageons. »

Une chance encore qu'il ne soit pas allé graisser la patte de la mère Buhagiar. A tous les coups, elle lui aurait vendu sa fille.

« Monsieur, coupe Antoine, votre offre est déshonorante. Vous recevrez mes témoins dans l'heure. »

Et il dévale l'escalier. Un seul témoin suffira d'ailleurs : le fidèle Charles. On le cherche partout. On le trouve au mail, disputant une partie.

« Antoine, quelle folie ! Alphéran est prêtre. Il n'a pas le droit de se battre.

— Prêtre ! Mais alors, pourquoi porte-t-il l'épée ? »

Encore un ecclésiastique singeant les gentilshommes ; c'est une des maladies de Malte. Et personne ne dit rien.

« S'il est vraiment prêtre, réplique Antoine, à lui de se désister, et non à moi. »

Mais le sommeil tarde à venir. Lucija sera-t-elle flattée d'apprendre que l'on s'étripe pour ses beaux yeux ? N'a-t-elle pas fait la coquette, donné des espoirs inconsidérés ? Sait-elle au moins à quel genre d'homme elle a affaire ? Quelle dérision, que de devoir disputer une fille à un curé !

Dans un petit matin blême, on se retrouve rue Étroite :

l'endroit réservé à ce sport. L'ami Charles étouffe un bâillement. L'adversaire, pour sa part, s'est fait accompagner par Belgrand. Un deuxième prêtre ! Il en rajoute.

« Monsieur, dit un Alphéran tout en noir, mais sûr de lui, je n'avais aucune raison de me battre. Votre stupidité en est la seule cause. Je suggère donc que nous consultions le sort.

— Que signifie ce rébus ? demande Antoine, qui craint de paraître ridicule.

— Voici un écu, dit Alphéran à l'ami Charles. Lancez-le donc en l'air. Pile, nous nous embrochons gaiement, monsieur de Saint-Exupéry. Face, je présente mes excuses les plus plates. Allez ! »

Charles jette l'écu, le ramasse vivement : « Face. »

C'est le lendemain, seulement, qu'Antoine le soupçonnera d'avoir aidé le sort.

« Monsieur, conclut Alphéran, je serai beau joueur. Agréez tous mes regrets de vous avoir offensé. Je jure de ne plus pécher avec Mlle Lucie, même en pensée.

— Une de perdue, dix de retrouvées », s'esclaffe Belgrand.

La saison se termine par une brassée d'engagements solennels. Recroquevillé sur sa cathèdre, Emmanuel de Rohan promène un sourire heureux sur l'assistance. C'est lui qui a demandé ce serment aux novices parvenus en fin de caravanes. Il a exigé d'eux ce gage de fidélité et d'amour envers leur Ordre menacé de faillite. Charles de Bonvouloir a accepté. Antoine de Saint-Exupéry a accepté. Presque tous ont accepté.

L'orgue déferle sur la nef de Saint-Jean : bombarde, cromornes et volutes cuivrées ; c'est l'archange Nicolo Isoard qui déchaîne les anges de la guerre.

Puis des voix d'innocence se croisent et se décroisent sous les voûtes, en leur impitoyable pureté. *Quomodo sedet sola civitas,* dans quel isolement se trouve notre cité...

Antoine tient son grand cierge. La tradition commande d'y enfoncer un louis d'or en offrande. Mais aujourd'hui, connaissant la disette des Français, le prieur de l'église se contente d'une pièce d'argent.

Dans un brouillard d'encens, Antoine ploie le genou devant un tas d'étoffe noire appelé Rohan. Une main le ceint d'une épée, une autre lui attache ses éperons. Il baise la croix cousue sur son cœur, et dont les pointes figurent les huit béatitudes. Heureux les chevaliers de Saint-Jean, car ils seront le glaive de Dieu.

« Nous vous reconnaissons, lui dit-on, pour serviteur de messieurs les pauvres malades. »

Ses camarades et lui sont ensuite reconduits en ville, jusqu'à leurs Auberges respectives. Assis à même le dallage, ils y reçoivent le pain, le sel et un verre d'eau — en souvenir du temps où les novices logeaient à part, et ne venaient à la maison commune qu'après avoir prononcé leurs vœux.

Ces vœux auxquels la Révolution française a par avance dénié toute valeur.

Les voilà chevaliers pour l'éternité.

Une attaque a foudroyé Catherine II sur sa chaise percée, qui n'est autre que l'ancien trône de Pologne. On l'a portée sur son lit, où elle a longuement agonisé — tandis que son impérial fils faisait les cent pas dans la pièce attenante. Les courtisans murmurent qu'il en a profité pour détruire le testament l'écartant de la succession.

Nous, Paul Ier, autocrate de toutes les Russies, de Moscovie et Kiovie, tsar de la Chersonèse taurique, grand-duc d'Olhynie et de Podolie, dominateur de tout le côté du nord, successeur de Norvège, duc de Schleswig-Holstein...

Dès son avènement, ceux qu'on surnomme les Gatchinois se sont installés aux barrières : ces militaires avec une longue queue prussienne dans le dos, qu'il se plaisait tant à faire manœuvrer comme des soldats de plomb dans sa propriété de campagne. Un va-et-vient de tapissiers et de déménageurs ravage les appartements de la défunte. Passant dans un corridor, Giulio Litta remarque une petite bête errante : Clorinde ! Englobée dans la disgrâce qui touche tous les familiers de Catherine. D'un aboi joyeux, elle a reconnu son convoyeur de l'année précédente. Il la prend sous le bras et la ramène à la maison. Entre Maltais, ma douce, il faut s'entraider.

Ceux que son auguste mère avait abaissés, Paul les relève. Elle retenait captif Kosciuszko, le chef des insurgés de Pologne. Paul va le délivrer en grande pompe. Elle avait assigné à résidence l'ex-roi Stanislas Poniatowski. Paul le fait venir à sa Cour.

Elle avait exilé sur ses terres le gros prince Alexandre Kourakine, ami d'enfance du tsarévitch, et jugé trop influent sur lui. Le voilà qui arrive à tire-d'aile. D'emblée, Giulio sympathise avec cet homme charnu et souriant, dont l'université de Leyde s'est chargée d'orner l'esprit.

« Nous nous sommes rencontrés à Milan en 1782 », se souviennent-ils ensemble. Décidément, ce grand voyage européen de Paul est la source de tout.

Giulio et Kourakine ont échangé des signes de reconnaissance maçonniques. Une solide complicité vient de naître. Paul Ier, affirme le prince, a été initié lui aussi dans sa jeunesse. Il s'est même fait portraiturer avec des emblèmes maçonniques. Mais, depuis la Révolution française, il n'ose plus en parler. Eh bien, l'Ordre de Saint-Jean lui offrira une autre fraternité.

Kourakine prend en main les Affaires étrangères. Cela ne signifie pas la disgrâce de Bezborodko, le maître diplomate de Catherine, loin de là : car il avait eu l'heureuse idée de se brouiller avec l'amant de la tsarine, quelques mois avant sa fin. Il devient même chancelier en titre. Mais ce n'est plus lui qui tient les fils.

« Le prince Kourakine, décide le nouveau souverain, est chargé de régler le dossier de Malte avec le bailli Litta. Je leur donne un mois. Ils me rendront compte deux fois par semaine. »

En attendant, il ensevelit sa mère, et magnifiquement. Nul ne pourra le traiter de mauvais fils. Mais elle ne s'attendait sûrement pas, la Catherine, à faire son dernier voyage en compagnie de feu son époux, assassiné à son instigation il y a si longtemps. Ce malheureux, qui n'avait guère eu d'obsèques, Paul l'a déterré, l'a remis en bière. Et les deux cercueils défilent par grand froid sur la Perspective, suivis d'un empereur sans manteau ni pelisse, sous les regards d'une foule stupéfaite. Litta manque d'attraper une bronchite.

Par symétrie, l'odieux Potemkine, le favori qui s'était approprié le pouvoir, est délogé de la somptueuse demeure de marbre où il croyait reposer pour toujours, sur le rivage de Crimée. Mais rien n'arrive à son indolente nièce ; Litta la protège.

Kourakine et lui tombent rapidement d'accord. L'Ordre

possédait une créance perpétuelle sur six cents villages de Pologne. L'Empire russe a absorbé les villages. Il honorera donc la créance, y compris l'arriéré. En contrepartie, l'Ordre priera Paul de bien vouloir être son protecteur — titre que Catherine II avait dédaigné.

« Qu'en pense le roi de Naples ? » s'inquiète Kourakine.

Ce souverain se considère lui aussi comme le protecteur des chevaliers, puisqu'ils lui doivent chaque année, à la Toussaint, l'hommage d'un faucon.

« Le roi mon maître sera charmé », répond son ambassadeur, le duc de Serra-Capriola. Curieux personnage que ce duc de la montagne-aux-chèvres, russifié, époux d'une amie de Skavronskaïa.

Conformément à l'accord passé avec la défunte Pologne, la rente servie par l'État sera partagée entre l'Ordre lui-même, un grand prieur et divers commandeurs. Mais les commandeurs polonais ont disparu, ou se sont disqualifiés. Paul Ier en nommera d'autres, choisis parmi ses sujets catholiques. Pas question, non plus, de conserver ce pauvre Poninski. Ce n'est plus un grand prieuré polonais, avez-vous compris ? Mais un grand prieuré russe, russe, russe...

Consulté pour la forme, le chancelier Bezborodko se permet une remarque :

« Je crains que cette affaire ne coûte assez cher à Votre Majesté. »

Paul éclate de rire :

« Depuis quand, mon cher comte, êtes-vous ministre des Finances ? »

Et de brosser une vaste fresque : à la prochaine guerre contre la Turquie, l'Ordre accueillera la flotte russe, la ravitaillera, la renforcera de sa propre escadre. Ensemble, nous conquerrons Constantinople !

Il a arrêté lui-même l'uniforme du futur grand prieuré russe catholique. Habit écarlate à doublure blanche et parements noirs. Culotte blanche, épée supportée par un nœud doré...

« Non, argenté », corrige le monarque, après réflexion.

Lettre après lettre, Giulio Litta rend compte au grand maître. Il commence par allécher le lecteur en lui décrivant les bons procédés de Paul Ier et de Kourakine. Les gens de La Valette doivent comprendre que ce nouveau règne est une occasion unique. Dans sa munificence, le tsar va verser trois cent mille florins par an à l'Ordre et à ses commandeurs, alors que la défunte Pologne, en ses meilleures années, n'en versait que cent vingt mille.

Puis Litta expose négligemment que, sa famille ayant perdu sa fortune, l'Ordre doit lui trouver d'urgence un successeur à Pétersbourg. Le petit abbé qui prend la lettre en sténographie ne peut retenir un mouvement de surprise.

« Ne comprenez-vous pas ? lui dit Giulio. Cette fois, ils seront bien obligés de la financer, cette satanée ambassade. »

Il voit d'ici la scène : l'air gêné du grand maître, le courroux de Ransijat. Pour porter leur embarras à son comble, il réclame des brillants dont il puisse faire cadeau à ses principaux interlocuteurs ; dans la diplomatie, c'est l'usage.

« Écrivez que j'aspire à une heureuse retraite », insiste-t-il en riant. La retraite, à trente-trois ans, alors que tout lui sourit, et qu'il est en train de réussir un fameux coup !

Cela dit, une question délicate reste à résoudre. Paul entend que son nouveau grand prieuré catholique russe forme une Langue de l'Ordre à lui tout seul. Or une Langue doit normalement comprendre une cinquantaine de commanderies ; celle-ci n'en aurait que treize (dix pour les chevaliers, trois pour les chapelains). Alors, ne pourrait-on bricoler une Langue du Nord, qui engloberait aussi le grand prieuré prussien, jusque-là plutôt fantomatique ? En avançant cette idée, Litta ne nourrit guère d'illusion. C'est toute une affaire, que d'ajouter une branche au vénérable arbre de Malte. La création de l'anglo-bavaroise a déjà fait couler suffisamment de bile, voici quinze ans.

L'intrigant Maisonneuve tourne autour de cette négociation, comme autour d'un fromage, sans pouvoir y entrer. Ce n'est pas sur lui que repose la confiance impériale.

Entre deux entretiens au Collège des affaires étrangères, Giulio rend visite à sa belle amie. Il viole la Russie, lui le beau mâle du sud. Il écarte les jambes de la Russie. Il meurtrit de ses baisers la peau laiteuse de la Russie. Il couche avec Catherine II, Potemkine, les oukases, les métropolites et tout le tremblement.

« Je me rends à vos raisons, dit enfin l'empereur. Il n'y aura pas de Langue du Nord. L'ancien grand prieuré polonais faisait partie de la Langue anglo-bavaroise ? Il en ira de même pour le nouveau grand prieuré russe. »

Mais pour prix de cette concession, Sa Majesté exige que les commandeurs de la première fournée puissent être des hommes mariés. De surcroît, les jeunes chevaliers n'auront pas besoin de se rendre à Malte pour leurs caravanes ; les services rendus dans l'armée du tsar en tiendront lieu. Tout cela, on l'avait déjà concédé aux Polonais. Comment le refuser à la grande, à la généreuse Russie ?

Litta obtient que les revenus des commanderies pour l'année 1797 et le premier trimestre de 1798 soient versés, non pas aux commandeurs, mais à l'Ordre lui-même, en dédommagement du passé. A quoi s'ajouteront les droits d'entrée des nouveaux membres. Total : six cent mille florins, soit cent cinquante mille écus de Malte, qui vont tomber d'un seul coup dans les caisses vides de La Valette. Bien sûr, cela ne remplace pas les quelque cinq cent mille écus qui arrivaient de France chaque année. Mais voilà déjà un bel appoint.

Ce serait mieux encore s'il était exprimé en une devise plus solide que le florin de Pologne.

« En effet, dit le tsar. Pour vous, un florin vaudra désormais vingt-cinq kopecks. »

A la Bourse, il n'en vaut que quinze. L'Ordre vient de réaliser une plus-value de quarante pour cent.

Le 15 janvier 1797 (4 janvier, vieux style russe), aucun désaccord ne subsiste plus. Le chancelier Bezborodko prend la plume et signe le traité. Kourakine signe. Litta signe. Paul Ier voudrait bien signer aussi. On lui explique que son rôle consistera à ratifier le document au retour, après les hautes instances de l'Ordre.

Le surlendemain est le jour de l'Épiphanie russe, et de la bénédiction des eaux. On se rend sur la Néva gelée. Le vent griffe les visages. Des prêtres creusent un trou. Le métropolite de Pétersbourg y plonge un crucifix, remplit un vase qu'il offre à l'empereur, et asperge les assistants. Litta reçoit une éclaboussure : signe d'approbation divine, sans doute.

Il va falloir envoyer à Malte un ambassadeur du tsar. Les statuts de l'Ordre veulent que ce soit un chevalier. Et Paul exige que ce soit un homme à lui. Comment concilier les deux ? Litta déniche un certain O'Hara — simple chevalier honoraire, mais cela suffira. C'est un de ces Irlandais que les malheurs de leur patrie ont dispersés à travers l'Europe. Bien que de mère française, celui-là est entré au service de la Russie. Il est venu naguère à Malte afin de régler les litiges causés par les corsaires russes (en fait grecs). Pour le remercier de sa compréhension, Rohan lui a baillé la croix. Rubicond, enthousiaste, M. l'ambassadeur O'Hara esquisse un entrechat dans l'antichambre. Il boit comme un Irlandais et baise la main des dames comme un Français. Mais il danse comme un Russe !

Cependant, la Cour prépare dans la fièvre son voyage à Moscou. Car la vieille capitale, si négligée, conserve le privilège de sacrer les empereurs. Chacun se fait faire un habit de circonstance. Giulio a opté pour l'uniforme du nouveau grand prieuré russo-catholique, bien qu'il n'ait pas encore d'existence légale.

Le jour venu, une longue file de traîneaux s'élance sur la neige. Giulio couvre une étape en compagnie de l'ex-roi Stanislas Poniatowski, que l'on comble d'égards, à défaut de lui rendre sa couronne :

« J'aime mieux voir les Polonais heureux sous Paul Ier que de les voir malheureux sous mon propre règne », commente-t-il avec bravoure.

On le nommera bailli d'honneur de Malte, il l'a mérité. Catiche vogue dans un autre traîneau, pour sauver les apparences. Avec elle, Giulio découvre bientôt un immense aggloméra de cabanes — plus étendu que Paris, paraît-il. Dans la cour d'une sorte de caravansérail, des marchands d'Asie font bouillir leurs samovars. Quel itinéraire ! Malte, Milan, Pétersbourg, enfin cette espèce de ville tartare. Il le fallait, pour le salut de l'Ordre.

Nouveau nonce du pape en Russie, et archevêque de Thèbes *in partibus infidelium,* Mgr Lorenzo Litta est venu de Varsovie en droiture. Des honneurs lui ont été rendus tout le long de la route.

« Nous ferons de grandes choses ensemble », lui promet Giulio en l'embrassant.

Un interminable office se chante dans la cathédrale de la

Dormition, au Kremlin. Suivant le rite orthodoxe, on y assiste debout. Stanislas vacille sur ses vieilles jambes, se retient à Litta. Le nouveau maître des plaines russes se tourne vers la foule et la bénit. Il a l'air d'un gnome qui aurait trouvé un trésor et s'en serait paré.

⁂

D'un pas prudent, le jeune Censu Barbara pénétra dans l'antichambre de M. le trésorier. La domestique s'interposa ; il se défit à regret de son grand chapeau, et de son vaste manteau.

Ransijat vint à lui, les mains tendues. Comme un insigne de sa fonction, la queue de sa chevelure était enfermée dans une bourse de cuir. Il parlait un italien rugueux :

« Mon cher, vous ne devriez pas vous habiller ainsi. On vous prendrait pour un conspirateur.

— Mais c'est ce que je suis ! » répondit Barbara en s'asseyant.

De surcroît, il avait un nez triomphal, un profil découpé à la serpe. Sans trop de précaution, il exposa l'objet de sa visite. Les Maltais étaient las d'obéir. Ils ne comprenaient plus d'être soumis à une poignée de chevaliers oisifs. Ils demandaient leur part de pouvoir.

« Vous avez raison, dit le maître de maison. Mais qu'y puis-je ? Mon rôle se borne à la gestion des finances.

— Monsieur, votre cœur est bon, et vous voyez le grand maître tous les jours. »

Intéressé, mais perplexe, l'Auvergnat posa quelques questions. Vous vous appelez réellement Censu ? Oui, simple abréviation de Vicenzo. Et votre père était un membre de notre Ordre ? Oui, un commandeur, honte à lui, rentré un beau jour dans son pays après avoir laissé une bourse sur la cheminée.

« J'ai pour mère une fille séduite, insista Barbara. Elle a peiné toute sa vie pour réparer.

— Je comprends votre rancœur, dit Ransijat. Tout le monde n'a pas la chance des Fontani. »

Allusion à un autre Vincent, bâtard du grand maître, et sur lequel pleuvaient les bénédictions. Barbara décroisa les jambes.

« Monsieur le trésorier, votre république chevalière a huit branches. Elle s'est offert la fantaisie d'une Langue anglo-bavaro-polonaise. Ne pourrait-elle créer une Langue maltaise ?

— Il n'y a pas assez de nobles maltais pour cela, objecta Ransijat.

— Eh bien, prenez des hommes sans naissance, pourvu qu'ils aient quelque mérite.

— Et puisqu'ils sont maltais, autorisons-les à se marier.

— Je n'osais le proposer », dit Barbara.

Le commandeur de Ransijat resta quelque temps à jouer avec ces idées. Visiblement, elles tombaient sur un sol préparé.

« Votre projet me plaît, conclut-il. J'en parlerai au grand maître. Comptez sur moi. »

Censu Barbara remit son grand chapeau, son vaste manteau. De manière inattendue, Ransijat lui donna l'accolade.

« Que l'Ordre crée une Langue maltaise, répéta le visiteur en sortant, et il s'attachera durablement le cœur des Maltais. »

Deux chevaliers faisaient sonner leurs éperons sur le trottoir de la rue Royale. Sans marchander, Barbara leur céda le pas. Passé l'hôtel Verdelin, il enfila une ruelle, toqua à l'huis selon le code.

« Ah c'est toi, dit l'occupant du logis. Je commence d'avoir peur, maintenant. »

Mikiel-Anton Vassalli était le maître à penser de Barbara. Un prêtre inachevé, devenu un savant. Ses traits montraient un début de bouffissure, et une pâleur due à l'étude. Il avait l'idée bizarre de faire du maltais une vraie langue, dont on se servirait pour écrire des livres, voire des gazettes. Afin de la purifier de toute origine arabe — parenté assez désobligeante pour des chrétiens, même francs-maçons —, il s'efforçait de prouver qu'elle provenait du carthaginois. Hamilcar, Hannibal, Salammbô, levez-vous, prestigieux ancêtres !

Ayant ouï le compte rendu de son disciple, Mikiel-Anton Vassalli se gratta le menton :

« Je crois à la sincérité de ce Ransijat. Il œuvrera pour nous. Mais un allié ne saurait suffire. Tu devrais voir aussi le prince Camille. »

Un autre nom du réseau franc-maçon. Et aussi un grand seigneur, qui avait tenu avec faste l'ambassade de Malte à Rome, à l'aide de fonds d'emprunt. Une tendre amie chanoinesse l'aidait à faire les honneurs, au point que de naïves

Anglaises la prenaient pour Mme la princesse Camille. Démuni, ne trouvant plus de crédit sur aucune place, ce haut personnage venait de rentrer à Malte.

Camille reçut Barbara dans le boudoir de sa maîtresse, et lui offrit de la pâte de fruits.

« Nous n'arriverons à rien par ces mondanités, dit Barbara au retour. Armons-nous.

— Quelle folie ! dit l'aîné. Souviens-toi de notre devancier Mannarino. »

Promoteur d'un soulèvement populaire, l'abbé Mannarino moisissait depuis vingt et un ans dans les geôles des chevaliers. Mais ce n'était qu'un vieil enfant de chœur. Barbara et ses amis sauraient mieux s'y prendre.

Le grand maître allait mourir. Une élection allait se tenir. Il fallait pouvoir imposer un candidat.

Censu Barbara battit le rappel de ses sympathisants. L'un d'eux avait la garde d'une armurerie de l'Ordre, à Qormi, en banlieue. Il accepta d'ouvrir une porte, au milieu de la nuit. Pas la moindre sentinelle ; la confiance régnait. Barbara et deux aides chargèrent une charrette à bras : suffisamment de poudre pour tirer des milliers de coups de fusil. Le butin fut entreposé chez l'admirateur d'Hannibal.

Le lendemain, l'armurier fut dénoncé, torturé. La police se présenta au domicile de Vassalli, et cueillit les pigeons. Censu Barbara se retrouva au fort Ricasoli. Il ignorait le sort de ses compagnons. Quelques jours plus tard, profitant d'une négligence à l'heure de la promenade, il s'enfuit par la grande porte, gagna un bateau grec à la nage et persuada les matelots de le cacher. Pauvre Ordre de Malte, incapable de retenir ses ennemis.

Bientôt, Barbara débarquait à Salerne, dans le voisinage de Naples. Là, un autre fugitif lui apprit que le grand maître avait confié l'enquête judiciaire à une commission présidée par le prince Camille ! De temps à autre, cette chienne de vie vous donnait une bonne occasion de rire.

Mais Barbara leur réservait un autre tour de sa façon, à ces messieurs de Malte. Il fit route vers Milan. Citoyen Bonaparte, vous plairait-il d'en savoir davantage sur une proie facile, et néanmoins digne de vous par ses richesses et son prestige ? Cette proie s'appelle Malte. Citoyen Bonaparte, vous n'avez qu'à tendre la main.

***

« Allez, Raczynski, faites vos paquets. Le grand maître vous dépêche à Saint-Pétersbourg. »

Ironie du sort : pour honorer le tsar, on a choisi l'admirateur des insurgés polonais. En effet, Litta désire étoffer son ambassade avec un sujet russe. Et sujet russe, Vincent Raczynski l'est depuis le dernier partage, que cela lui plaise ou non.

Le bossu Loras, qui se croit toujours à la tête de la diplomatie de l'Ordre, vient lui faire ses recommandations avant le départ :

« Vous verrez, mon cher, Litta est un garçon remarquable. Mais ne négligez pas Maisonneuve, qui a plus d'expérience. »

Raczynski dit adieu à son violon. Tout son bagage doit pouvoir tenir sur la croupe d'un cheval.

La bora souffle sur l'Adriatique. A Trieste, descente à l'*Osteria Grande,* sur la place : édredon germanique et cuisine italienne. Les bourgeois de Trieste n'ont qu'une peur : d'être occupés par l'armée de Bonaparte, dont le canon tonne au loin.

Brünn en Moravie : hôtel des Trois Princes. Cracovie : hôtel de la Providence. Mauvais lit mais bonne table. C'est le dernier réconfort avant la grande aventure des routes polonaises. Le voyageur s'offre un détour pour présenter ses devoirs à la Vierge noire de Czestochowa. Dans la paix du sanctuaire, des prières montent à ses lèvres, pour la Pologne, pour Malte, pour des personnes qu'il a aimées et qui n'en ont jamais rien su.

Villages de Galicie. Auberges de nulle part que les seigneurs ont affermées à leurs vassaux juifs, et où l'on ne trouve que pain noir et soupe claire. La bonne société voyage avec ses provisions, sa vaisselle, sa literie. Celui qui a omis ces précautions est abandonné aux punaises. Et la nuit, le malheureux qui se gratte entre deux rêves entend hurler les loups à la lisière des bois.

Quand il le peut, il demande l'hospitalité aux châteaux du voisinage, dont son nom lui ouvre les portes. Là au moins, il trouve de la viande, et des gens vêtus à l'avant-dernière mode de Paris.

« Un grand prieuré russe, vraiment ? » s'étonnent ces châtelains polonais.

A Thérespol, en traversant la rivière, on quitte une Autriche encore bonne enfant, et on trouve les cosaques. Tempête de neige, deux jours de rang. Le voyageur emprunte un violon au fils de ses hôtes, et remplit la maison de miaulements étranges.

« Le jeune seigneur est fou », chuchotent en yiddish l'aubergiste et sa famille.

Au passage du Niémen, le cheval se casse une jambe. Bon pour la boucherie. On en trouve un autre, à grand-peine. Wincenty Raczyn Raczynski court embrasser sa mère dans leur propriété de Courlande.

« Tu étais parti si gai, gronde-t-elle. Et tu nous reviens si triste. »

Pétersbourg. Le jeune Polonais loge à la légation de Malte, à côté de Maisonneuve qui lui fait d'emblée une offre d'alliance contre Litta. Celui-ci rayonne comme un soleil, et il est difficile de ne pas se laisser gagner par son enthousiasme.

Le règne actuel a débuté dans une certaine popularité. Il suffit, pour s'en convaincre, de flâner dans les « boutiques russes », ce curieux magasin collectif à arcades où les autorités interdisent tout chauffage, de crainte des incendies. Ensevelis dans leurs pelisses, les gens se réchauffent de leurs haleines respectives. Malgré ses singularités, Paul Ier bénéficie encore, à leurs yeux, de l'état de grâce. Catherine était grande, personne n'en disconvient. Mais Paul est nouveau.

On présente Raczynski à la comtesse Skavronskaïa. Forte impression. Hélas, la place est prise. Et un Polonais ne saurait soupirer après la nièce de Potemkine, l'un des fossoyeurs de sa patrie.

« Je la hais, je la hais », répète-t-il pour mieux s'en convaincre.

A peine installé, cependant, il faut songer à repartir. Car quelqu'un doit porter à Malte le traité instituant le nouveau grand prieuré. Normalement, ce serait le rôle de l'ambassadeur du tsar — O'Hara, l'homme à la trogne rouge semée de taches de rousseur. Mais ce vieux brigand aime ses aises, il n'en finit pas de régler ses affaires personnelles.

« Tope-là, j'y vais », dit Raczynski.

Il se hâte de passer avant le dégel — avant la grande bouillasse qui va submerger le pays. Comme une ombre, il glisse sur la neige. Il aime la neige, qui lui raconte des histoires folles et tendres. A Malte, elle lui a cruellement manqué. C'est la beauté des pays du nord. Filant le long des bouleaux hérissés de givre, il improvise de petits airs qu'il reprendra sur son instrument, à La Valette.

Trieste, point de passage obligé. Ensuite, mieux vaut prendre la route de mer, pour éviter les troupes françaises. L'Ordre a beau être en paix avec elles, Raczynski ne tient nullement à faire leur rencontre. Il prend place sur un navire marchand. Cap vers Ancône, qui appartient au pape.

Mais qu'est-ce à dire ? Le drapeau tricolore flotte sur Ancône. Le capitaine du bateau refuse de virer de bord. Il n'est qu'un honnête commerçant, lui, il n'a rien à se reprocher.

Des argousins en uniforme attendent sur le quai. Sans autre cérémonie, les matelots désignent Raczynski. Un capitaine français s'avance, la figure déformée par un bec-de-lièvre.

« Alors, monsieur arrive de Pétersbourg ? Veuillez me suivre. »

Ses acolytes sont des Italiens déguisés en Français. Le maroquin de Raczynski est vidé sur la table. Bec-de-lièvre rompt les sceaux de cire noire, déploie les feuilles de vélin à bordure noire qu'affectionne la diplomatie russe — comme si elle portait perpétuellement son propre deuil. Il n'aura même pas la peine de traduire ; tout est en français.

« Une alliance de l'Ordre de Malte avec la Russie ! s'exclame Bec-de-lièvre. Voilà qui intéressera le général Bonaparte.

— Nous n'avons rien à cacher, proteste Raczynski. Nous n'avons fait que récupérer nos biens. »

Mais on refuse de lui rendre le précieux document. Il crie au voleur. On le jette dehors, sans montre, sans épée et sans bourse.

Où aller dans cet état ? Se flanquer à la mer ? Il force l'entrée d'une sacristie et prie l'archiprêtre de lui accorder un secours. Mais le brave homme est terrorisé, et les malheurs de l'Ordre de Malte lui importent peu. Alors les juifs ? Ancône n'en manque pas, et Raczynski s'est toujours bien entendu avec leur nation. Peut-être s'en trouvera-t-il un qui lui prêtera, sur sa bonne mine, de quoi subsister ?

Merveille, on a parlé polonais au coin de la place. Ce sont des membres de cette légion que Bonaparte a fabriquée avec les débris de Kosciuszko. Le voyageur approche, se présente. Aussitôt, l'un des soldats le prend à partie, à cause d'un oncle Raczynski, évêque de Poznan, qui a collaboré avec la Prusse.

« Ce n'est pas la faute du neveu », répliquent les autres. Les événements de Pologne ont disloqué les familles les plus unies.

Sauvé. On cache Raczynski dans une caserne, on le nourrit sur la caisse du régiment. Ce qui n'empêche pas certaines disputes :

« L'armée française libère les peuples, affirment les nouveaux camarades.

— C'est une entreprise de brigandage », répond le chevalier.

Comme pour lui donner raison, le vieux pape dépose les armes et accepte de payer trente-six millions de livres au Directoire. Le général Bonaparte a inventé ce paradoxe : une armée qui rapporte !

Mais du coup, la route de Rome redevient libre. Chaleureusement, les Polonais se cotisent. Raczynski pourra pousser jusqu'à l'ambassade de Malte, où il sera pris en charge.

Sain et sauf, mais déshonoré.

***

Venise s'est rendu sans combat. Sa chevelure défaite a essuyé les bottes du jeune général. Mille ans d'histoire, effacés d'un revers de main.

Avec un soupir, la pâle Adriatique vient mourir sur le rivage. Bonaparte interroge l'horizon. Là-bas, il entrevoit l'Orient, encore inconnu, et qui a toujours été sa vraie patrie : la Turquie, l'Égypte, contrées fabuleuses, attendant un nouvel Alexandre.

Oui, mais voilà : pour conquérir l'Orient, quand on vient de France, il faut un relais, une base navale. Pourquoi pas Malte ?

Bonaparte détient des renseignements. Des démocrates maltais, chassés par les chevaliers, sont venus se plaindre à lui. Malte, après tout, n'est-ce pas une seconde Venise ? Une autre république maritime et nobiliaire, usée par les siècles, prête à choir dans une main hardie... La succession d'Emmanuel de Rohan est quasiment ouverte. L'Autriche pousse son candidat, un certain bailli de Hompesch. Ruinés, les chevaliers sont prêts à vendre leurs suffrages au plus offrant.

Du point de vue français, le mieux serait d'utiliser l'Espagne, toujours complaisante, et encore puissante dans l'Ordre. Si le dénommé Godoy est encore intéressé, qu'il le dise. Sinon, qu'il désigne un autre concurrent.

Bonaparte fait halte dans une bourgade de Vénétie. Villa, terrasses et pins parasols ; c'est la résidence d'été d'une des grandes familles de la Sérénissime. Sans prendre le temps de ranger ses bagages, il écrit au Directoire :

L'île de Malte est pour nous d'un intérêt majeur. Le grand maître est mourant ; il paraît que ce sera un Allemand qui sera son successeur. Il faudrait cinq ou sept cent mille francs pour faire grand maître un Espagnol.

Son Altesse le grand maître, racontait-on en ville, avait été très affecté par la conspiration de Vassalli, Barbara et consorts. Quels ingrats, ces Maltais ! Avant l'arrivée de l'Ordre, leur île n'était qu'un caillou, une terre de peur et de misère. A présent, elle était plus riche, plus propre, plus heureuse que l'Italie voisine — sans parler des régences barbaresques. En deux siècles, le règne des chevaliers avait multiplié la population par sept.

« Par sept, répétaient les privilégiés qui avaient entendu le vieillard grommeler dans son fauteuil.

— Et nos paysans ne paient même pas d'impôt, renchérit Charles de Bonvouloir. Ils feraient bien d'aller voir en France. »

Aux approches de l'été, le bruit se répandit que l'on sondait le grand maître pour le faire uriner. C'était le commencement de la fin. Depuis trop longtemps, on avait feint d'oublier cette échéance.

Le 5 juillet 1797, à huit heures du matin, Son Altesse reçut l'extrême-onction des mains du prieur Menville. Les autorités firent savoir que c'était simple prudence. L'application des saintes huiles ne pouvait faire de mal.

Le 8 juillet, dans l'après-midi, la cloche de Saint-Jean convoqua les chevaliers à une lecture de textes funèbres. Les visages étaient graves. Ransijat paraissait bouleversé. Il allait perdre ce maître bienveillant qui l'avait nommé, qui avait supporté toutes ses scènes.

Le lendemain, l'on apprit que les médecins désespéraient. Les exercices militaires furent arrêtés, ainsi que le jeu de mail. Les églises étaient pleines. Hommes, femmes, enfants, et même ceux qui ne portaient pas l'Ordre dans leur cœur : chacun voulut brûler un cierge, ou dire un bout de prière.

« J'ai soif », murmura le malade. Et toute la ville le sut. On lui donnait de sa chère eau de Balaruc, qui paraissait impuissante.

« J'ai trop vécu », dit le malade. Certains le pensaient aussi, mais ils ne firent point de commentaires. Sur le faîte du palais, les mores de bronze continuaient de frapper les heures. On prétendit que Rohan souhaitait les faire arrêter, mais que ses familiers s'y étaient opposés. Jamais, depuis qu'elles étaient sorties de chez le fondeur, ces sombres figures n'avaient cessé de marteler le temps. En arrêtant leurs bras, on aurait porté malheur à l'île.

Plus tard encore, le mourant eut une lourde parole, que les notables interdirent de répéter, mais qui se répandit quand même : « Je suis le dernier grand maître de l'Ordre. » Les gens hochèrent la tête. A voix basse, un prêtre observa qu'il était bien hardi de disposer de l'avenir, lequel n'appartenait qu'à Dieu.

Le soir du jeudi 13 juillet enfin, après trois jours et quatre nuits d'agonie, assisté de son aumônier, Emmanuel de Rohan rendit l'âme. Dans le vestibule de leur Auberge, les chevaliers provençaux attendaient debout, tête nue. Antoine se souvenait de la bonté du grand maître, et de leur prénom commun. La cloche des défunts se mit en branle. Elle allait sonner cent cinquante coups.

Les médecins ouvrirent le corps. Ils confirmèrent que le *de cujus* avait un tempérament flegmatique, bilieux et arthritique. Les intestins étaient gangrenés. La vessie, noire et infectée. Ce beau bulletin fut publié de par la ville.

Selon les calendriers français, cette journée était dédiée à un saint bizarre appelé Turiaf.

Le lendemain, les embaumeurs aromatisèrent le corps. Les viscères furent portés à l'église de la Victoire, près de la porte principale de la ville. Étendu sur son lit de parade, son armure à côté de lui, le feu grand maître reçut le dernier hommage des chevaliers, et de ses principaux vassaux civils. Les pages remuaient doucement des éventails noirs. Antoine se baissa, effleura des lèvres une main gantée de noir — et il lui sembla qu'un froid de mort refluait vers son cœur.

Le dimanche 16, à huit heures du matin, la procession funèbre s'ébranla, dans le sourd battement des tambours voilés de crêpe. Ainsi qu'il seyait au chef d'un ordre militaire, le catafalque avait été dressé sur un affût de canon. Quatre dignitaires tenaient les coins du drap. Le deuil était conduit par l'exécuteur testamentaire, bailli Vachon de Belmont, celui qui portait une vache d'or dans ses armes parlantes. Puis venaient les piliers des Langues, le général des galères, le secrétaire du Commun Trésor, les très utiles et les indispensables. Le bailli Ventriloque et le bailli Larme-à-l'œil, le bailli Silhouette et le bailli Muscade. Le commandeur des Quatre Vents, et le grand prieur des Causes perdues. Appuyés l'un sur l'autre, le bailli d'Acre et le bailli d'Arménie semblaient pleurer l'engloutissement de leurs anciens apanages.

Derrière, loin derrière, marchaient les barons maltais, dont beaucoup devaient au défunt leurs débuts dans la noblesse. L'on se montrait le jeune Vincent Fontani, fils naturel de Rohan, un garçon délicat aux joues roses, qui avançait tête baissée, l'air égaré.

Les dames de qualité ne marchaient pas, mais se tenaient dans la foule qui se signait au passage du cortège. Sous les grands voiles noirs, l'on pensait reconnaître la veuve Fontani, ancienne maîtresse de Rohan. Et la Sinjura Bettina, sa supposée rivale, presque une vieille dame à présent. Et bien d'autres encore, dressées sur les ergots de leur fierté familiale.

Et entre les jambes des marcheurs, une bestiole parée d'un petit manteau noir. Amadis ! Qui avait eu cette étrange idée ? Le page Roquefeuil voulut capturer l'animal, qui le mordit.

Longtemps nous nous souviendrons de vous, Emmanuel de Rohan, prince débonnaire et fabricant de lois bienfaisantes, français de nation, espagnol et italien d'éducation, maltais de cœur.

Le cercueil fut déposé dans la chapelle ardente, un édifice ajouré, en bois de noyer, que l'on avait placé à la croisée du transept de l'église Saint-Jean, et qui portait plusieurs étages de chandelles allumées : une petite cathédrale au cœur de la grande. D'un élan particulièrement séraphique, la maîtrise chanta le *Dies irae.* Pour qui ce jour de colère ? songeait Antoine. Non certes pour ce vieil homme aimable, qui s'était efforcé de faire le bien. Mais peut-être pour Malte.

Le chambrier-major de Son Altesse rompit la canne qui lui avait appartenu. Puis, se tournant vers l'assistance, il s'écria : « Notre maître est mort. »

Ses sceaux avaient déjà été brisés, dans sa chambre, le matin même de son trépas. Ses éperons furent brisés aussi. Et sa bourse déchirée, jetée sur le carrelage.

Emmanuel-Marie des Neiges de Rohan, descendant des rois de Bretagne, soixante-dixième grand maître de l'Ordre de Saint-Jean de Jérusalem, nous te saluons au seuil de ta dernière demeure. Nous honorons en toi la poussière de notre gloire.

D'énormes cierges s'affaissaient dans une chaleur écœurante.

« Quelle orgie ! grommelait Ransijat en sortant. Quelle dépense ! » C'était une manière de cacher ses larmes.

Sur le parvis, un soleil de plomb accueillit les chevaliers.

« Désormais, conclut Charles de Bonvouloir, personne ne nous protège plus. »

Les conciliabules ont débuté du vivant même du grand maître :

« Savez-vous que Des Pennes est candidat ?

— Avec sa mauvaise santé ? objecte M. de Ransijat.

— Vous plaisantez. Un dur à cuire.

— Les Bavarois ne voudront jamais de lui. Trop de cadavres entre eux. »

Un peu plus loin sur la place, teint rose et sourire frais, le bailli Merveilleux distribue du pain aux pigeons, comme si c'étaient des électeurs. Lui aussi, il envisage un destin de chef d'État.

Et le prince Camille ! Il faut le voir redresser la tête, arrondir le geste… Camille est cousin éloigné du mourant.

« Pourquoi un Rohan, dit-il, ne succéderait-il pas à un autre Rohan ? Il y a bien eu deux Wignacourt, et deux Cotoner. »

Ce parallèle ayant convaincu quelques prêteurs, il sème déjà de l'argent dans le corps électoral. Pauvres dupes, vous ne reverrez jamais vos écus, mais vous aurez eu l'honneur de financer Camille.

Jean de Ransijat s'éloigne en étouffant de rire. Du côté espagnol, Dieu merci, le principal danger est écarté. En son palais de Madrid, le sieur Godoy, plaisamment nommé prince de la Paix, a enfin compris la difficulté de devenir grand maître de Malte. Il épouse une princesse royale, c'est plus sûr.

« Notre candidat, expliquent ses compatriotes, est le bailli Cascaxares.

— Casca quoi ? »

On dirait le nom d'un perroquet d'Amérique. Cet oiseau-là ne volera pas bien loin.

Non, le péril, c'est Ferdinand de Hompesch, le grand Westphalien à la figure pâle, l'homme qui représente l'empereur à Malte depuis plus de vingt ans. Maintenant qu'il n'y a plus de roi de France, et que le roi d'Espagne s'est discrédité, vers quel soleil catholique peut-on encore se tourner ? Vers celui de Vienne, bien sûr. Habsbourg est dieu, et Hompesch est son prophète.

Les dignitaires s'assemblent pour ouïr le testament du défunt. Ils se jaugent mutuellement. Hompesch se tient là, froid, décoratif. On ne va quand même pas élire une statue !

Tant d'écus pour mon aumônier... Tant pour la vieille bonne... Tant pour l'homme qui donnait l'avoine à mes chevaux... Ainsi va la litanie des legs de Rohan. Les assistants se regardent avec peine. Pauvre grand maître, il n'avait plus sa tête. Sa succession ne contient que du passif.

Et les chevaliers français, que vont-ils devenir, sans cette fontaine généreuse qui les nourrissait ? On entend des bruits de marchandages. Les autres Langues veulent bien, à la rigueur, continuer d'entretenir ces malheureux. Mais ce ne sera plus gratis. Vos titres ronflants, messieurs, vos grands prieurés, vos bailliages percés, votre maréchalat, vous allez nous les abandonner, comme la Langue d'Angleterre a rendu les siens jadis, pour cause de protestantisme. Demain, l'on verra un grand hospitalier aragonais, un grand prieur de Champagne sicilien, un bailli de Manosque badois...

A cette seule pensée, les poings des victimes se serrent.

Ransijat leur ricane au nez. Mes beaux seigneurs, il va falloir quitter vos colifichets.

Une réunion française est décidée chez Des Pennes. Naturellement, on évite d'y convier M. le secrétaire du Trésor. Il l'apprend par la bande et s'y présente quand même.

L'appartement est plein de turqueries. A force de bourlinguer dans sa jeunesse, Des Pennes est devenu quelque peu mahométan, du moins par les manières. Mais ce n'est pas le libre penseur Ransijat qui le lui reprochera. Ransijat croit en la providence, croit en l'homme. Il prend le meilleur de chaque religion, et laisse Jésus-Christ, qui l'agace quelque peu.

« Mes chers confrères, dit Des Pennes d'une voix de circonstance, les temps ne nous sont pas favorables. Nous autres Français, nous ne saurions à la fois vivre aux dépens de l'Ordre et revendiquer sa direction. Les autres Langues ne l'accepteront jamais. »

Ce n'est que trop évident. Les assistants baissent la tête.

« J'ai vu Hompesch, continue l'orateur. Il témoigne des meilleures dispositions à notre égard. Il est prêt à nous conserver les subsides que nous allouait le défunt. »

Un vent de soulagement passe dans la pièce.

« Ferdinand ? Vous n'y pensez pas, s'écrie le trésorier. Il est d'une ridicule bigoterie. Et l'un des pires réacteurs[1] que je connaisse.

— Nous n'avons jamais élu de grand maître germanique, ajoute une voix sourde.

— Justement, dit Des Pennes, voilà l'occasion de réparer une injustice.

— Injustice, comme vous y allez ! proteste Ransijat, en frappant sur un plateau de cuivre. L'élection de Ferdinand serait considérée, à Paris, comme une mainmise autrichienne sur Malte. Nous perdrions nos dernières chances de recouvrer nos biens.

— Pour ce qu'elles valent, nos chances ! ironise le bailli Merveilleux. Les carmagnols n'ont pas voulu s'arranger avec nous. Qu'ils en supportent les conséquences. »

Un brouhaha couvre ses paroles. Menton levé, Ransijat attend le retour au calme :

1. Réactionnaires.

« Quand je dis mainmise autrichienne, je ne parle pas à la légère. Voyez comme l'Autriche a profité de la chute de Venise. Elle s'est adjugé la côte esclavone[1]. Nous sommes ses proches voisins, maintenant. Elle allonge ses tentacules.

— J'aimerais y voir clair, dit le bailli de Belmont. L'autre jour, vous nous expliquiez que Paris s'inquiétait de la mainmise russe.

— Que de mains, en effet, tendues pour nous saisir », énonce Ransijat. Un alexandrin. Corneille, Molière ? Ma foi, il pourrait bien l'avoir inventé tout seul.

Loras intervient en ondulant de la bosse :

« Si vous ne voulez pas de Hompesch, mon cher trésorier, trouvez-nous un candidat crédible.

— Je suis prêt, dit Ransijat, à voter pour le prince Camille. »

Les gens sourient, mais Camille n'y entend point malice ; il salue et remercie. Des Pennes a écouté tout cela, l'œil mi-clos, avant de faire valoir son dernier argument :

« Hompesch m'a promis qu'il laisserait en place les responsables de l'administration. Contrairement à la coutume, il n'y aura point de Saint-Barthélemy des directeurs. Vous-même, mon cher Ransijat, vous pourrez continuer de gérer le Trésor avec le talent que nous connaissons.

— Ah non, dit la voix chevrotante d'un grand prieur. S'il garde Ransijat, je vote contre lui. »

Les assistants rient. Le Merveilleux consulte sa montre, se dirige vers la sortie et lâche le mot de la fin :

« Moi, je vote Hompesch. Au moins, il ne fera pas le bel esprit, cela nous changera de son devancier. »

Voilà donc Ferdinand assuré des trois Langues françaises. Il aura aussi les suffrages de la Langue d'Allemagne, qu'il a longtemps dirigée, et qui lui doit bien cela. Quant à la Bavière, elle ne saurait lui échapper, car il a un frère ministre tout-puissant à Munich. Lorsqu'ils ont su Rohan proche de sa fin, les chevaliers bavarois ont dépêché à Malte leur meilleur propagandiste : Casimir Haeffelin, évêque de Chersonèse, administrateur du grand prieuré. Et aussi, ce qui ne gâte rien, sublime prince dans la maçonnerie, où il est connu sous le nom de Philon de

1. Dalmate.

Byblos. Ce Casimir se démène en faveur de Hompesch. Comme quoi la bigoterie peut faire bon ménage avec les sociétés secrètes.

Bref, cinq Langues acquises sur huit. A son habitude, Ransijat fait des comptes. Il trouve trois cent neuf Français à Malte, chapelains et servants inclus, sur un total de cinq cent vingt-huit membres de l'Ordre présents dans l'île. Donc largement plus de la moitié, malgré les défections provoquées par l'amélioration politique en France. Cette majorité française ne va quand même pas se laisser régenter par les Allemands, qui sont au nombre de onze. Ni par les Bavarois, qui sont royalement douze, Raczynski compris.

Oui, mais voilà : Malte a son arithmétique particulière. Si jamais les Français se mettaient d'accord sur un candidat de leur choix, il ne représenterait que trois Langues sur huit. Telles sont les servitudes des républiques fédérales.

Le 17 juillet, lendemain des funérailles de Rohan, la cloche convoque les chevaliers en l'église Saint-Jean, dès six heures du matin. On dit la messe du Saint-Esprit, on chante le *Veni Creator*. Puis les profanes sont poliment expulsés, et les portes fermées. Le scrutin commence.

Alors, le nouveau grand maître va-t-il être élu tout de go ? Ce serait du dernier vulgaire. La volonté de l'Ordre doit filtrer lentement, par distillations successives. Pour commencer, chaque Langue va désigner trois délégués : ses *chefs de voix*.

Dans les chapelles de Saint-Jean, l'on procède à l'appel des votants. Un à un, chevaliers profès[1], chapelains et servants déposent leurs bulletins dans les urnes. Le poing sur la hanche, Ransijat s'offre en spectacle. Sans trop d'illusions, il espère réunir quelques suffrages sur son nom. Les caravanistes assistent à la scène comme simples témoins. Dépouillement. En fin de compte, l'Auvergne a choisi Fricon, un homme à tout faire, Lasteyrie, un ancien ami de Dolomieu qui a mis de l'eau dans son vin, et François-Louis de Bosredon, le revenant de Coblence, le frère ennemi de Ransijat.

« Vous voulez absolument me faire mourir de peine », s'écrie ce dernier.

1. Chevaliers ayant prononcé leurs vœux.

Si les caravanistes avaient pu voter, l'issue aurait sans doute été différente. Car plus d'un, parmi eux, reconnaît que Ransijat n'a pas toujours tort.

« De quoi vous plaignez-vous ? dit Loras. Moi qui suis le maréchal de cet Ordre, je n'ai pas été élu non plus.

— Monsieur de Cagliostro, répond Ransijat, je vous dispense de votre compassion. »

Et il traverse la nef pour voir ce qui se passe chez les Provençaux. Cette grande église pleine de robes noires qui déambulent a des airs d'étrange volière. Plutôt que de faire œuvre d'imagination, la Provence a élu *primo* son chef habituel, *secundo* le frère du regretté Suffren — un fieffé réacteur lui aussi — et *tertio* un comparse.

« Vous avez tort d'afficher vos sentiments, dit-on à Ransijat. Hompesch se vengera.

— Il est assez bête pour ne pas m'en vouloir », réplique gracieusement le secrétaire du Trésor.

Dans la chapelle voisine, derrière la grille de bois, un civil regarde et s'émerveille : le rubicond O'Hara, chevalier honoraire et ministre de Russie, que, par égard pour le tsar son maître, l'on a admis à cette cérémonie très fermée. Il siège avec la Langue anglo-bavaro-polonaise, en passe de devenir anglo-bavaro-russe.

Pour le grand argentier, cette présence est un désagrément de plus. A l'occasion du nouveau traité, le tsar a offert un diamant au secrétaire de la chancellerie, et des gratifications à ses employés. Quant aux agents de la Trésorerie, qui dépendent de Ransijat, et travaillent au moins autant, ils n'ont rien eu. Quelle injustice !

Bien que sans droit de vote, le chevalier O'Hara fait naïvement campagne pour Hompesch. Tout joue d'ailleurs en faveur du grand Westphalien. Afin de fêter dignement son élection, il vient, dit-on, d'emprunter une forte somme à la veuve Fontani, banquière. Ainsi cette personne, après avoir réjoui la vieillesse de l'ancien grand maître, finance aujourd'hui l'avènement du nouveau. A sa place, Ransijat ne prêterait pas un sou à ce panier percé. Hompesch doit huit ans de loyer à la fondation pieuse qui l'héberge dans un des plus beaux hôtels de la ville.

La cloche sonne à nouveau. Chacun à sa place. Hompesch en

tête, les vingt-quatre sages sortis des urnes prêtent serment, puis montent à la tribune, au-dessus de la porte principale. Là, ils désignent un chef d'élection, en la personne du bailli de Belmont, l'exécuteur testamentaire de Rohan. Ultime politesse envers le défunt patron. Belmont aurait bien voulu se trouver à la tête de l'Ordre, lui aussi. Il ne le sera qu'une minute.

Les Vingt-Quatre annoncent alors leur volonté que Hompesch soit grand maître. C'est prématuré ; tant pis, ils n'ont pu se retenir. Radieux, Hompesch remercie, passe sur le balcon extérieur. De l'église, on entend les acclamations. Hompesch jette de l'argent au peuple avant même d'avoir été élu ! Il redescend. Les chevaliers s'en vont déjeuner, laissant les Vingt-Quatre à leur tâche. Ne nous laissons point abattre.

Au retour, on apprend que les Vingt-Quatre ont désigné les Trois : un chevalier, un chapelain, un servant d'armes. Comme pour renforcer l'évidence de la suite, le chevalier est bavarois et le chapelain allemand. Puis les Trois en ont désigné treize autres, et sont ainsi devenus les Seize. A l'issue de cette quatrième distillation, ils descendent dans l'église, prêtent serment à genoux, remontent à la tribune, et enfin, élisent Hompesch. Il était temps, on commençait à s'ennuyer. Du haut de son perchoir, et par trois fois, le chevalier bavarois demande à l'assemblée si elle accepte Hompesch pour grand maître. Par trois fois, une acclamation lui répond. Ostensiblement, Ransijat s'assied.

Le prieur Menville reçoit le serment de l'heureux vainqueur. Séance tenante, l'on chante un *Te Deum.* Dehors, la flotte et les forts tirent les salves d'usage. Le blason de Hompesch, en toile peinte, est fixé au balcon de l'église. Puis la nouvelle Altesse est portée en chaise à son palais par les jeunes chevaliers. Elle est la soixante et onzième depuis la fondation, et n'a jamais que cinquante-trois ans. Qui a dit que l'Ordre était à l'agonie ?

« Te voilà donc, misérable ! s'écria le marquis de Sade, en repoussant le roman qu'il était en train d'écrire.

— Qu'ai-je fait encore ? » dit son fils Donatien junior.

Il arrivait de La Valette, en habit civil, cachant au fond de sa poche la croix diamantée de son feu grand-oncle le bailli de Sade. Et pas mécontent, ma foi, d'être sorti de ce glorieux trou. Vivons en France, puisque la France redevient vivable.

« Ton crime, dit le gros marquis, est de porter le même prénom que moi. Quand tu es parti pour Malte, les bureaux d'ici t'ont porté sur la liste des émigrés. Et maintenant, on croit que l'émigré, c'est moi ! A cause de toi, on a saisi nos biens. On a vendu nos biens !

— Devais-je donc rentrer en pleine Terreur ? Et me faire couper la tête ?

— Oui, tu le devais », dit le marquis.

M. de Sade junior haussa les épaules. Il en avait plus qu'assez de la chevalerie, de la littérature, de son père, de l'érotisme et autres folies. Il voulait n'être plus que le fils de sa mère, laquelle avait conservé quelques propriétés dans le Perche. Il aspirait à une vie rangée, et à une époque raisonnable. *Finita la commèdia !*

« Viens quand même que je t'embrasse », dit le rescapé de trois ou quatre prisons.

Et, saisissant le jeune homme qui frémissait, il posa sur sa joue des lèvres goulues.

⁂

Des fêtes, encore des fêtes. Durant la vieillesse du précédent prince, on avait oublié leurs musiques, et jusqu'à leurs couleurs. Ferdinand est élu, remercions le Seigneur. Et tant pis pour la dépense.

« Je ne sais, plaisante l'ami Charles, si nous sommes encore un Ordre guerrier. Mais nous sommes assurément un Ordre chanteur. »

Figurez-vous, le nouveau souverain aime les messes. Il s'en délecte, le drôle. Office au monastère de Sainte-Marie-Madeleine, où des petites filles lui offrent un bouquet. Action de grâces au couvent des Carmes, accompagnée par les cloches de toute la ville. Illumination de l'Auberge de Bavière organisée par Mgr de Chersonèse, à base de triangles maçonniques. On ne sait si Son Altesse a goûté ce détail ; mais elle n'avait pas le choix.

Messe à l'église du Gesù avec le recteur de l'université attenante. Messe à Sainte-Barbe avec la Langue de Provence et les *bombardieri*. Antoine se met en frais. Les bouches à feu tirent à plaisir. Par un malicieux hasard, la partie musicale est due à l'abbé Boccadifuoco. Décidément, la vie des pigeons devient impossible.

Les lettres de félicitations affluent, y compris celles de treize cantons suisses, et celles de Sa Majesté suédoise et de Sa Majesté danoise, bonnes luthériennes l'une et l'autre. Hompesch a pris soin d'informer Paris de son élection. On ne sache pas que Paris ait répondu.

Suivant l'usage, le nouveau chef de l'Ordre se fait peindre. Point de gentils pages à ses côtés, encore moins de petits chiens. Tout seul, il occupe le tableau en armure, comme aux temps héroïques. Un édit ordonne de recenser la récolte de coton, un autre renforce les châtiments infligés aux blasphémateurs, un troisième ferme les tavernes aux heures de processions. Pour plus de sûreté, on les interdit aux femmes (les tavernes, pas les processions). Rohan avait trop laissé faire. Son successeur veut sauver l'île du péché.

Le 10 septembre, deux jours après la fête du Grand Siège, Hompesch assiste à celle du bourg de Zabbar. C'est un endroit plutôt gai, où les femmes arborent des voiles bleus et blancs, au lieu du noir habituel. Les villageois ont dressé un arc de triomphe en bois. A l'arrivée du maître, ils détellent les chevaux, tirent le carrosse jusqu'à l'église. En remerciement, Hompesch offre un fauteuil, une pendule, deux portraits de saints, une chaise à porteurs pour le saint sacrement. Et du coup, la bourgade, hissée au rang de ville, est rebaptisée Cité-Hompesch. Promotion vertigineuse !

Piqués au vif, les habitants de Zejtun lancent à leur tour une invitation. Mais quel nom nouveau conférer à Zejtun, puisque celui de Hompesch est déjà pris ? La mère du grand maître, sur les bords du Rhin, était née Beland[1]. Va donc pour Cité-Beland.

« Et nous ? réclament les villageois de Siggiewi, depuis le bord de leur falaise.

1. Bylandt, en réalité.

— Città-Ferdinando », répond le grand maître.

La prochaine, disent de mauvais plaisants, sera baptisée Cité-Louise. Car Louise de Hompesch, nièce du grand maître, que l'on dit jeune et jolie, a fait jaser toute l'Allemagne noble par ses amours avec un officier de l'armée française d'occupation.

« Ô Louison, chantonne l'ami Charles, comme nous aimerions te connaître ! »

Quant au frère de Louise, lui aussi chevalier de Malte, il n'a pas hésité à héberger, dans la commanderie westphalienne de son oncle, des soldats allemands recrutés par ses soins pour l'armée britannique.

« Cela va se savoir à Paris, observe Antoine. Le Directoire entretient des espions partout.

— Moi par exemple », répond l'ami Charles en s'esclaffant.

A Paris, justement, pendant qu'ici l'on fêtait le nouveau chef de l'Ordre, un coup d'État vient de se produire. Barras et sa clique ont écrasé les royalistes, nettoyé les modérés. Les aristos qui étaient rentrés en fraude se terrent ou repassent les frontières. Et les chevaliers de Malte, comment seront-ils traités ?

« Vous êtes des émigrés », rappelle le Directoire.

Bien fou qui, dans ces conditions, oserait encore aborder aux rivages de Provence. Si las qu'ils soient d'une vie appauvrie, Antoine et ses compagnons n'ont aucun goût pour les geôles de la République. Ils voient d'ailleurs revenir certains camarades, échappés de France : un neveu de Loras, ou Auguste de Solages. Lucija bat des mains ; plus d'abandon à craindre.

Avec un claquement sec, le piège de Malte vient de se refermer sur toute une jeunesse.

***

Un voyageur débarqua du bateau d'Italie. Il portait un habit sombre de bonne coupe, et un chapeau rond à la française, galamment incliné sur l'oreille. A sa boutonnière, une cocarde tricolore, discrète mais reconnaissable. Il écrivit lui-même sur le registre de police : « Étienne Poussielgue, inspecteur des postes consulaires. »

En clair, espion. A Paris, on jugeait le moment venu de

s'occuper de Malte. Non que ces histoires russes eussent été prises très au sérieux. Juste bonnes pour exciter les Turcs contre le tsar. On s'inquiétait plutôt des ambitions de l'Autriche.

Étienne Poussielgue avait pour mission d'écouter, de voir et, si les circonstances s'y prêtaient, de séduire. Il allait travailler les chevaliers. S'agissant du peuple maltais, le nécessaire était déjà fait : en prenant de l'eau à Malte, quelques jours plus tôt, les frégates françaises l'*Artémise* et la *Justice* avaient débarqué de nuit un dénommé Barbara. Un homme courageux, qui n'hésitait pas à revenir, sous une fausse identité, sur une terre dont il avait été banni. Par précaution, chacun des deux émissaires devait œuvrer de son côté, sans rencontrer l'autre.

D'Étienne Poussielgue, on avait toujours dit : « Voici un jeune homme qui sait y faire. » Envoyé à Gênes, il était parvenu à faire tomber la ville dans l'escarcelle de la France, sans qu'on eût besoin de tirer un coup de canon. Jeu facile, en une république : il suffisait de jouer d'un clan contre un autre. Et Malte n'était-elle pas une république, justement ? La « république aristo-fanatique », disaient les patriotes de Paris.

Étienne Poussielgue s'installa chez son cousin Antoine, capitaine du port et banquier. Cete parenté, précisément, l'avait fait désigner pour sa mission. Il fut reçu avec enthousiasme. Un homme de confiance du général Bonaparte !

« Je vous présenterai à tous ceux qui comptent », promit l'hôte.

Visite protocolaire au grand maître. Ferdinand de Hompesch n'était pas dupe ; ce touriste trop poli venait, il le savait bien, inspecter autre chose que le petit consulat français de Malte. Mais on devait faire contre mauvaise fortune bon cœur. Surtout, ne donner aucun motif d'irritation au général Bonaparte.

« Les Français seront bientôt à Rome, n'est-ce pas, cher monsieur ? »

Une émeute y avait coûté la vie à quelques braillards tricolores. Sans égard pour la personne du pape, une armée du Directoire marchait vers le lieu de l'offense. La France se rapprochait dangereusement de Malte.

« Les Français punissent les outrages, et honorent l'amitié », répondit le visiteur avec un agréable sourire.

D'un coup d'œil, il avait jaugé Son Altesse Hompesch. Un

faible, sous une noble apparence. Un navigateur pour la belle saison.

Le lendemain était Noël. Toujours courtois, Étienne Poussielgue entendit la grand-messe en l'église Saint-Jean. Longue, écrasante et belle cérémonie. Le nouveau souverain avait repris des traditions négligées par Rohan, dans ses derniers temps. La nef regorgeait de monde : Hompesch sur son trône, les chevaliers à l'avant, le public à l'arrière. Encens, musique, déploiement de forces. Cependant, fils d'un protestant et d'une catholique, le visiteur avait dès l'enfance appris à se garder des saints mystères. Et il lui semblait discerner, dans cette ferveur, une certaine lassitude.

Puérilités : voilà le mot qu'il emploierait dans son compte rendu. Au sens propre, c'était celui qui convenait à la période de Noël.

Le reste de la semaine passa en réceptions chez les Antoine Poussielgue. La maîtresse de maison dispensait de l'eau de réglisse et du punch. Le 1er janvier, chacun reçut une orange en papillote.

Le cousin Étienne avait des lettres d'introduction plein ses poches : beau travail de Talleyrand et de ses agents, auprès des chevaliers restés en France. L'espion officiel prit les invités à part, glissant à chacun son message. Même les monarchistes les plus convaincus acceptaient de lui parler :

« Ah, si nous pouvions revenir au pays ! dit le chevalier de Bardonnenche, directeur de l'artillerie.

— Ah, la douce France ! » s'écria Fulgence de Belgrand, l'aumônier de l'hôpital.

Ils l'avaient quittée depuis six, huit, dix ans, et n'en pouvaient plus. Aux uns et aux autres, Étienne Poussielgue laissait espérer une ouverture, une grâce. Bonaparte pratiquait l'art du pardon, il avait traité ses prisonniers autrichiens avec générosité...

Théodore Lascaris fut présenté par le cousin Antoine Poussielgue, son créancier, qui avait intérêt à le remettre à flot. Les Lascaris étant sujets sardes, plaidaient-ils, la France devait rendre leurs biens de Nice et de Menton. Étienne Poussielgue se montra chaleureux et vague. Encore un chevalier qui, désormais, n'aurait guère envie de se battre.

A Ransijat, le raide et massif trésorier de Malte, le ten-

tateur transmit une missive provenant de son ami Dolomieu :
« Ce brave Déodat ! Ce frère !

— Il a une belle position à Paris », assura Étienne Poussielgue.

Entraînant son interlocuteur dans une encoignure du salon, le trésorier se répandit en critiques envers l'esprit borné du grand maître, et les préjugés aristocratiques de ses confrères. Lui, Jean de Ransijat, il avait demandé l'ouverture de l'Ordre aux Maltais, sans pouvoir se faire écouter. Si les sujets laissaient tomber leurs seigneurs au prochain péril, ceux-ci ne l'auraient pas volé.

Mis en appétit, le démon Poussielgue se présenta à la Trésorerie le lendemain, après la tombée de la nuit. Ransijat était seul, épluchant mélancoliquement des chiffres à la lueur d'une chandelle unique.

« Monsieur le commandeur...

— Ma commanderie a été vendue aux enchères. Elle est revenue au peuple. Appelez-moi citoyen.

— L'entrée de votre cabinet est-elle surveillée ?

— On ne me fait même pas l'honneur de me croire dangereux », persifla le trésorier.

Il se retourna, saisit un journal :

« Vous voyez, *le Moniteur !* La feuille officielle de Paris. C'est Dolomieu qui m'abonne. Je sais tout ce qui s'y passe, aussi bien que vous-même. Et tout Malte sait que je le sais. Un peu de xérès ? »

Étienne Poussielgue consultait mentalement ses notes. Trop endetté au jeu pour pouvoir rembourser un jour, Ransijat n'avait point d'autre issue que le chambardement.

« Citoyen trésorier, supposez une flotte dans le port. Elle est venue se ravitailler à Malte.

— Supposons, dit Ransijat.

— Il fait nuit, comme à présent.

— Comme à présent, dit Ransijat.

— Les matelots débarquent en silence. Ils appliquent de grandes échelles contre les remparts. Ils commencent l'escalade...

— Je vous arrête, dit Ransijat. Il faut prendre le fort Saint-Elme, qui est la clef du tout. Or cet ouvrage est tenu par la garde du grand maître, une troupe loyale. »

Sur quoi le secrétaire du Trésor éclata de rire et brandit son gobelet :

« A la santé de Malte, la plus forte place d'Europe ! »

Il avait beau fustiger l'Ordre, il en était fier. Étienne Poussielgue s'en alla perplexe.

Restait le morceau le plus coriace, le bailli de L.T.D.P.M. Une fois ce roc ébranlé, tout serait permis. Le bailli logeait à l'étroit avec le marquis son frère, la marquise sa belle-sœur et plusieurs jeunes enfants. Étienne Poussielgue se fraya un chemin à travers le linge qui séchait :

« Une lettre de France, monsieur le bailli. »

Elle émanait d'un camarade de la guerre d'Amérique, lequel n'avait pu refuser ce service au commis de Talleyrand. Il faisait l'éloge du Directoire. Étienne Poussielgue y ajouta un éloge de Bonaparte, dépeint par lui comme le maître de la France, alors que c'était encore un simple général. Bonaparte, révéla-t-il, se ferait un plaisir d'accueillir les militaires de tous bords, notamment ceux qui avaient combattu l'Anglais sur les mers. Un grade flatteur dans la marine pouvait récompenser les meilleurs d'entre eux.

L.T.D.P.M. laissa dire, puis se leva, tout de marbre :

« Sortez, monsieur. Je vais de ce pas chez le grand maître. Je vous ferai fusiller. »

Ses derniers jours à Malte, Étienne Poussielgue les passa au consulat de France, sous la garde du consul Caruson. Rien n'arriva. Plus habile qu'en apparence, Hompesch avait choisi d'étouffer l'affaire.

De retour à Milan auprès de sa ravissante épouse, l'espion rédigea son rapport. Il ne fallait pas songer, citoyens, à emporter l'île de haute lutte. Cette attaque risquait de se heurter à trop forte partie. La voie oblique était préférable. Par exemple, l'on pouvait radier les chevaliers de la liste des émigrés et leur faire miroiter certaines restitutions de biens, s'ils rentraient en France. Cela ne coûterait pas cher, et dégarnirait les défenses de l'île.

Parallèlement, le roi d'Espagne, qui se trouvait aux ordres de la France, pouvait rappeler ses sujets, confisquer les revenus des commanderies espagnoles. L'Ordre n'aurait plus qu'à déposer son bilan.

Pour parachever l'opération, le roi de Naples rétrocéderait à la République française sa vague suzeraineté sur l'île. En récompense, on lui donnerait un morceau des États du pape.

Et si tout cela ne suffisait pas à faire tomber Malte comme une poire mûre, on demanderait tout simplement audit pape de dissoudre l'Ordre. Elle non plus, Sa Sainteté n'avait rien à refuser à l'armée française, qui occupait ses salons, ses églises et ses cuisines.

Sans attendre l'accord du grand maître, qui ne saurait faire de doute, Giulio Litta organise son grand prieuré russe catholique. Malgré ses fonctions diplomatiques, un article du traité lui en confie la gestion. Nul n'y verra malice, ce genre de cumul n'a rien de rare dans l'Ordre. Un autre article du traité prévoit d'ailleurs qu'une fraction de la redevance russe servira à financer son ambassade. Voilà donc la pitance assurée.

On dégote quelques Polonais présentables. On embauche les jeunes frères Czartoryski, rejetons de la plus puissante famille de Pologne, qui vivent en otages à la cour de Pétersbourg, et sont devenus des intimes des fils de Paul Ier.

Pour mieux assurer ses arrières à Malte, Giulio fait attribuer une commanderie russe au chevalier de Saint-Priest. Cet auteur de cantates est en effet l'homme qui monte, à la chancellerie du grand maître.

Le duc de Serra-Capriola, obligeant ambassadeur de Naples, est récompensé par un bailliage honoraire. Reste à trouver un grand prieur suffisamment décoratif.

« Ce sera le prince de Condé », décide Sa Majesté Impériale.

Depuis la fin des hostilités sur le continent, l'armée de Condé se trouve au chômage. Paul Ier a décidé de l'accueillir en Volhynie — là même où se situaient les six cents villages de l'Ordre. Condé vient en visite à Pétersbourg. Le tsar l'héberge en l'ancien hôtel Tchernitcheff, sur la Moïka, rebaptisé pour la circonstance hôtel de Condé (en lettres d'or au fronton, s'il vous plaît).

Petite difficulté : ce veuf entend se remarier avec Mme de Monaco, depuis longtemps sa compagne. Une personne fort estimable, qui a vendu tous ses bijoux pour l'entretien de l'armée royaliste.

« Un grand prieur marié ? dit Paul Ier. N'y a-t-il pas le précédent du prince de Conti ? »

Bientôt, Sa Majesté en remontrera aux spécialistes. Et elle n'est pas mécontente d'assouplir les règles de l'Ordre, au moins sur ce point. Cela facilitera l'entrée des orthodoxes.

Un peu inquiet, Giulio se présente au nouveau dignitaire. Si Condé allait se mettre à tout régenter ? Il sort rassuré. Le prince est un noble vieillard un peu borné. Seul le sort de son armée lui tient vraiment à cœur. Pour lui, ce grand prieuré qui tombe du ciel est surtout une source de revenus.

Laissé pour compte au fond de sa Pologne, l'ancien grand prieur Poninski pousse des gémissements. Litta lui fait allouer un secours alimentaire.

Un ballet de lettres se joue sur la scène diplomatique : entre Giulio et la grande maîtrise, en français ; entre le nonce Litta et la curie romaine, en italien ; entre le pape et le tsar, en latin.

Arrive l'infatigable Raczynski, porteur du traité dûment ratifié par le conseil de l'Ordre. Son retard est dû au changement de grand maître ; il fallait s'assurer que Hompesch voudrait bien poursuivre la politique russophile de Rohan. Que l'on se rassure. Malgré ses attaches avec l'Autriche, Hompesch accepte de jouer le jeu russe ; et il en redemande. Giulio trace de lui au tsar un portrait quelque peu flatté : un preux, un vrai chevalier du Moyen Age.

La ratification du traité par la Russie commence à la manière d'une partie de cache-cache. Nommé ambassadeur extraordinaire de l'Ordre, Litta se retire à Gatchina, dans le pavillon du grand prieuré catholique. Puis, feignant d'arriver de l'étranger, il fait son entrée dans Saint-Pétersbourg à bord d'un carrosse à six chevaux, avec Raczynski, Maisonneuve et l'abbé-secrétaire. Quarante voitures lui forment un cortège d'honneur ; chaque grande famille a été priée d'envoyer la sienne. Déjà, une neige vierge saupoudre les arbres et les pelouses.

En ce dimanche 29 novembre, vieux style [1], la fine fleur de la Russie se trouve rassemblée au palais d'Hiver. Litta reconnaît

1. 10 décembre 1797.

l'aimable Skavronskaïa qui lui sourit entre deux grenadiers. Dans un lointain doré, Paul est assis sur son trône.

Raczynski et un aide lui présentent la croix de La Valette sur un carreau de drap d'or. Après la triple révérence d'usage, Giulio récite son grand discours en français. Il n'a pas lésiné sur les fioritures. « Pourquoi complimentez-vous tellement ? lui a demandé l'autre jour son ami le vice-chancelier Kourakine. Est-ce que vous méprisez les hommes ? » Non, il ne méprise pas les hommes ; il les connaît.

Nommé doyen du corps diplomatique, malgré son arrivée récente, le nonce Litta promène un regard bienveillant. Condé cligne de son seul œil valide. Giulio prie le tsar de bien vouloir être le protecteur de l'Ordre.

Le chancelier Bezborodko répond en russe. Prudent, Giulio s'est fait communiquer d'avance le texte de sa harangue. Elle ne contient rien d'autre que des louanges.

Que dira-t-on demain en Russie ? Que des intrigants étrangers soutirent au tsar son bon argent russe. Mais le marché conclu est équitable, et Litta garde bonne conscience. En traitant avec Paul, l'Ordre rend respectable une monarchie barbare. Quant à la base navale en Méditerranée, dont on ne parle qu'à mots couverts, elle sera bien utile contre les Turcs.

La cérémonie atteint alors son sommet. Raczynski avait apporté de Malte la cotte de mailles du grand maître La Valette. Litta la passe par-dessus l'habit du tsar. Paul n'a pas la carrure de l'ancien propriétaire, mais en nouant quelques cordons, l'on arrive à faire tenir la chose. Paul se met lui-même au cou la croix de La Valette.

Après quoi, la tsarine — l'aimable grosse myope — et les grands-ducs ses fils ploient le genou devant Paul Ier, qui leur impose une croix de Malte toute honorifique. De même pour Bezborodko et Kourakine, faits baillis honoraires.

Dès le lendemain, la légation de Malte quitte son étroit logement de la perspective Nevski, pour emménager en l'ancien hôtel Vorontzoff, rue des Jardins, l'un des plus beaux de la capitale, mis à sa disposition par le tsar. Une élégante construction jaune et blanc, à deux étages, dans un style rocaille légèrement passé de mode mais encore avenant. Au lieu des feuilles d'acanthe habituelles, des roses de pierre ornent les chapitaux des colonnes, et la façade porte des moulures en têtes de lion. Derrière, le parc s'étend presque à la rivière Fontanka.

C'est là que Giulio attaque la seconde partie de son plan, la création d'un grand prieuré de rite grec : en langage clair, orthodoxe. Ses membres pourront être des hommes mariés, même à la seconde génération. Le Trésor russe leur allouera des rentes appelées commanderies, dont la communauté de Saint-Jean prélèvera une part. D'où un supplément de ressources et de prestige pour l'Ordre. La réputation du bailli Litta s'en trouvera encore grandie ; mais cela, chers amis, est assez secondaire. Quant aux catholiques étroits, il faudra bien qu'ils se fassent une raison.

Giulio prend tel grand seigneur russe par le bras : « Vous plairait-il de devenir commandeur, à tant de roubles par an ? » On ne résiste guère à ce genre de proposition.

Kourakine ferme les yeux, et bénit ce commerce. En ce moment, il fait peindre son portrait, à côté d'un buste de Paul Ier. « Ce bon Kourakine », disent les gens d'un air entendu. Effrayé par la tournure que prennent les choses, le vieux Bezborodko tente en vain quelques crocs-en-jambe. Giulio s'appuie sur l'impératrice Marie, qu'il a su charmer, et sur la favorite Nélidoff.

Heureux qui jouit de la confiance du souverain. Et malheur à qui lui a déplu. Si l'on est noble, l'on a vingt-quatre heures pour quitter la capitale. Si l'on est roturier, l'on n'évite pas le bâton. Traversant Pétersbourg, Paul exige que toute voiture qui le croise s'arrête, et que les occupants, même s'il neige, en sortent pour s'agenouiller devant sa personne. Par bonheur, cet homme est aussi un métronome vivant. Ses heures de sorties sont vite connues de la population, et bientôt personne ne se trouve plus sur son chemin.

A une réception où Litta est présent, une personne de l'aristocratie oublie d'ôter ses gants. Le tsar la rappelle aux convenances :

« Vous avez la gale, madame ? »

Aussi les gens commencent-ils à murmurer que l'autocrate ne jouit plus de sa raison. Litta ne partage pas leur avis. Malgré de terribles sautes d'humeur, la politique de Paul est d'une rare constance. Il s'est fixé comme buts le redressement de l'Ordre de

Malte et l'endiguement de la Révolution française. Objectifs liés, d'ailleurs. Il poursuit leur réalisation.

« Je me demande, dit le nonce Litta en fronçant le sourcil, ce que Pie VI va penser de ce grand prieuré orthodoxe.

— Le pape n'est pas en situation de faire la fine bouche, réplique Giulio avec impatience. C'est d'ailleurs ton rôle d'obtenir son accord. Je t'ai fait venir à Pétersbourg pour cela. »

Si Giulio nage dans le succès, son aîné Mgr Litta n'est pas à la noce. Il a trouvé une situation religieuse fort embrouillée par Catherine II. Voulant nommer *motu proprio* un archevêque catholique, elle a choisi comme à plaisir un ancien calviniste, marié devenu veuf. Ce personnage hérisse son poil à l'approche du nonce. De surcroît, son nom est rigoureusement imprononçable ; les frères Litta sont réduits à l'appeler S...

Globalement bienveillant envers le catholicisme, qu'il voit à travers Malte, Paul Ier l'est beaucoup moins envers le clergé polonais. La semaine même où son frère Giulio était reçu au palais en grande pompe, le nonce Litta a dû dégrader des prêtres accusés de conspiration. Il lui a fallu gratter leurs paumes, avec un couteau, pour effacer la trace du sacerdoce !

Mais voici que le pape lui-même écrit à Paul Ier une belle lettre en latin. Prisonnier des Français, il a été déporté de Rome à Sienne, et demande qu'on prenne sa défense. Ah, si le pape pouvait venir en Russie ! Il n'objecterait plus rien au travail des Litta. Le tsar invite Pie VI à Pétersbourg.

Tout au long de ces péripéties, Giulio trouve un soutien dans l'affection de Skavronskaïa. Il pensait que cette liaison ne durerait guère. Une enfant gâtée, cette Catiche. Belle et riche, en état de satisfaire tous ses caprices. Eh bien non, elle lui est fidèle, elle s'enroule autour de lui comme une liane.

« J'ai vu la gloire de trop près, dit-elle en étouffant l'un de ses adorables bâillements. Je n'aspire plus qu'au bonheur. »

Mais les chevaliers de Malte sont-ils faits pour le bien-être ?

Giulio a pris goût à ces longues conversations décousues, en français, dans le boudoir de son amie. Aux jours gras, il l'emmène sur les montagnes russes. Pour ne pas être reconnue, elle a mis un loup de velours noir, mais sa beauté perce le masque. Ces montagnes ne sont qu'une architecture de glace, assise sur des madriers, et que l'on dresse tous les ans sur la place. La luge glisse comme un bolide, remonte brutalement, plonge à nouveau. Catiche crie, se serre contre son cavalier. A l'arrivée, tous les badauds la regardent, à cause de son loup. Alors Litta le lui enlève, et les badauds applaudissent. Pour le punir, elle lui a fourré une poignée de neige dans le cou.

Pendant que son patron collectionne les victoires, l'esclave Sabaheddine dépérit. Il n'a jamais pu se faire aux frimas de Pétersbourg. Insensible aux palais des bords de la Néva, il regrette Bougie et sa baie magnifique. Il regrette même Malte, cette terreur des mahométans. A Malte, au moins, on avait du soleil, et des oranges.

« Courage, répète Giulio. Nous y reviendrons bientôt. »

L'esclave n'est pas dupe. Il tousse, il s'alite. Giulio cherche un coreligionnaire pour dire des prières. A Pétersbourg, capitale d'empire, on trouve de tout. Un vieux Tchetchène descendu du Caucase s'installe au pied du lit du mourant.

« Vous avez été un bon maître, murmure Sabaheddine. Quand viendra l'heure, que Dieu vous accueille en sa maison. »

Et l'âme du pauvre esclave s'envole par la fenêtre entrebâillée.

M. le prince de Condé a rejoint son armée, en Volhynie. Il inscrit d'office à l'Ordre de Malte tous les jeunes nobles célibataires qui s'y trouvent. Paul en aura pour son argent.

Nommé aumônier du grand prieuré catholique, en sus de sa nonciature, Mgr Lorenzo Litta s'installe lui aussi au palais Vorontzoff, avec un traitement. On va construire une chapelle à son usage, Paul en pose la première pierre. Il fallait bien cela pour faire avaler une fameuse couleuvre : par caprice, Sa Majesté vient de nommer l'ancien calviniste S... cardinal et primat de Russie.

« Le pape ne saurait ratifier cette horreur, dit Lorenzo.

— Il faudra qu'il la ratifie, au contraire, répond Giulio. Nous sommes en train de réussir des choses immenses. Nous n'allons pas irriter le tsar pour une médiocre histoire de chapeau. »

Une nouvelle fois, Mgr Litta se soumet. Il ne bronche pas davantage quand un oukase impérial interdit aux catholiques de correspondre avec l'étranger. Bien entendu, ce sont les Polonais que l'on vise. Désormais, le courrier entre la nonciature et le pape sera leur seule ouverture sur l'extérieur.

Giulio, quant à lui, est redevenu ambassadeur ordinaire ; car, selon les usages diplomatiques, l'extraordinaire ne dure que six mois.

« En réalité, plaisante-t-il, l'extraordinaire durera encore longtemps. Seul l'extraordinaire vaut d'être vécu. »

Quatre-vingt-dix-huit commanderies vont être créées sur fonds d'État. Vingt autres, espère-t-on, seront fondées par de grandes familles russes, à leurs frais, pour l'honneur d'appartenir à la confrérie de Saint-Jean. Davantage, au total, que la Langue de France, qui était la plus riche, et dont la perte paraît se confirmer. Un fameux renfort pour les finances de l'Ordre, d'autant que les revenus des six premiers mois, au lieu d'aller aux commandeurs, seront versés tout entiers à la communauté.

Grâce à cet argument, Mgr Litta est parvenu à fléchir les dernières résistances du pape. Le salut de Malte vaut bien quelques entorses ! Un traité russo-maltais est rédigé, sur le même modèle que pour le grand prieuré russo-catholique. Toujours disponible, l'obligeant Raczynski l'emporte à Malte en vue de le faire ratifier.

« Cette fois, lui conseille Giulio en riant, ne passe pas par Ancône. »

Sauvé. L'Ordre est sauvé ! On a refermé la plaie d'argent qui le menaçait de mort. Brusquement, Giulio se sent envahi d'une paresse heureuse. Tout exploit mérite sa récompense, non ? La bouche en cœur, il se présente chez Catiche.

« Madame de Skavronski, dit-il à la mode française, j'ai l'honneur de vous demander votre main. »

Elle en laisse choir son éventail :

« Mais les statuts de votre Ordre vous l'interdisent !

— L'Ordre me doit beaucoup. Il saura se montrer compréhensif. »

Elle sourit, s'étire, chante une petite chanson de nourrice russe. Giulio demande audience à Paul Ier.

« Sire, l'une de vos sujettes a ému mon cœur. »

Le tsar feint d'ignorer laquelle :

« Nous vous en félicitons, mon cher bailli. »

Permission accordée. Au fond, le tsar est ravi. Litta marié, cela dédouane ce futur grand prieuré orthodoxe qui sera plein de pères de famille.

Il ne manque plus qu'un détail : le pape doit autoriser son fidèle serviteur à convoler en justes noces, tout en conservant son grade de bailli, et la grosse commanderie que lui a donnée Paul Ier. Mgr Litta s'assied, soupire, s'évente avec sa plume d'oie. Jusqu'à présent, il a été d'une coupable indulgence envers son petit frère. Il a trop longtemps fermé les yeux sur cette liaison amoureuse.

« Je ne te dirai rien, lui a-t-il même confié, tant que tes maîtresses seront nobles et jolies. »

Mais comment obtenir une dispense aussi énorme ?

« Aujourd'hui, tout est sans précédent, rétorque Giulio. Paul Ier n'a pas son pareil au monde, le pape se trouve dans une situation jamais vue depuis des siècles. De même l'Ordre de Malte. Et nous autres, les frères Litta, nous avons rendu des services dont l'histoire récente, j'ose l'affirmer, n'offre aucun équivalent. »

Mgr Litta geint encore, mande son secrétaire, commence à dicter. Le secrétaire a promis le secret. Mais la chose ne tardera point à se savoir en ville.

« J'ajoute, dit Giulio avec un clin d'œil, que cette Skavronskaïa fera une charmante recrue pour le catholicisme, le moment venu. »

L'ami Charles fait irruption, très excité : « Flotte française en vue ! »

La voilà enfin, cette épreuve tant retardée. Après avoir tergiversé, après avoir bercé l'Ordre de bonnes paroles, le Directoire abat son jeu.

Antoine s'habille en hâte, suit son ami vers le rempart. Déjà, les gens s'amassent sur le chemin de ronde, les lorgnettes fouillent la mer.

« Ils viennent de l'est.

— De Corfou. »

Nouvelle possession française, et dépouille de Venise.

« A vos postes, messieurs, jette un gradé. Branle-bas de combat. »

Et sonne le tocsin. Charles rejoint la milice, toujours lente à rassembler, car il faut laisser aux hommes le temps de revenir des champs. Un canot surchargé mène Antoine au poste de commandement des vaisseaux, sur l'autre rive du port. A son grand dépit, on n'y voit pas ce qui se passe en mer. Les artilleurs des forts ont néanmoins chargé leurs pièces.

Au bout de quelques heures, et à la surprise d'Antoine, deux bâtiments tricolores pénètrent dans le bassin : un vaisseau et un aviso. On les a laissés entrer !

« Saint-Ex, allez-y voir », ordonne le bailli Saint-Trop'.

Ces Français ont à la fois trop d'eau et pas assez. En clair, ils veulent faire aiguade, et réparer l'avarie qui s'est déclarée à bord du vaisseau. Antoine déchiffre le nom fraîchement peint sur la poupe : *Frontin.* Celui, paraît-il, d'un compagnon de Bonaparte tué au combat. Mais on ne reconnaît que trop, sous ce déguisement, l'un de ces vieux bateaux vénitiens qui croupissaient naguère dans le port de Malte. A l'époque, ils portaient des noms de saints !

Le chevalier de Montferré, commissaire de santé, visite le *Frontin,* et déclare qu'il n'y a vu aucune trace d'épidémie. Détail piquant, Montferré est un fougueux monarchiste.

« Qui est votre amiral ? demande Antoine aux marins français.

— Brouet.

— Brueys ! s'exclament les anciens. Nous le connaissons. Un ci-devant noble, qui commandait la *Poulette.* Il escortait les convois vers l'Orient. »

Brueys est resté en mer, avec une quinzaine de navires. Il n'a visiblement pas les moyens de forcer les défenses, à supposer qu'il le veuille. Le grand maître envoie un représentant le complimenter. Au moment de descendre dans la barque, ce personnage se ravise :

« Je n'ai aucun présent à offrir.

— Des oranges ?

— Banal. L'escadre a dû faire provision à Corfou.

— Amadis, suggère quelqu'un.

— Amadis, évidemment. Bon débarras ! »

Le bichon de Rohan, jeune encore et disgracié depuis la mort de son maître, comme il arrive aux favoris d'un ancien règne. Son caractère capricieux lui a fait des ennemis au palais. Brueys sera certainement ravi de recevoir un chien d'une race aussi rare.

Bientôt, Amadis arrive dans les bras d'un grenadier. Amadis vogue vers son nouveau destin, le cou orné d'une faveur rose.

Tandis que les plongeurs et les calfats s'affairent autour de la coque du *Frontin,* la population de Malte commence à murmurer. Ce vaisseau, prétend-elle, est chargé de ciboires et d'ostensoirs pillés dans les églises de Venise. L'entourage du grand maître doit calmer les esprits.

Si les visiteurs nourrissent de mauvais desseins, la pleine lune empêchera leur accomplissement. Deux jours encore, chevaliers et hommes de troupe se relaient aux postes de combat. Le troisième jour, dûment radoubé, le *Frontin* tire sa révérence et emprunte la passe du grand port.

« La nuit dernière, révèle un camarade d'Antoine, nos sentinelles ont vu un homme sauter les barrières, et grimper sur ce vaisseau. »

Ce pourrait être ce gredin de Censu Barbara, dont la présence a été signalée dans la campagne. Mais maintenant qu'il a rejoint les Français...

« Une mauvaise tête de moins à Malte », commente le bailli Saint-Trop'.

L'escadre de Brueys remonte vers la France, en luttant contre un vent coquin.

« Eh bien, conclut Charles, ce sera pour une autre fois. »

Antoine n'y croit plus. Le Directoire et son commis Bonaparte ont d'autres chats à fouetter que les chevaliers de Malte.

Après une quinzaine de mois de captivité aux Sept Tours, le jour paraît enfin au fond du corridor. Kotchoubey, ambassadeur de Russie à Constantinople, vient visiter les prisonniers.

« Ma foi, constate-t-il, vous n'avez pas trop mauvaise mine.

— Aux Sept Tours, répond bravement le chevalier de La Tourrette, il suffit de tenir les premières semaines. Ensuite, on devient immortel.

— Le ciel nous a donné un nouvel empereur, qui ne jure que par l'Ordre de Malte, révèle Kotchoubey. Il prend un intérêt personnel à votre délivrance. »

Les Turcs haïssent les Russes, mais ils ne tiennent guère à recommencer une guerre qui leur a coûté cher. Que le caprice du tsar soit satisfait. Les portes s'ouvrent. La Tourrette et ses deux lieutenants sont conduits à la légation de Russie. Amaigris, ils clignent des yeux sous la lumière.

« Et maintenant, où voulez-vous aller ? demande Kotchoubey.

— A Malte, répond le chevalier de Bizien.

— C'est votre droit. Mais Malte se trouve dans une situation assez triste. Et Sa Majesté Paul Ier aimerait tant vous voir ! »

La Tourrette et son adjoint Du Poët se laissent tenter. C'est Kotchoubey lui-même qui les conduit à destination — car il a obtenu son rappel, pour cause à la fois de goutte et de spleen. Durant la traversée, les deux Français apprennent à apprécier cet homme aimable et modeste.

« Monsieur de Kotchoubey, demande La Tourrette à sa manière abrupte, ne seriez-vous point quelque peu turc, avec un tel nom ?

— Je descends en effet des khans de Crimée. Les Ottomans n'en revenaient pas, de me voir dans un tel emploi. »

Par un autre côté, il est le neveu du chancelier Bezborodko, l'homme qui signe des traités avec Malte. Mais cet oncle se vautre dans le luxe et la débauche, sans lui donner un sou ; Kotchoubey peine à joindre les deux bouts.

Alors que le printemps tire à sa fin, le ciel reste couvert, et la mer Noire contraste plus que jamais avec sa grande sœur, celle que les Turcs appellent curieusement la mer Blanche.

« Vous ferez fureur à Saint-Pétersbourg, prophétise Kotchoubey. Dites du bien de moi à l'empereur.

— Nous vous recommanderons pour une commanderie de notre Ordre, promet La Tourrette. Cela restaurera vos finances.

— Sa Majesté aura sûrement à cœur de vous récompenser vous aussi. »

Ainsi, au lieu d'être punis de leurs forfaits (comme deux de leurs camarades, récemment tués dans une échauffourée navale), les chevaliers-corsaires se rendent à la distribution des prix.

⁂

La vie normale se rétablit en France, non sans douleur, comme si le sang revenait dans une jambe. Ingénieur des mines et membre de l'Institut, le citoyen Déodat Dolomieu se voit allouer un traitement de sept cent cinquante myriagrammes de froment : il aura au moins de quoi manger.

Sa mère est morte au sortir de la prison. Il ne l'a pas revue. Alexandrine, la benjamine de la famille, rescapée de la même aventure, vit au château de La Côte-Saint-André (Isère) dont les Dolomieu sont sous-locataires de longue durée. Mais les tours du château, symboles de féodalité, ont été jetées à bas, et leurs pierres, vendues à un entrepreneur.

Descendu en Dauphiné, Déodat rouvre la gentilhommière familiale, à Dolomieu même, non loin de là. Il importe de s'y montrer, car, depuis la mort des parents, le patrimoine se trouve dans l'indivision. Des convoitises locales pourraient s'éveiller, au motif que plusieurs frères Dolomieu figurent sur la liste des émigrés ; deux qui vivent en Allemagne, croit-on, et le terrible Casimir, dont la mort n'a pas été constatée officiellement.

Déodat règle d'abord ce dernier point. Sept bons Lyonnais défilent au tribunal civil. Ils certifient que ledit Casimir a été tué par un éclat de bombe place Bellecour, durant le siège de la ville par les Bleus.

« Que faisait-il donc à Lyon pendant ce siège ?

— Il vivait chez sa sœur.

— Et pourquoi diable être passé place Bellecour ?

— Il rentrait au logis. »

Le tribunal n'est point dupe. Il se doute que ce Casimir, chevalier de Malte, participait à la défense de la ville. Mais depuis quelques mois, on se montre plus large. Et puis, comment juger qu'un mort n'est pas mort ?

Pauvre Casimir, te voilà donc passé de l'état d'émigré à celui de cadavre légal.

Au tour d'Alphonse, réfugié en Prusse. Lui aussi, on l'avait destiné à l'Ordre de Saint-Jean. Bien qu'il n'ait point accompli ses caravanes, il reste inscrit dans les registres. Mettons ce fait à profit. Grâce à ses amis de La Valette, Déodat obtient un certificat suivant lequel Alphonse aurait séjourné dans l'île, comme officier de chasseurs, durant tout le temps de la

Révolution. Il n'est donc point émigré — puique l'on semble admettre, maintenant, qu'un chevalier de Malte vive à Malte sans trahir la France.

Hélas, le temps que les papiers arrivent, ils ne servent plus à rien. La France a subi le coup d'État de fructidor, et les chevaliers de Malte ayant résidé à Malte sont de nouveau considérés comme des émigrés. Pauvre Alphonse ; tu devras patienter encore de l'autre côté du Rhin.

Sans attendre le dénouement, Déodat fait revivre le domaine de Dolomieu. La demeure elle-même n'a guère souffert. Par précaution, le fronton armorié avait été recouvert d'une couche de briques. Laissons dormir, dans leur secret, ces vestiges d'une aristocratie révolue.

En revanche, le bois voisin a été dévasté : durant deux rudes hivers, les villageois y ont pris de quoi se chauffer. Un par un, ils viennent solliciter un pardon que M. Déodat leur accorde bien volontiers.

Bientôt, la maison redevient un lieu d'amitié et de bonne humeur. Le soir, on y lit à voix haute l'un des quarante volumes du *Cabinet des fées*. Déodat marie Alexandrine à un jeune géologue, ancien noble de surcroît. Quelques jours plus tard, son vieux cheval meurt pour avoir bu de l'eau trop fraîche. Eh bien, l'on ira à pied.

Une maîtresse manque à ce bonheur : la collection de minéraux, restée à Malte. Souvent, Déodat se sent l'envie de retourner là-bas, d'emballer ses pierres, de ranger la petite maison où est mort l'oncle Guy. Avouons-le, il reste attaché à ces lieux, en dépit de tout. Mais ce serait une forte dépense. Et quel accueil recevrait-il ? Ses ennemis n'ont sûrement pas désarmé.

Alors, le ci-devant commandeur entreprend une virée dans les Alpes, jusqu'en Suisse. Il a identifié une espèce particulière de charbon [1]. Puis il inventorie les mines du Massif central pour le compte de la République. Il explore les sucs du Velay et les trucs du Vivarais.

Dans cette errance, le cœur n'est pas oublié tout à fait. Sous couleur de retrouver le sarcophage de Louis le Débonnaire,

1. L'anthracite.

Dolomieu se fait envoyer en mission à Metz. Le sarcophage, ah, dieux ! Volé par un paysan à la faveur de la Révolution, cette belle pièce de marbre gris sert aujourd'hui d'abreuvoir à vaches. L'ami des pierres proteste auprès du gouvernement. Mais c'est aussi à Metz, comme par hasard, rue du Faisan, qu'habite Jennie Thyrion, la petite complice des années de sous-lieutenant, la fée de la pharmacie.

« Pénélope, me voici. »

Devenue grassouillette, elle a gardé du charme, et son esprit piquant. Ne pourrait-elle vendre la maison héritée de son père, et s'installer à Paris dans le grand appartement du Jardin des Plantes ? La Révolution a dénoué les vœux religieux, la notion de mésalliance n'a plus cours. Il serait temps, ma mie, de faire une fin ensemble.

Ainsi, l'ombre d'un bonheur bourgeois se profile devant celui qui, toute sa vie, n'a su rester en place. Il n'aura point d'enfant, Jennie a passé l'âge. Mais il composera un dictionnaire de minéralogie pour l'éditeur Panckouke. Et il racontera, au coin du feu, de crépitants souvenirs à une bande de neveux.

Le démon des sciences en décide autrement. Il a pris les traits de Berthollet le chimiste, et aborde Déodat lors d'une séance à l'Institut :

« Alors, mon cher, vous êtes du voyage ?

— Quel voyage ?

— Celui de notre collègue Bonaparte. »

Retour d'Italie, ce général a été élu à l'Institut. C'est l'homme à la mode. Comment refuser de partir avec Bonaparte ?

« Nous saurons notre destination en arrivant, dit Berthollet. C'est une expédition-mystère. »

Dolomieu croit comprendre qu'il s'agit des Indes. On va les reprendre aux Anglais. D'un pas distrait, il sort du vieux Louvre, un bâtiment assez délabré où l'Institut a remplacé les rois, et franchit le Pont Neuf, sans y acheter l'une des chansons nouvelles que l'on y propose. Mars fait des farces dans le ciel de Paris.

Les Indes, vraiment, à quarante-sept ans sonnés ? « Il y aura une gloire énorme à ramasser », promet Berthollet. Et Dolomieu de repasser dans sa tête la liste des savants déjà recrutés, presque tous plus jeunes que lui.

Il se fait envoyer un peu d'argent, obtient d'être accompagné de son jeune disciple Louis Cordier, écrit une lettre embarrassée à Mlle Thyrion. Une première feuille de route lui parvient, à destination de Bordeaux. Puis une autre pour Toulon. Arrêt en Charolais, où la chère Alexandrine vient de donner le jour à un jeune gaillard prénommé Déodat. De là, on rallie Lyon à pied. Le Rhône est couvert de bateaux plats qui portent des soldats, des chevaux, des pièces d'artillerie.

Pendant ce temps, l'armée française a réglé son compte à la cité de Rome. Un autre collègue de l'Institut, Monge, s'est chargé de déménager les œuvres d'art. Dolomieu fronce le sourcil. Il a aimé cette ville, et quelques-unes de ses habitantes. Quand les soldats de la liberté cesseront-ils de se conduire en soudards ?

A Toulon, Brueys a ramené de Corfou une escadre franco-vénitienne, que l'on travaille à transformer en Invincible Armada. Tout ce qui flotte est réquisitionné, rafistolé. On a des bateaux pris à Gênes, des bateaux pris au pape. C'est à qui clouera une dernière planche, passera une dernière couche de peinture.

« Tout cela ne remplacera pas ce que les Anglais nous ont brûlé », soupirent les vieux loups de mer.

Ici même, en l'an II de la République, avec l'aide d'une bande de coquins, d'émigrés et accessoirement de chevaliers de Malte... Faute de retrouver d'aussi beaux vaisseaux, on se rattrape sur la quantité.

En fait de navires de charge, on embauche tous les neutres qui se présentent, Suédois, Danois, Siciliens, voire Autrichiens (en fait des Dalmates). Puisque nous sommes en paix avec l'Autriche, profitons-en, cela ne durera guère. Dolomieu se promène sur les quais, tend l'oreille. Les équipages de l'*Antonin* et de la *Religion* sont encore à terre, en train de préparer leurs hardes. La grand-hune du *Hasard* est pourrie. Bah, on ne coulera pas pour si peu.

Sans trop de surprise, Dolomieu tombe sur Dupetit-Thouars, qui va commander une partie de cette flotte. C'était son meilleur élève, au collège militaire de La Flèche.

« Vous rappelez-vous cette fugue, avec un camarade ? On vous avait retrouvés endormis dans une haie.

— Nous voulions nous embarquer comme mousses à Nantes, avoue Dupetit-Thouars en riant. Voilà où mène la lecture de *Robinson Crusoé !* »

Depuis lors, le fugueur a beaucoup bourlingué. Il a aussi couru, avec Dolomieu, les guinguettes des bords de la Seine.

« Vous partagerez ma cabine, annonce-t-il. Je l'exige.

— Mon cher, objecte Berthollet, la place de Dolomieu est auprès du général en chef. »

Dolomieu laisse dire ; il n'a jamais goûté l'embrigadement. D'un œil amusé, il lit les rôles de l'expédition : vingt et un mathématiciens, quinze naturalistes (c'est le lot où il figure), quinze géographes, vingt et un maréchaux-ferrants... Les tartanes seront de vraies écuries flottantes. Le tout s'appelle encore armée d'Angleterre, et chaque soir, en conséquence, la musique du port joue la *Marche d'Angleterre.*

Bonaparte arrive enfin, dans une vague d'enthousiasme. Il s'installe sur le vaisseau amiral, un des plus gros que les mers aient jamais porté : l'*Orient,* cent vingt canons, construit juste avant la Révolution, rebaptisé de frais. Des canons, le *Tonnant* de Dupetit-Thouars n'en a que quatre-vingts, une misère en comparaison.

Dans la suite du général en chef, Dolomieu retrouve Étienne Poussielgue, devenu trésorier de l'expédition. Lui, il l'a connu en Corse, tout jeune commis des domaines royaux, à l'occasion d'une récolte de cailloux. Ce Poussielgue lui donne des nouvelles de Malte, sur le mode humoristique. Dolomieu se souvient alors des lettres de recommandation que les agents de Talleyrand lui ont soutirées naguère, au profit du même Poussielgue. Il se souvient aussi du capucin maltais Zammit, défroqué, réfugié à Paris, qui a inondé le Directoire de mémoires contre ses anciens maîtres.

Et soudain, le soupçon douloureux se fait jour dans son esprit. Pourquoi le but véritable de Bonaparte ne serait-il pas Malte ? Une proie tentante. Un nid d'aristocrates à détruire.

« Très peu pour moi, dit Dolomieu. J'ai été membre de l'Ordre. Je reste à terre.

— Vous plaisantez, dit Dupetit-Thouars. Si nous allions à Malte, je le saurais bien !

— Bonaparte est un homme de grandes conquêtes, appuie

l'intendant général. Il lui faut de vastes espaces. Que ferait-il du rocher de Malte ! »

Rassuré, Dolomieu remonte à bord, écrit à son copain Ransijat. Là-bas, on a dû entendre parler de cette formidable campagne qui se prépare. On doit trembler. N'ayez crainte, mes amis, ce coup n'est point pour vous.

Le pli est confié à un marchand qui cingle vers le sud.

Le 18 mai enfin (ancien style), à cinq heures du soir, on bat la générale dans les rues de Toulon, pour rappeler les permissionnaires. Les premiers navires s'ébranlent à l'aube. L'immense convoi défile lentement devant l'*Orient.*

« Ce n'est qu'un début, jubile Dupetit-Thouars. Trois autres convois vont nous rejoindre, l'un partant de Gênes, l'autre de Corse, le dernier de Civitavecchia, l'ancien port du pape. Nous aurons en tout trois cent trente bateaux et cinquante-quatre mille hommes, y compris les marins de commerce. »

Jamais on n'aura vu sur les mers expédition si nombreuse.

Chaque matin, Dupetit-Thouars vérifie que ses hommes se rincent la bouche, conformément aux instructions du général en chef. Puis il regagne sa cabine et griffonne la suite d'un roman sur des amourettes de garnison. Dolomieu propose son concours en riant :

« Réunissons nos deux expériences. »

La Corse paraît à l'horizon, suivie de la Sardaigne. Une bande de dauphins vient reconnaître la flotte, repart rendre compte à Neptune. L'on contourne une Sicile suspecte, à qui l'on ne veut demander aucun service.

Et, au matin du vingtième jour, une escadre au repos paraît dans les lorgnettes : le convoi numéro quatre, qui avait pris de l'avance. Non loin de là se dessine une côte, une silhouette basse bien connue, avec des clochers et des fortifications.

« Je suis trahi, s'écrie Dolomieu.

— Mais non, dit Dupetit-Thouars. Pourquoi la marine française n'aurait-elle pas le droit de faire de l'eau à Malte ? »

***

Rastatt, délicieux palais rose des margraves de Bade, avec ses statues songeuses, et ses balustrades au-dessus des jardins...

C'est là que tenaient congrès les très nombreux États de l'Empire germanique. La France avait dépouillé certains d'entre eux, il s'agissait de les indemniser. Bref, de refaire la carte de l'Allemagne. Déjà, les gros s'apprêtaient à manger les petits.

L'Ordre de Malte avait conservé, sur la rive droite du Rhin, des possessions intéressantes. Quel allait être leur sort, à ce banquet ? Chair ou poisson ?

« J'ai une idée », dit Gabriel de Bray.

Un ancien page du grand maître Rohan, admis dans l'Ordre comme simple servant d'armes, parce que sa famille n'était pas assez noble pour faire de lui un chevalier. A la chute de Louis XVI, qu'il servait comme diplomate, il était repassé au service du grand maître : d'où son titre de commandeur, qui cachait assez bien ses ascendances médiocres.

Son idée consistait à fusionner l'Ordre de Saint-Jean avec celui des Teutoniques. Ceux-ci avaient eux aussi des propriétés, en Franconie, en Souabe, en Rhénanie — mais n'en faisaient pas grand-chose. Ces ressources oisives seraient les bienvenues à La Valette.

Bien entendu, l'archevêque de Cologne, grand maître des Teutoniques, pourrait conserver son titre sa vie durant. La fusion ne deviendrait totale qu'après sa mort.

De Bray avait l'appui de la Bavière, où le frère de Hompesch administrait les finances. Et le soutien du petit duché de Berg, autre zone d'influence de la famille Hompesch. Restait à convaincre le grand nombre. De groupe en groupe, il colportait son projet. Il flattait, il exhortait, il rassurait.

« Nous, disaient les Français, ces histoires féodales nous importent peu. Faites pour le mieux. »

C'étaient de petits plumitifs promus par la Révolution. La France voulait jouer les médiatrices à Rastatt. Mais la noblesse germanique snobait ces minables. Un seul congressiste s'occupait d'eux, un seul leur tapait dans le dos et baisait la main de leurs épouses : De Bray.

Mine de rien, ils appréciaient ces égards venant d'un aristocrate, d'un chevalier de Malte. Car, bien sûr, ils le croyaient chevalier. Un soir, devant une bouteille de vin du Rhin, l'on se déboutonna :

« Votre général Bonaparte prépare une énorme expédition à Toulon, remarqua De Bray.

— Or ça, pour une expédition, c'est une expédition.

— Qui vise-t-il ? Constantinople ? L'Angleterre *via* Gibraltar ?

— Il ne m'étonnerait pas que Malte fût concernée par cette affaire », répondit l'un des secrétaires en regardant De Bray dans les yeux.

Dès le départ de ses invités, celui-ci réveilla le chef de la délégation de l'Ordre, un vieux bailli allemand. Dare-dare, on rédigea une lettre. Le bailli se lamentait. De Bray tenta de l'apaiser :

« N'ayez crainte, Malte est le boulevard[1] de la chrétienté. »

Formule éculée entre toutes.

« Boulevard, certes, répétait le bailli. Mais quelle masse d'ennemis !

— Malte ne sera pas isolée. La flotte anglaise est de retour en Méditerranée. »

De Bray chiffra la dépêche, et promit la forte somme au messager, pourvu qu'il allât ventre à terre. Sans prétendre égaler Bonaparte, l'ancien servant d'armes venait, à trente-trois ans, de réussir un joli coup.

La lune s'était cachée dans les arbres. Le printemps capiteux et tardif des pays du Rhin embaumait le parc du château.

En ce début de juin 1798, la température de l'île demeure clémente. Les jardins, la campagne ont sauvé quelques fleurs. Et pourtant, le bailli de Loras dort mal. Des rêves lourds l'éveillent au fort de la nuit. Comble d'infortune : sa bosse, jusque-là sa meilleure amie, sa conseillère, sa bosse bien-aimée se met à le faire souffrir.

Un beau matin, au réveil, comme une plaisanterie, Malte découvre une nouvelle escadre française embossée devant son port !

Mais c'est du bric et du broc. Les experts ont notamment reconnu deux demi-galères de fabrication maltaise, volées au

1. Au sens de bastion.

pape : les ci-devant *Santa-Ferma* et *Santa-Lucia*. Les voilà donc revenues au bercail. Les hautes autorités décident de ne point s'émouvoir.

« Vous avez bien vu, en mars. Les Français sont passés sans esclandre. »

Cette fois, le général qui les commande s'appelle Desaix : alias Des Aix de Veygoux, nom bien connu dans la noblesse d'Auvergne. Il est apparenté à Ransijat et à quelques autres. Tout cela devrait rassurer. La bosse ne veut rien savoir. Elle accable son propriétaire d'élancements douloureux.

Loras se rend en tapinois à la chancellerie française du grand maître. Il l'a dirigée longtemps, il s'y considère toujours comme chez lui. D'ailleurs elle est animée par un ancien sergent, un homme sorti de rien, qui lui doit sa carrière :

« Mon cher Doublet, quelque chose va de travers. Mes pressentiments ne m'ont jamais trompé. »

Sauf peut-être dans l'affaire Cagliostro. Et encore ! Cagliostro était un visionnaire, un sourcier des forces obscures ; on aurait dû mieux l'écouter.

« Dites-moi tout, insiste Loras, en passant un mouchoir de soie violette sur ses tempes trop chaudes.

— Nous avons reçu une missive d'Allemagne, avoue Doublet. De Rastatt. Il paraît que Bonaparte s'apprête à nous attaquer.

— C'était donc cela ! Je le sentais bien dans l'air. Et que fait le grand maître ?

— Son Altesse a enfermé la dépêche dans un tiroir. »

Loras se dresse comme un ressort :

« Elle en répondra devant le tribunal de Dieu !

— Sans doute a-t-elle ses raisons, objecte Doublet d'un air philosophe. Il circule tant de fausses nouvelles. Monseigneur n'aura pas voulu nous alarmer pour rien, comme lors du passage de la flotte Brueys.

— Pour rien, pour rien, grommelle Loras. Qui sait ce qui serait advenu, si nous n'avions donné l'alarme générale ? »

Il resserre les boucles de ses souliers.

« Je cours demander audience au grand maître.

— Pour l'amour de Dieu, dit Doublet, ne me compromettez pas. D'ailleurs, sauf votre respect, je doute que l'on vous reçoive. »

Le bailli sort en grésillant d'impatience. Si, le grand maître le recevra ! Qui donc est chargé de la défense terrestre, nom d'une pipe ? Lui, Loras, maréchal de l'Ordre, chef de la Langue d'Auvergne.

Hompesch le laisse venir — plus grand, plus froid que jamais, et lui tend une lettre. Celle de Rastatt ? Non, une autre.

« Voici ce que m'écrit le général Desaix. Il va m'envoyer quelques petits bâtiments prendre de l'eau. Comment refuser ?

— Certes, dit Loras. Mais quelles précautions comptez-vous adopter ? »

On ne l'a toujours pas invité à s'asseoir.

« La congrégation des guerres en délibère, répond lentement Hompesch, exagérant à plaisir son accent tudesque.

— C'est trop fort ! s'écrie Loras. La congrégation n'a aucun pouvoir. La responsabilité, c'est moi qui l'exerce.

— La congrégation a ma confiance. Vous-même, d'ailleurs, en d'autres temps, vous avez tout fait pour asseoir sa compétence. »

Oui, parce que cela gênait l'ennemi Dolomieu. Et maintenant, voici l'arroseur arrosé.

Dans la cour du palais, Loras tombe sur Ransijat, qui joue les importants. Par un navire de commerce, Ransijat a reçu une lettre de Toulon, signée de Dolomieu, justement. Que de lettres !

« Lisez vous-même. Malte n'est pas visée.

— Ce ne serait pas la première erreur de votre ami Dolomieu », objecte Loras.

Il descend les degrés jusqu'au grand port. Un aviso de Desaix s'y trouve déjà, avec des échelles de siège amarrées à ses flancs — du genre dont on se sert pour escalader les remparts.

« Que diable veulent-ils faire de ces échelles ? demande Loras.

— Les matelots disent qu'ils vont à Constantinople. »

Pour un peu, ils réclameraient l'alliance de l'Ordre contre les Turcs. De plus en plus perplexe, Loras remonte l'escalier Saint-Jean. Le voilà pris d'une syncope. Un passant doit le soutenir.

« Qu'on me porte à la congrégation des guerres ! »

Justement, ces penseurs militaires ont fini de délibérer. Un à un, ils sortent de la salle des séances. L'ingénieur Tousard, fort de sa science balistique et de ses opinions tricolores — haï pour la promotion fulgurante dont il a bénéficié. Le bailli de Neveu, colonel des chasseurs, chéri de ses soldats maltais, mais un peu trop porté sur la bouteille. Le bailli de Souza, si nul qu'il a fallu lui retirer la gestion de ses commanderies. Ah, elle est belle, la congrégation des guerres !

Dans tout cela, Loras compte un seul allié, et encore avec beaucoup de distance : M. de L.T.D.P.M., ancien général des galères.

« J'ai plaidé pour donner l'alerte, dit cet homme de fer. Et pour distribuer des armes. On m'a répondu que cela irriterait gratuitement les Français.

— Les carmagnols, corrige Loras.

— Tousard nous a ressorti sa théorie selon laquelle il faudrait abandonner la campagne et replier nos forces à l'intérieur des remparts.

— Naturellement, dit Loras. Tousard veut livrer nos chers Maltais à ses amis politiques. »

Au reste, sa thèse a déjà été examinée, dès l'apparition du danger français, en 1793. Elle a été repoussée. Il n'y a pas à y revenir.

En ce jeudi de la Fête-Dieu, le grand maître tient à présider quand même la procession. Environné d'enfants de chœur qui jettent des pétales, précédé d'une cinquantaine de prêtres qui balancent des encensoirs en chantant des hymnes, et suivi d'une troupe de vieilles femmes, il avance sous son dais, long, gauche et pensif, réchappé d'on ne sait quel Moyen Age. En tant que chef de Langue, Loras devrait marcher à ses côtés, mais il n'en a pas le cœur aujourd'hui. Leurs regards se croisent, avec une nuance de reproche réciproque.

« *Lauda Jerusalem...* », chantent inlassablement les processionnaires.

Loras entre au Café des Chevaliers, demande un remontant. Désolé, *signor bali,* nous ne servons plus durant les heures de procession. Ordre de Son Altesse.

« Très bien, dit Loras à la cantonade. Je vais mettre la ville en état de défense. »

Sitôt la cérémonie finie, Son Altesse s'est enfermée au palais. Elle ne veut plus voir personne. Il paraît qu'elle prie.

Et les Français ? Mon Dieu, ils se gorgent d'eau. De même le lendemain, qui est un vendredi.

« J'aimerais une bonne bourrasque, dit Loras, pour disperser ces lascars-là. »

Au lieu de se disperser, soudain, ils se renforcent, ô combien. Durant la matinée du samedi 9 juin, c'est une véritable forêt flottante que découvrent les Maltais ébahis. Desaix et ses gens n'étaient qu'une avant-garde, une amusette. Un immense demi-cercle naval enserre à présent la principauté, depuis l'île du Goze, sur la gauche, jusqu'aux abords de Marsa-Sirocco, que l'on ne peut discerner. Sur le rempart, des gosses proposent une longue-vue pour un tarin les cinq minutes. Partout des mâts, partout des voiles. Vaisseaux armés en guerre, vaisseaux armés en flûtes, frégates, corvettes, galiotes, brigantines, bricks, tartanes, goélettes, pinques, polacres, chebecs, voliches, éperonniers, felouques, chaloupes et barques pontées.

« Encore pire que les Turcs ! » s'écrient les anciens, qui font semblant de se souvenir du grand siège.

Et un nom se répand dans la ville comme une traînée de poudre : Bonaparte. Que veut-il donc, ce dieu de la guerre ?

Comme à plaisir, les Français prolongent l'incertitude. Certains pêcheurs, qui ne laissent jamais passer une occasion de commerce, sont allés leur proposer du tabac. Une frégate se détache enfin de la ligne de front, s'approche des forts. On ne tire pas, bien sûr, ce serait tenter le sort. La frégate émet un canot, qui accoste au môle de Santé.

Une lettre a été déposée. Encore une. Est-ce pour le grand maître ? Non, c'est pour Caruson, le consul de France. Ce minable qui, l'année dernière encore, délivrait aux chevaliers des certificats de complaisance.

« Caruson est sorti de sa maison, dit la rumeur publique.

— Caruson se rend au palais. »

De l'Auberge d'Auvergne, Loras le voit passer, l'air solennel, la cocarde tricolore en évidence sur son chapeau. Il se précipite sur ses traces.

« Le général Bonaparte et sa flotte, expose Caruson au grand maître, demandent à faire escale dans les ports de l'île, sans restrictions ni conditions. »

Exigence contraire à tout le savoir-vivre international. Cette fois, *il gran maestro* est bien contraint de convoquer le conseil. Il envoie chercher les baillis disponibles. Les animaux de tapisserie continuent de cabrioler aux murs de la salle, comme si de rien n'était. Hompesch s'assied, promène un regard inexpressif :

« Messieurs, l'heure est grave.

— Elle l'est même depuis trois jours », grince Loras.

Aussitôt, les commentaires fusent. Comment recevoir dans le port toute cette armada ? D'ailleurs, une fois que les troupes auront débarqué en ville, on ne contrôlera plus la situation. Les Français seront les maîtres. Non, non à ce piège grossier.

Sans compter que Malte doit observer les lois de la neutralité. Sinon, les Anglais seraient fondés à exercer des représailles.

« Pas plus de quatre vaisseaux à la fois, précise le bailli des Pennes, qui ne manque jamais d'étaler ses connaissances diplomatiques. Traité d'Utrecht, article treize. »

Le vieux commandeur Vargas se lève, lit une longue plaidoirie. C'est le lieutenant de Castille ; il continue visiblement de suivre les consignes de Madrid. Un rejet de la demande de Bonaparte, explique-t-il, serait très mal pris, et déclencherait des hostilités aux conséquences incalculables. Les dernières chances de parvenir à un compromis sur les biens français de l'Ordre se trouveraient anéanties...

« Vous, tenir un tel langage ! coupe Loras. Vous me faites de la peine.

— Nous avons défendu la Terre sainte comme des lions, dit le prince Camille. Nous avons défendu Rhodes comme des tigres. Ici même, nous avons rejeté à la mer l'armée ottomane, qui était la première du monde. Ce n'est pas pour capituler devant les exigences d'un aventurier corse. »

Suivi d'une partie du conseil, Hompesch se rend dans l'antichambre où Caruson continue d'attendre, l'air suffisant, le chapeau sur les genoux.

« Monsieur le consul, si les Français veulent de l'eau, ils en auront tant que nos sources en fourniront. S'ils veulent faire escale, ils pourront nous envoyer quatre bâtiments à la fois.

— A cette cadence, on mettrait des semaines ! » objecte le consul en levant les bras au ciel.

Son chapeau est tombé. Un chevalier s'abaisse à le ramasser.

« Si les Français, continue Hompesch, désirent que leurs

malades soient soignés dans notre hôpital, ils le seront bien volontiers.

— Les Français n'ont pas de malades, ironise Loras.

— Voilà, j'ai répondu, dit Hompesch. A mon grand regret, les lois de la guerre m'interdisent d'accorder davangage. »

Caruson fait un pas vers la sortie, se ravise :

« Votre réponse, monseigneur, est si extraordinaire qu'on ne voudra pas me croire. Puis-je avoir un écrit ?

— Il faudra bien qu'on vous croie », réplique Hompesch.

Les curieux se sont massés aux abords du palais. Les gardes fraient un passage au consul. Il descend les degrés Saint-Jean, pousse jusqu'au môle de Santé, s'embarque dans le canot français. Sur le toit du palais, les esclaves de bronze viennent de frapper quatre heures de l'après-midi.

« Alerte générale », annonce le grand maître en un soupir. Et il ajoute, se tournant vers Loras : « Monsieur le maréchal, vous veillerez personnellement à faire sonner les cloches. »

Certaines personnes, on ne sait pourquoi, se mettent alors à rire.

Bonaparte repose la lorgnette, s'appuie au bastingage :

« On n'y voit goutte encore. Il paraît que c'est Malte. »

Mais l'aide de camp Sulkowski la voit, lui, à travers la brume de cette matinée. Un empilement d'églises, de palais, de remparts et de blasons. Malte la fabuleuse, qu'il a connue au cours d'une vie antérieure.

« Prendrez-vous cette île, mon général ? »

Bonaparte semble plus nerveux qu'à l'accoutumée. Il s'est écorché un bouton au coin de la lèvre.

« C'est selon, répond-il. Le Directoire me le permet, si l'occasion s'en présente. Poussielgue prétend que la place est trop forte. Nous verrons bien. »

Dans les mâtures de l'*Orient*, la manœuvre a commencé. Le convoi suspend sa marche. C'est miracle, avec toutes ces embarcations, qu'il n'y ait pas de carambolages en mer.

Le Polonais Joseph Sulkowski a rejoint l'armée française en Italie. Blond comme les blés, les yeux de lin, l'air encore d'un enfant. « Joli comme une fille », disent les fâcheux, qui l'obligent ainsi à en rajouter dans l'héroïsme. C'est l'une des mascottes de l'expédition. Bonaparte, parfois, lui confie des miettes de sa pensée profonde.

« Savez-vous, mon général, que j'ai été chevalier de Malte, moi aussi ? Chevalier pour rire. Tout gamin, je défilais dans les cérémonies de Varsovie, portant sur mon manteau la croix à huit pointes.

— Vraiment ? s'étonne Bonaparte.

— Mon vieil oncle était prince. Il avait fondé une commanderie de famille, qui devait me revenir. Mais quand il est mort, un autre oncle m'a pris cet héritage.

— Eh bien Sulkowski, plaisante Bonaparte, si vous m'aviez révélé ce passé, jamais je ne vous aurais embauché. »

Encore le jeune homme passe-t-il sous silence son voyage jusqu'à Versailles, toujours avec son vieil oncle et sa croix de Saint-Jean. La reine Marie-Antoinette l'avait pris sur ses genoux : « Quel amour d'enfant ! »

A présent, le voici sur une flotte où il ne devrait pas se trouver, compte tenu de ses attaches avec l'Ordre. Mais il n'est pas le seul dans ce cas. On a embarqué aussi le savant Dolomieu, et Barras junior, déçu dans ses ambitions parisiennes, et Picot-Dampierre, autre combattant d'Italie, et un certain Tressemanes, dont la famille n'a pas fourni moins de vingt-deux membres à l'Ordre. Aucun de ces camarades ne sait que l'on va attaquer la maison-mère.

Perchée sur un cordage, une mouette reluque les deux hommes. « Si je puis l'approcher de trois pas sans qu'elle s'envole, se dit Sulkowski, ce sera la gloire. » Il s'avance, elle ne bouge pas. « Encore un pas, et ce sera le bonheur. » Alors l'oiseau prend son essor, vire sur l'aile et se dirige vers sa terre natale. En somme, la gloire sans le bonheur : logique.

Bonaparte a vu le manège. Il se met à rire, tape sur l'épaule de l'aide de camp :

« Nous autres anciens nobles, nous avons nos petits secrets. »

Puis se ravise :

« Bien entendu, Sulkowski, si cela vous fait deuil de combattre vos anciens confrères, vous pourrez rester à bord. Vous vous rattraperez en Orient.

— Pas question, mon général. Je n'ai jamais prononcé de vœux. »

Aujourd'hui, les vrais chevaliers ne sont plus à Malte. Ce sont les officiers et les soldats de la République.

Mais dans tous ces forts que l'on découvre, et qui pointent leurs canons vers la flotte, il y a des jeunes gens comme lui, dont le cœur se remplit d'angoisse.

« Malte vous plaît-elle ? demande Bonaparte en embrassant le paysage. Si elle vous plaît, je la fais nôtre. »

Dites ce que vous voudrez de la marine de l'Ordre, sauf qu'elle ne sait pas faire la police. Sortis du port au milieu d'avril, le vaisseau *Saint-Zacharie* et la frégate *Sainte-Élisabeth* interceptent un chebec tunisien devant l'île de Goze : quatre-vingt-quinze prisonniers. De longtemps, on n'avait eu pareille fête. Voilà de quoi regarnir le bagne.

Puis tout le mois de mai, bredouilles, à croiser dans le détroit de Sicile.

« Nous nous ennuyons, avoue Antoine.

— Vous devriez vous réjouir au contraire, dit le bailli Saint-Trop'. Nous sommes si efficaces que le Barbaresque n'ose plus paraître. »

Le jeudi 7 juin, fini de rire. Un éperonnier maltais rejoint l'escadron. Grave menace étrangère. Prière de rentrer.

« Simple exercice d'alerte », opinent certains.

Hélas non : un groupe de bâtiments à pavillon tricolore bloque l'entrée du port. La guerre est-elle déclarée ? Va-t-on pouvoir passer quand même ? Sur tous les huniers, des marins français observent ceux qui approchent.

« En avant », s'écrie M. de Saint-Trop', comme à Salamine.

Et rien de fâcheux n'arrive. Pas un coup de feu. Les deux navires de l'Ordre coupent tranquillement la ligne adverse. Échange de saluts. Antoine empoigne un porte-voix :

« Où allez-vous donc, citoyens ? »

Une acclamation lui répond :

« En Angleterre ! »

On s'est fait tout petit, mais on est arrivé. Avec un soupir de soulagement, on amarre les deux bateaux à leur quai, le long de la cité La Sengle.

« Ces Français n'ont pas de mauvaises intentions, explique Antoine à qui veut l'entendre. Ils auraient pu nous capturer sans peine. »

Il apaise aussi Lucija, venue aux nouvelles, et très inquiète des atrocités qui se colportent sur le compte des sans-culottes.

Le lendemain, l'arrivée de l'immense flotte française rend un peu penaud l'auteur de ces déclarations rassurantes. Avec ses camarades, il passe sa journée consigné au poste de commandement des vaisseaux.

« Je n'ai rien contre Bonaparte, proclame-t-il.

— La question n'est pas là, se moque un ancien. Elle est de savoir ce que Bonaparte a contre nous.

— Son esbroufe me laisse froid, dit Saint-Trop'. Jamais ces gens n'oseront attaquer nos défenses, les plus fortes de Méditerranée, voyons ! »

Mais l'attente est malsaine. Il faudrait, une bonne fois, en découdre avec ces indésirables.

Et Antoine ressent une sorte de libération lorsque, en milieu d'après-midi, le tocsin se fait entendre.

Construite par le grand maître du même nom, la cité de La Sengle s'enfonce dans la rade comme un doigt. L'extrémité de ce doigt porte le poste de commandement des vaisseaux. Antoine descend sur le bastion, va jusqu'à la guérite de pierre, où la fantaisie du maître d'œuvre a fait graver un œil et une énorme oreille, pour rappeler leurs devoirs aux sentinelles. Depuis la veille au soir, venant de la grande poudrière, des barques sillonnent le port, pleines de gargousses d'artillerie. Chaque fort en aura sa part : Saint-Elme, Saint-Ange, Ricasoli, et même le fort Manoël, dans le bassin des quarantaines.

Antoine pivote sur ses talons, enfile une rue, passe devant l'église de La Sengle, dont la façade commémore des dizaines de chevaliers tués par les Turcs. Mais par une coquetterie bizarre, le graveur, au lieu de désigner ceux-ci par leur nom, les a nommés *Thracibus.* Comment appellera-t-on les assaillants français, dans la prochaine inscription ?

En cette péninsule, les rumeurs arrivent amplifiées. On dit que Ransijat s'est constitué prisonnier. On dit que Cotoner, l'Aragonais, petit-neveu de deux grands maîtres, a lui aussi refusé de servir, et que le commandant du fort Ricasoli a dû le mettre aux fers.

Mieux encore, les Français ont débarqué à Saint-Georges ; mauvais mouillage, où ils ne pourront décharger leur matériel. Sans doute vont-ils expédier leur artillerie vers Saint-Julien, le port le plus proche. Afin de gêner leurs mouvements, le vieil Annibal de Sobirats décide une expédition avec des galiotes, bâtiments de faible tirant d'eau, qui pourront naviguer au plus près de la côte. Antoine se porte volontaire.

Sitôt passé le phare de Saint-Elme, il découvre l'immense escadre, trop lointaine pour être dangereuse. Le drapeau tricolore flotte déjà sur Saint-Julien, pris par voie de terre. L'approche des galiotes fait fuir quelques chaloupes françaises, qui s'apprêtaient à y aborder. On se donne le plaisir d'en couler une, histoire de voir barboter les soldats de la République. Une autre barque française les recueille : plus de peur que de mal. Là-bas, sur les remparts de La Valette, les spectateurs regardent comme aux régates.

Mais Sobirats se rembrunit. Des corvettes tricolores s'approchent par-derrière. Le feu du petit fort Tigné ne suffira point à les tenir en respect. La retraite va être coupée.

« Si vous m'aimez, les enfants, faites demi-tour pendant qu'il est encore temps. »

On est sorti, on s'est un peu battu, on est rentré : l'honneur est sauf.

A La Sengle, Antoine trouve une Lucija fort émue. La population voit des traîtres partout. Elle a lynché deux commerçants français dans leur boutique, les a laissés pour morts, sans que le chevalier du guet s'interpose. Le tort de ces malheureux était d'avoir mis des cocardes tricolores à leurs chapeaux, durant les mois précédents. Mais ils n'avaient qu'imité l'exemple du consul Caruson, autorisé par le grand maître.

Puis la populace s'en est prise à un équipage grec venu de Corfou. Des sujets français — depuis l'an dernier — et donc des suspects. Là encore, on a relevé des morts.

Enfin, pour faire bonne mesure, on s'est attaqué à des esclaves libérés, dont la rançon venait d'être payée, et qui attendaient le bateau de Tunis !

« Rentre à la maison, ordonne Antoine. Ta mère va croire qu'il t'est arrivé malheur. »

Mais toute seule, Lucija n'ose pas chercher une barque.

« Monsieur de Saint-Exupéry, intervient le bailli Saint-Trop', ce n'est vraiment pas le moment de vous occuper de votre petite amie, qui est au demeurant charmante. Bonsoir mademoiselle. »

Interloquée, la petite fond en larmes. Elle obtient de rester jusqu'à la fin des fusillades. Où tire-t-on, d'ailleurs ? En ville ? Sur les remparts ? Hors des remparts ? Personne ne sait plus. Saint-Trop' craint pour la sécurité du poste, qui pourtant se trouve au centre d'un amphithéâtre d'enceintes successives.

« Comptons-les ensemble, lui propose-t-on. *Primo,* la Cotonère. »

Énorme ouvrage qui enveloppe tous les quartiers de l'est. On l'a confié à un pur, le bailli de L.T.D.P.M.

« Cette Cotonère n'a jamais été terminée, ronchonne Saint-Trop'. Elle n'a pas de fossé. On peut l'escalader avec des échelles.

— Encore faut-il que l'ennemi les débarque, ces échelles, et les traîne sur deux lieues. Rien à craindre avant demain matin.

— Qu'en savez-vous, avec ces diables d'hommes ?

— Deuxième défense, continue Antoine, le rempart Sainte-Marguerite.

— Totalement dépourvu de canons, triomphe Saint-Trop'. Quant à y transporter ceux de la Cotonère, on n'en aura jamais le temps.

— *Tertio,* dit Antoine, le château de La Sengle. »

Ce n'est qu'une porte fortifiée, mais massive, sur un isthme étroit.

« Celle-là, nous la tiendrons, admet le bailli. A moins que les Maltais ne la livrent. »

Pour se changer les idées, l'on décide une partie de bésigue.

« En 1565, réattaque Antoine, nous avons résisté à quatre-vingt mille Ottomans.

— Vous y étiez ? explose le bailli. Vous les avez comptés ? »

Un domestique indigène sert le souper. Les légumes sont à moitié cuits.

« Vous voyez bien qu'on ne peut faire confiance aux Maltais », commente Saint-Trop' en repoussant son assiette.

Le couvre-feu s'abat sur La Valette et ses faubourgs. La pétarade continue, du côté de la Cotonère : pure manœuvre d'intimidation, sans doute, de la part des Français. Saint-Trop', d'une voix lasse, distribue les quarts de veille.

Et soudain, alors qu'il fait nuit noire :

« Mes amis, pas question de rester ici. Les tricolores sont en train de grimper à la Cotonère. Ils vont nous cueillir dans nos lits ! »

D'où lui vient cette certitude ? Antoine n'ose protester. On frète une barque. Un instant, la lueur des falots tire de l'ombre le *Saint-Zacharie* et la *Sainte-Élisabeth,* qui se balancent doucement le long du quai.

« Faut-il y mettre le feu ?

— Ah non, quand même pas », répond Saint-Trop' dans un élancement douloureux.

Voilà donc les deux navires livrés à l'ennemi. Les rames des fuyards clapotent dans l'eau noire. Par privilège, Lucija a été admise dans le canot des officiers. Elle pleure sans bruit.

« Ouvrez, s'écrie Saint-Trop' devant la porte de la Marine. C'est moi. C'est nous.

— Personne ne passe, répond un factionnaire maltais. Revenez demain matin.

— Bailli de Saint-Tropez, commandant des vaisseaux, accompagné de son état-major. »

Après dix minutes de vociférations, le vantail finit pas s'entrouvrir. Un petit homme gesticulant paraît sur le seuil : Loras.

« Qui êtes-vous, créatures de la nuit, qui portez l'uniforme des chevaliers ?

— Saint-Tropez. Vous ne me reconnaissez pas ? Êtes-vous devenu fou ?

— Retournez là-bas, dit Loras. Le chef suprême de la défense de Malte vous enjoint de mourir à vos postes. »

Le bailli Saint-Trop' baisse la tête, serre les poings, et entre dans la ville en bousculant cette espèce de marionnette.

Beau crâne, en vérité. André de Saint-Simon le soupèse, gratte un reste de terre. S'il manque la mandibule inférieure, et une partie des dents, le front et les tempes présentent des protubérances intéressantes. Dès l'âge des cavernes, l'on pouvait avoir la bosse de l'amour, ou celle de l'ambition.

« Je me réserve ce spécimen, dit le jeune chevalier.

— Servez-vous sans façon », répond le comte Ciantar-Paléologue.

Agé d'au moins quatre-vingts ans, ce noble maltais est le poète officiel de l'île. En compagnie de son fils, qui a soixante printemps de moins, et avec l'aide intermittente d'André de Saint-Simon, il en fouille le passé. Dans ce faubourg de La Valette, des ouvriers creusaient les fondations d'une maison. Ils sont tombés sur des chambres funéraires emplies de débris de squelettes. Un ossuaire du Moyen Age ?

« Regardez ceci », objecte Saint-Simon. Des défenses d'éléphants nains, espèce disparue de l'île depuis beau temps. Entassés à dix pieds sous terre, ces hommes et ces animaux datent d'avant les Romains, d'avant les Phéniciens peut-être. Et à cette époque obscure, Malte comptait déjà des milliers d'habitants ! Les mêmes, sans doute, qui ont levé ces énormes pierres, sur les falaises de l'île. Il ferait bon consacrer sa vie à percer ces énigmes, au lieu d'exercices militaires inutiles.

« Vous êtes en nage, mon pauvre ami, dit le comte Ciantar. Un coup de vin ? »

Saint-Simon s'assied sur ses talons, palpe une nouvelle fois les aspérités du crâne :

« Je suis sûr que c'était un grand personnage. »

Alors, comme offensées, les cloches du voisinage lancent un appel précipité : le tocsin, repris d'église en église, sur toute l'étendue de l'île. Depuis quelques jours, on redoutait de l'entendre. Douloureusement, il faut revenir à l'époque présente. Le jeune chevalier s'essuie le front, enfile son habit. On lui emballe son crâne dans un chiffon. Le soleil tape dur.

« A bientôt, j'espère, dit le vieux comte. Si nous trouvons des pièces intéressantes, nous vous les mettrons de côté. »

Saint-Sim, pour les camarades. Il traverse le faubourg à pied, se dirige vers l'une des poudrières. C'est là qu'il a donné rendez-vous, conformément au plan de mobilisation, à son sous-officier maltais et à une partie de ses hommes. Des baudets s'ébrouent dans un tumulte de gens qui courent. On se bouscule, on se dispute. Patience, il y en aura pour tout le monde.

« J'ai priorité, clame Saint-Simon. C'est moi qui vais le plus loin. »

Des armes sont arrimées sur les bêtes. Des fusils vieux de cinquante ans. Et cinq cartouches seulement par homme. Vous plaisantez ?

« Désolé, répond le chevalier de Bardonnenche, c'est un premier acompte. Le reste suivra. »

Directeur de l'artillerie, il préside lui-même au partage.

« Mais vous avez une provision énorme, proteste le jeune officier.

— Énorme et ancienne. La poudre s'est gâtée. »

Quel dommage que Malte n'ait pas été attaquée plus tôt ! Saint-Simon part avec ses bourricots, en penchant la tête. Certains responsables y mettraient-ils de la mauvaise volonté ? Pourtant, Bardonnenche est connu pour ses opinions monarchistes.

Le jeune homme n'a même pas eu le temps de repasser par l'Auberge de France, pour y prendre son nécessaire. Service d'abord. Bêtement, il porte à bout de bras son crâne préhistorique, qu'il ne voudrait pour rien au monde laisser perdre. Mais l'emballage se défait, la chose se montre, suscitant des curiosités diverses. Saint-Sim prie alors l'un des soldats de la porter dans sa musette — ce que l'autre refuse avec horreur.

Deux heures et demie de marche en perspective, jusqu'au poste à garder. Au bourg de Balzan, dans les terres, le gros de l'escouade attendait en fumant ou en parlotant. Pieds nus, dépenaillés, ces campagnards n'ont guère bonne mine. Saint-Sim fait l'appel. Il en manque quatre.

« Malades, expliquent les copains.

— Malades, avec ce beau soleil ? »

Vaine polémique. Un petit vent s'est levé, qui fait tournoyer la poussière. Là-bas, la mer grouille d'embarcations ennemies. La route descend vers les eaux turquoise de la baie de Saint-Paul. C'est là que s'arrête l'escouade précédente, commandée par l'un des frères La Panouse.

« Adieu Saint-Sim, s'écrie-t-il en brandissant son tricorne. Nous nous reverrons dans un monde meilleur.

— Trêve de sottises. »

La route remonte vers les Vieilles-Salines. Campée sur son promontoire, l'église est célèbre pour les ex-voto qu'y ont laissés les rescapés des naufrages — y compris plusieurs chevaliers. Puis l'on découvre une petite plage où les paysans ramassent des planches échouées. Selon les érudits, c'est ici qu'aurait coulé le bateau de l'apôtre Paul. Mais de cet accident-là, il ne reste point d'ex-voto, à moins que l'île tout entière n'en soit un.

Un raidillon se détache vers *Torr-il-Ahmar* — la Tour Rouge, point culminant de cette partie de Malte, que Saint-Simon a pour mission de tenir jusqu'à épuisement de l'ennemi. On dirait d'ailleurs une autre île, qui n'est point parvenue à se détacher tout à fait de la grande, à laquelle une profonde cicatrice la relie encore.

Saint-Simon n'est venu à cette tour qu'une seule fois — lors de l'alerte d'avril. En réalité, un fort à quatre tourelles, dont la peinture rouge s'écaille au vent du large. Une plaque de 1649 annonce qu'il fut construit par un bailli de Demandolx, sous le règne du grand maître Lascaris, de glorieuse mémoire. Une autre plaque, sans blague, avertit les voleurs qu'ils ne bénéficieront pas de l'immunité ecclésiastique. Apparemment, l'on craignait qu'ils ne confondissent cet ouvrage militaire avec une chapelle.

Juste au pied du fort, les bandouliers maltais se font cuire leur fricot du soir. Ils sont là toute l'année, eux, se relayant par pelotons. Dieu merci, on leur a laissé une provision de cartouches, mais petite, pour ne pas tenter les Barbaresques. Devant, à droite, à gauche, des garrigues dévalent jusqu'à la mer. Un beau lieu pour mourir.

Une échelle donne accès à la salle des gardes, unique pièce du fort. Obéissant à la consigne, certains hommes s'y installent pour la nuit. Les autres préfèrent rester en plein air, par cette douce soirée de juin. Saint-Sim poste des sentinelles.

« Les Français n'ont pas débarqué, objectent les hommes. Nous les aurions vus.

— Et s'ils débarquaient de nuit ?

— Ils n'oseront. Ils se rompraient le cou. »

Le jeune officier finit par obtenir gain de cause. Les règles sont les règles. Mais ces conciliabules en maltais l'exaspèrent. Il a toujours la sensation que l'on se moque de lui, et que l'on complote contre l'Ordre.

« Qu'est-ce que tu racontes encore, Wistin ? »

Augustin, dans leur sacré langage. Ce soldat bavard consent à se répéter en italien. Le curé de sa paroisse lui en a raconté de belles sur les Français : en Italie, ils ont pillé les églises, violé des nonnes, surtaxé les particuliers...

« Ils mangent les petits enfants !

— Jamais je n'ai ouï dire pareille chose, s'indigne M. de Saint-Simon.

— Vous protestez, *sinjur luogotenente,* répond Wistin avec un sourire, parce que vous êtes français vous aussi. »

Et le voilà soupçonné d'on ne sait quelle collusion. Qu'il le veuille ou non, il est plus proche des envahisseurs que de ces paysans frustes. D'ailleurs, au lieu de les galvaniser, le récit des horreurs jacobines ne fait qu'accroître leur peur.

Du haut de la terrasse, le lieutenant de Saint-Simon découvre le grand arc de la flotte française. Chaque navire a mis ses feux de position ; un immense serpent de lumière oscille et soupire au gré de la brise. Plus près, d'autres feux, amis ceux-là, ceux du petit port de Goze, et ceux de l'escouade qui bivouaque sur l'île de Cumin, commandée par le camarade chevalier de Vallin. Folie que de laisser des hommes en un endroit si exposé, avec une tourelle pour seul abri.

Et soudain, la mer crache des milliers de fusées, blanches, rouges, vertes, qui piquent droit dans le ciel, ou entrecroisent galamment leurs trajectoires. Une fête nautique comme l'île n'en a jamais connu. Hélas, ce sont les ordres de débarquement pour le lendemain matin. On aurait pu les donner à moindres frais, mais l'envahisseur veut impressionner les populations.

« Que se passe-t-il ? demandent les hommes.

— Rien, répond le lieutenant. Les Français fêtent la Saint-Bonaparte. »

Le calme est revenu sur les eaux. Le chien d'une ferme isolée jette quelques abois. Dans un ciel plein d'une sorte de tendresse, des étoiles plus nombreuses que d'habitude écrivent le destin de Malte.

« Au moins, j'aurai vu quelque chose de grand dans ma vie », se dit Saint-Sim.

La tête sur un sac de cartouches, il s'efforce de dormir. Mais obstinément, comme une promesse de mort prochaine, les visages de ses familiers, les quelques images fortes de son existence remontent des profondeurs.

Ce nom de Saint-Simon, il le porte au carré, par son père et par sa mère. Et cette dynastie descend de Charlemagne ; du moins le prétend-on, parchemins à l'appui. D'illustres origines, hélas, n'empêchent point de tirer le diable par la queue. Le fameux duc est mort sur un tas de mémoires, qu'on n'osera jamais publier. La branche ducale de la famille s'est éteinte. Le grand-oncle d'André, qui a failli devenir grand maître de l'Ordre, est maintenant représenté dans les bras d'un squelette, sur une dalle mortuaire de l'église Saint-Jean.

Quant au frère d'André — l'aîné de la famille, à présent[1] —, aux dernières nouvelles, il faisait fortune en vendant des églises à la bande noire. Il bradait des morceaux de Notre-Dame de Paris !

A chaque génération, néanmoins, cette lignée tumultueuse a trouvé le moyen de fournir un ou plusieurs chevaliers de Malte. Esprit fort, André n'y voit aucun signe d'élection divine. Mais cette persévérance le touche, comme une forme de beauté. « Plaise au ciel que cela continue », dit-il à Mme de Saint-Simon, dont le profil maternel se montre à lui dans un songe.

Dès l'aube, un milicien le réveille. Les Français débarquent. Leurs chaloupes se pressent sur la mer encore grise.

De l'autre côté du chenal, l'île de Goze dresse sa grande falaise. L'assaillant a dû y prendre pied, car le vent apporte le bruit de détonations.

De même pour l'île du Cumin, accroupie au pied de la Tour Rouge. A la lorgnette, ou à l'œil nu, l'on distingue les barques en train d'accoster, le fourmillement d'uniformes français, un début de mêlée. Puis plus rien. Malheureux chevalier de Vallin ! Il était brave, il aura voulu résister.

Mourir pour mourir, mourons propres. Ce matin, les Maltais se sont dispensés de toilette. Saint-Sim se débarbouille au moyen d'un verre d'eau — pas plus, car le fort ne dispose d'aucune source. Il a laissé son rasoir à l'Auberge de France. Le sous-officier lui prête le sien. Faute de miroir, André se coupe. Les hommes ricanent.

1. Le futur économiste Saint-Simon.

Puis il cherche son crâne préhistorique. Les miliciens ont jeté au loin cet objet porte-malheur. Ô barbarie !

Commençons à bourrer les fusils. L'un des soldats déchire le coin d'une cartouche avec ses dents. Un filet de poudre s'écoule, plus noir que gris.

« C'est de la terre, proteste-t-il.

— Ou du charbon, raille un autre.

— Nigauds, cela brûlera aussi bien », dit le lieutenant.

De la vieille poudre ordinaire mêlée de charbon de bois : voilà où a mené la politique d'économies.

Des uniformes étrangers sont signalés dans le ravin. Saint-Sim fait ouvrir le feu. Les intrus se tiennent à prudente distance. Mais la petite garnison se trouve cernée.

« Nous avons de quoi manger aujourd'hui, déclare un bandoulier. Que mangerons-nous demain ? »

Question insolite : le Maltais est censé se contenter d'un oignon pour sa journée. La chaleur monte. Plus un bruit du côté du Goze. La résistance aurait-elle déjà cessé ? Du côté de Saint-Paul, en revanche, quelques crépitements de mousqueterie. Et plus loin, dans l'intérieur de l'île, la voix joyeuse de cloches qui appellent à la messe. Eh oui, c'est dimanche !

« Les Français, assure quelqu'un, commencent à débarquer leur artillerie. »

Saint-Sim serre les poings. L'absurdité du plan de bataille devient éclatante. L'Ordre a dispersé ses forces dans l'île, à la merci d'un ennemi beaucoup plus nombreux. Alors qu'il fallait s'enfermer dans la ville, qui peut tenir des siècles. Mais bien sûr, on jugeait déshonorant d'évacuer le moindre pouce de territoire. On se faisait fort d'éviter aux villageois les viols et les pillages. Pour n'avoir rien voulu perdre, on perdra tout et le reste.

Ah, ces augures à courte vue, ces dignitaires pansus, ces stratèges qui n'ont jamais vu le feu ! Ils voudraient que leurs cadets se fissent tuer pour sauver leurs privilèges. Non merci, la jeunesse de l'Ordre a d'autres ambitions.

Des balles sont venues ricocher sur les pierres. Saint-Sim fait rentrer son monde à l'intérieur du fort. On tire l'échelle. *Madonna!* Ils ont touché un mulet. Quelque peu dérisoire, l'étendard de l'Ordre flotte bien haut dans le ciel bleu.

« Nous sommes si loin, murmure un soldat. Personne ne viendra nous délivrer. »

C'est l'évidence. Un sous-officier français paraît à découvert, secouant un mouchoir blanc. Un bandoulier l'ajuste. Saint-Sim dévie le coup.

« Rendez-vous, crie le sous-officier dans son porte-voix. Vous serez bien traités. »

Impassible, Saint-Sim traduit. Les hommes s'interrogent du regard. L'un d'eux arrache sa chemise, la plante au bout de son fusil, la brandit au créneau. Saint-Sim laisse faire.

« Sortez un par un, ordonne le porte-voix. Jetez vos fusils. »

Saint-Sim sort le dernier. Il a roulé l'étendard de l'Ordre autour de son bras.

« Minute, citoyen, dit le sous-officier. Ce linge ne t'appartient plus. Laisse-le-nous en souvenir. »

Et il déroule le drapeau. Il a une bonne bouille, avec de grosses moustaches jaunies de tabac.

« Français ? »

Saint-Simon répond d'un signe de tête.

« Ça fait quand même plaisir de se retrouver entre compatriotes, dit le sous-officier. Je suis de Montmorillon. Et toi ?

— Je suis picard.

— Môssieu avait son château en Picardie », commente le sous-officier en se tournant vers ses camarades.

Colonne par deux. Sous petite garde, l'escouade de Saint-Sim redescend dans la vallée, traverse un village. Tous les volets sont tirés, de crainte de rapines. Seules quelques vieilles, qui pensent n'avoir plus rien à craindre pour leur vertu, épient ce cortège de vaincus. Saint-Sim attire les regards, avec son habit rouge. Encore heureux qu'il ait cette estafilade de rasoir sur la figure, on va croire qu'il s'est battu.

« Tiens, un habit rouge ! s'exclame un soldat français de passage. Un Angliche ! »

A l'entrée de Mosta, un officier de la République arrête le petit convoi :

« Les soldats maltais sont libres. Ils peuvent rentrer chez eux. Nous ne faisons la guerre qu'à l'Ordre de Malte.

— Je voudrais bien savoir pourquoi, dit Saint-Sim.

— L'Ordre a favorisé les menées des aristocrates, répond l'autre, sûr de lui. Il s'est vendu aux Russes.

— Eh bien cherchez-les, ces Russes, répond Saint-Sim avec irritation. Vous n'en trouverez pas trois dans toute l'île. »

Il regrette presque d'avoir posé les armes. On lui offre de l'eau. Sottement, il refuse. Le convoi longe le mur d'un couvent de bonnes sœurs, dont s'échappent des cris. Pillages ? Ou pire ? Ici au moins, l'armée de Bonaparte confirme sa mauvaise réputation.

Le prisonnier est conduit dans une maison de notable. Il y trouve, assis sur un tabouret, le commandeur de Bizien, qui a été capturé aux Vieilles-Salines.

« Heureux de vous revoir, Saint-Simon. Je craignais que vous ne fussiez assez sot pour vous faire tuer. »

Bizien a été corsaire et otage des Turcs. Sans l'intervention du tsar, il croupirait encore en prison. Ces tribulations lui ont donné une certaine philosophie.

« Avez-vous des nouvelles de notre ami Vallin? demande Saint-Sim.

— J'ai le regret de vous apprendre qu'il a été égorgé et jeté à la mer. »

Pauvre chevalier de Vallin, lui qui riait toujours ! Un autre membre de l'Ordre se tient dans un coin, la tête entre les mains. Saint-Sim lui frappe sur l'épaule. C'est l'un des frères Beauregard.

« Les Maltais nous ont joliment lâchés.

— Dame ! dit Bizien. Pendant des années, nous leur avons dépeint les sans-culottes comme des brutes. Dès l'arrivée du croquemitaine, c'est la débandade. »

Il faut avouer aussi que les milices étaient mal préparées. Beaucoup ne connaissaient même pas leurs officiers, nommés de l'avant-veille.

Cependant, la pièce s'est remplie de gradés français qui parlent fort et posent des questions. Saint-Sim essaie d'être aimable, sans rien révéler de compromettant pour la défense de Malte. Bizien répond invariablement, dans un grand éclat de rire : « Nous sommes très nombreux, nous sommes très forts. »

« Citoyens, s'écrie un soldat, le général en chef. »

La foule chamarrée se fend pour laisser passer un petit homme maigre au teint jaune. Quoi, c'est cela, Bonaparte ? Ses cheveux se terminent en queue de rat, avec un ruban minuscule. Il doit y avoir erreur.

Sans préambule, ce petit général apostrophe les chevaliers de Malte :

« Ainsi, vous avez osé porter les armes contre votre patrie ! »

Elle est bien bonne. C'est plutôt la patrie qui a porté les armes contre eux, non ? Mais aucun des trois interpellés ne proteste. Suffoqués par un tel culot.

« Nous n'avons que faire de vous ici, achève le supposé Bonaparte, d'un air dédaigneux. Rentrez à La Valette. Vous pourrez témoigner que l'armée française traite ses adversaires avec générosité. »

Et il tourne les talons, déjà occupé par d'autres sujets.

« Partez sans moi, supplie Beauregard. Je reste ici. Je ne veux pas me montrer aux camarades. »

Il ne peut retenir ses larmes. Bizien et Saint-Sim se mettent en marche, pressant le pas pour arriver avant la nuit. A tous les carrefours, débouchant de toutes les routes, ils trouvent des soldats français et doivent montrer, sous les quolibets, le sauf-conduit que leur a délivré un secrétaire de Bonaparte. Très peu de chevaux encore : on n'a pas eu le temps de les débarquer. Quelques paysans paraissent aussi, fraternisent avec l'envahisseur. Venez, vassaux, venez, manants, et voyez vos anciens seigneurs. Regardez-les sans armes et l'habit froissé. Ils ne font plus les fiers, hein !

Saint-Simon, dans ses bottes, a les pieds en sang.

Voici enfin la Floriane, et la porte des Bombes. Car il y a encore des remparts, Dieu merci, et des guetteurs qui veillent aux créneaux. Les deux chevaliers s'avancent. Va-t-on leur ouvrir ? Va-t-on se réjouir de leur retour ? Mais non, la défense se demande si ces chevaliers envoyés par les Français ne sont pas des imposteurs. A tout hasard, elle fait feu.

« Saint-Jean », s'écrie Bizien d'une voix tonnante.

Rassurons-nous, la ville est bien gardée.

Lui aussi, Jean de Ransijat a passé une mauvaise nuit. Dans leur présomption, les chevaliers osent résister à Bonaparte, le dieu de la guerre ! Faut-il s'associer, si peu que ce soit, à une entreprise aussi ridicule ?

Non, ce vieil Ordre n'a que trop vécu. Il n'a pas su se réformer à temps, malgré les conseils prodigués par Ransijat, Tousard et quelques autres. Ni se faire aimer des Maltais, malgré les enfantillages du nouveau grand maître.

A la trappe, l'Ordre de Malte !

Ransijat enfile une robe de chambre, descend à son bureau, allume une chandelle rétive. La lumière est fragile, hélas, et les ténèbres, toujours prêtes à prendre le dessus. La plume crache sur le papier :

J'ai fait le vœu de combattre les Turcs, et non mes propres compatriotes. En conséquence, je vous prie, monseigneur, de bien vouloir me remplacer...

Il rature, recommence. Ce sera une lettre digne, sinon de Sparte, du moins de la Rome antique. Longtemps après l'avoir achevée, il reste à frissonner dans la pénombre. Sur cinquante-sept ans d'une existence bien remplie, il en a passé trente et un sur le rocher de Malte — y compris ses années de page. Il dirige les finances de l'Ordre depuis vingt et un ans, malgré maintes colères et tentatives de démission. Mais l'échéance est arrivée.

Le jour point. Ransijat écrase la chandelle mourante. Aujourd'hui encore, il fera chaud. Chaque jour, un peu plus chaud. Bientôt, les premiers coups de canon se font entendre, du côté de Saint-Julien ou de Saint-Georges. Ransijat s'habille, traverse la rue Royale, demande à être reçu au palais. Il tombe sur un maître-écuyer encore mal réveillé.

« Son Altesse est à son oratoire.

— Veuillez lui remettre ce pli. »

Ransijat va et vient dans la galerie. Une pensée lui traverse l'esprit. Si Hompesch le faisait fusiller séance tenante ? Mais non, il y a des siècles que l'on n'a point exécuté de chevaliers, même les pires sacripants. Et Hompesch a trop longtemps servi dans la diplomatie pour ignorer les formes.

« Son Altesse est vivement peinée de votre trahison, dit le maître écuyer en revenant. Elle m'a prié de vous conduire à votre cachot.

— Vous m'en voyez fort aise », dit Ransijat.

Ayant rendu son épée, il sort du palais, encadré par quatre

grenadiers. Dans son esprit défile la liste des grands hommes jetés en prison, de Socrate à André Chénier — sans oublier Dolomieu, présent sur la flotte française, et dont la carrière débuta par un séjour dans les geôles de l'Ordre. Comme il se sent fort, soudain !

Des curieux se penchent aux fenêtres. On monte dans un canot, on accoste au château Saint-Ange. Le chevalier de Pfyffer, commandant de cet ouvrage, prend livraison du prisonnier. C'est un Suisse comme on n'en fait plus, genre pomme d'api et gros bon sens. Mais aussi l'un des nombreux ennemis de Ransijat dans cette île. Il l'accueille avec la joie que l'on devine :

« Alors, monsieur le trésorier, vous refusez de combattre ? Quelle perte considérable pour notre défense ! Quand je pense à tous les registres, à tous les encriers que vous auriez pu jeter sur les soldats de Bonaparte !

— J'ai sauvé l'Ordre de la faillite financière, répond Ransijat. Je ne puis le défendre indéfiniment contre un destin mérité. »

Le jour grisonne sur la cale[1] Saint-Georges. Les hommes se serrent dans la chaloupe : soldats embicornés, marins à hauts chapeaux ronds inclinés sur l'oreille. Penché à l'avant, le proscrit Barbara, devenu lieutenant de vaisseau dans la marine française, guette la rumeur de son île natale.

La tour tire un coup de canon. Le boulet passe devant la proue de la barque, plonge avec un bruit mou. Aussitôt, la corvette française riposte, intimant silence à la tour.

Sur le versant qui domine la plage, un parti ennemi se met à tirailler. Des miliciens maltais, à en juger d'après leur maladresse. Le vrai danger vient des fougasses, ces auges creusées dans le roc, que les défenseurs ont dû garnir de poudre, de ferraille et de gravier. Commandées à distance, elle vous sautent à la figure quand vous débarquez. Cette amusette est une spécialité maltaise, on en a festonné toute la côte nord. Lors de son séjour clandestin de février, Barbara n'a pas manqué de relever les emplacements, mais ils étaient trop nombreux.

1. Calanque.

D'ailleurs remplis d'eau de mer ou d'eau de pluie, à l'époque. Depuis lors, ces messieurs de l'Ordre ont eu tout le temps de les préparer.

Tant pis. Barbara saute à terre, rentre la tête dans les épaules, se met à courir. Les Français le suivent. Il n'y a point de sable, à la cale Saint-Georges ; du caillou. Barbara trébuche, manque tomber, atteint un petit replat. Sauvé. Rien n'a explosé. Tiens, voilà quand même une fougasse, encore pleine d'eau. Malheureux Ordre de Malte, trop sûr de lui-même, incapable de prévoir ! Son imprudence va lui coûter cher.

Toujours suivi des Français, Barbara se dirige vers la tour Saint-Georges. Il se hâte d'autant plus que la seconde chaloupe porte Picot-Dampierre, ancien chevalier de Malte et officier du génie, qui prétend lui aussi mener ce débarquement. Ravissons-lui la palme.

Au pied de la tour, un chevalier de Saint-Jean attend l'arrivant, seul. Sur sa poitrine brille l'insigne des Cincinnati, les héros d'Amérique. S'il l'a épinglé malgré les règlements de l'Ordre, qui proscrivent les décorations des autres, c'est sans doute pour qu'on ne se méprenne pas sur son geste ; il ne se rend point par couardise, mais par hauteur d'esprit.

« Chevalier de Préville. Charmé de faire votre connaissance.

— Où sont vos troupes ? demande Barbara.

— Elles se sont débandées à votre approche. Tout le régiment de Birkirkara. »

La milice, ventre mou de la défense de l'île.

« Remettez-moi votre épée, exige Barbara.

— Je la remettrai à un officier français, dit M. de Préville.

— *Je suis* officier français ! rugit Barbara. Votre épée, ou je vous brûle la cervelle. »

Cette épée est le plus beau jour de sa vie. La revanche d'un bâtard et d'un proscrit.

« Faites-moi la faveur de ne pas vous en servir contre mes confrères, répond M. de Préville.

— N'ayez crainte, répond Barbara dans un rire rauque, ils auront tous capitulé avant. »

Le général Vaubois vient de débarquer à son tour. C'est un vieux routier — le plus ancien des assistants de Bonaparte. Un ci-devant noble aussi, et un homme de belles manières. Il serre la main du prisonnier.

« En avant Barbara, nous vous suivons. »

Vaubois fera le chemin à pied comme tout le monde. Barbara expose son plan. Le gros des troupes maltaises de la campagne a dû se porter sur la ligne de Naxxar : une sorte de balcon naturel dominant la zone basse, et que l'Ordre a vaguement fortifié. Ils ne se doutaient pas, ces naïfs, que l'assaillant oserait débarquer dans leur dos, sur une mauvaise plage, et si près de La Valette. Prenons-les à revers.

Déjà, un beau soleil inonde ce dimanche matin. Une branche, par-dessus un mur, présente la dernière orange de l'année. On la cueille, on l'apporte à Vaubois, qui la partage.

Mais l'adversaire s'est douté de la manœuvre. La canonnade sur la cale Saint-Georges lui a donné l'éveil. On le voit refluer par bandes, notamment des chasseurs, en habit vert et pieds nus. Les fusiliers de Vaubois mettent genou à terre et leur envoient des volées de pruneaux, qui les font courir de plus belle. La Valette, La Valette, sauve qui peut !

Barbara prend dans sa lorgnette un cavalier lancé ventre à terre : le prince Camille, sénéchal à vie. Ce bon Camille ! Il serait aisé de le descendre. Bah, laissons-le vivre.

« Plus vite, plus vite, s'écrie Vaubois. Ils nous échappent.

— Tant mieux, dit Barbara. Ils accroîtront la confusion en ville. »

On a néanmoins capturé plusieurs centaines de Maltais, aussitôt délestés de leurs fusils et renvoyés chez eux.

« Criez : Vive la République. » leur enjoint Barbara.

Le résultat esthétique n'est pas à la hauteur de son ambition. L'armée chemine dans un dédale de petits champs, séparés par des murets de pierres sèches. Quelle chouannerie les défenseurs pourraient y faire ! Barbara tambourine à la porte d'un presbytère. Tout tremblant, le curé vient servir de l'eau.

« Pas fameux, votre château-la-pompe », dit Vaubois.

C'est plutôt du château-citerne. A Malte, passé le mois de mai, on n'en trouve guère d'autre.

« Courage, répond Barbara. A la Cité-Vieille, nous boirons le vin de l'évêque. »

La Cité-Vieille, que le peuple appelle Mdina, ancienne

capitale de l'île, et repaire de sa vieille aristocratie. Les Français délogent des tireurs maltais embusqués derrière l'aqueduc des grands maîtres, puis commencent à chaparder dans les maisons. Vaubois élève le ton. Il fera fusiller le premier qui sera pris sur le fait.

Vue du nord, Mdina se dresse en éperon sur la plaine. Mais ce n'est qu'une méchante butte, que la division Vaubois a tôt fait de gravir. Lors du grand siège, les Turcs n'avaient même pas pris la peine d'attaquer ces murailles gracieuses.

« Ce soir, nous aurons un peu d'artillerie, dit Vaubois.

— Ne vous donnez pas cette peine », dit Barbara.

Mdina l'orgueilleuse est une belle au bois dormant, gardée par une bande de paysans qui grelottent de peur. Et les grandes familles îliennes n'ont aucune envie de voir des boulets ricocher sur leurs résidences. A peine les Français ont-ils envoyé une salve de mousqueterie, qu'elles dépêchent un parlementaire.

« A vous l'honneur, mon cher Barbara, dit Vaubois. Il faut que le mérite d'avoir libéré l'ancienne capitale revienne à un Maltais. »

Mgr Labini, évêque de Rhodes et de Malte, a prêté une salle de son palais. Barbara y trouve le gouverneur de la ville, le hakem, comme on dit à Malte. C'est un nouveau, le baron Bonici, qui ne sait trop comment se comporter devant des visiteurs aussi étranges. Il a demandé le renfort de trois hommes de loi locaux.

« Vous voudrez bien vous adjoindre, déclare Barbara, un représentant du peuple de Mdina. »

Paterne, l'évêque vient voir si tout se passe bien. Calabrais, nommé à ce poste par le roi de Naples, il n'a pas plus d'affinité avec l'Ordre que n'en ont les grandes familles maltaises. Mais par prudence, il refuse de s'asseoir à la table.

« Toute résistance est inutile, signifie Barbara. Les forces françaises sont immenses. »

Les notables répondent d'un regard déjà résigné.

« D'ailleurs, renchérit Barbara, nous avons des intelligences dans la place. »

Pure vantardise. A La Valette, sans doute, mais dans cette bourgade de Mdina...

La capitulation est réglée en moins de deux. L'armée française promet de respecter les personnes, les biens et la liberté de culte. Moyennant quoi on lui ouvre les portes. Les cinq Maltais apposent leur signature. En face, celle de Barbara, toute seule, et plus lourde.

Comme il est depuis longtemps l'heure de déjeuner, le prélat invite le général Vaubois.

« Conviez aussi notre ami Barbara, suggère celui-ci. Il l'a bien mérité. »

Aujourd'hui, c'est carnaval, pieds en l'air et tête en bas. Les humiliés, les offensés prennent place à côté de l'évêque.

Le traité créant le grand prieuré orthodoxe a été ratifié par le Conseil. Il ne reste plus qu'à le porter à Pétersbourg. Or voici que les Français bloquent le port. Le ciel se livre parfois à d'étranges facéties.

Vincent Raczynski ronge son frein à l'Auberge de Bavière. Le samedi soir, assistant aux distributions d'armes, il est frappé par le manque de mordant de ses camarades. Usés par un trop long séjour en cette île, lassés d'une existence médiocre et désargentée, dont ils ne voient pas le bout. La générosité du tsar Paul vient de sauver l'Ordre. Mais cela, ils ne l'ont pas encore compris. La Russie, c'est si loin. Le bon argent du tsar n'a pas eu le temps de se transformer en nouvelles frégates, en uniformes neufs...

Au fond, peut-être l'Ordre ne veut-il pas être sauvé ?

« Nous avons fait notre temps », murmuraient déjà certains, à Noël ou à Pâques. Sept siècles, c'est lourd à porter. Finis, les preux, finis, les soldats de la foi. Dieu a pris ses distances avec ce monde.

Raczynski se met une ceinture garnie de clous et, longuement, prie devant sa médaille de Czestochowa. Que deviendra la chrétienté, si la chevalerie vient à disparaître ? Que deviendra la terre, si le sel s'affadit ?

Hôte de passage, il n'a pas été compris dans le plan de mobilisation. Il offre ses services au commandeur chargé d'assurer la sécurité en ville. En ce dimanche matin, la foule est surexcitée par l'annonce du débarquement français dans la campagne. Peu expansifs d'ordinaire, les Maltais se livrent à la lamentation et à l'invective.

Certains réclament la peau de l'ingénieur Tousard, dont les opinions républicaines ne sont pas un secret. Tousard loge près du rempart. On l'accuse de vouloir ouvrir une poterne aux envahisseurs. Des furieux se massent devant sa maison. Raczynski et ses hommes accourent.

« Vous voulez la voir, cette fameuse poterne ? ironise Tousard. Venez donc. Elle est murée depuis un an. Et qui l'a fait murer, je vous demande un peu ? Votre serviteur. »

Cependant, la ville se remplit de fugitifs qui colportent d'odieux récits : à tel endroit, tel chevalier a fait des signaux à l'ennemi ; tel autre, dans une forte position, s'est rendu sans combat... Quelle folie d'avoir donné à des Français presque tous les commandements ! Mais avait-on vraiment le choix ! Entre vingt-cinq ans et quarante-cinq ans d'âge, Révolution aidant, il n'y a guère que des chevaliers français à Malte. Ceux des autres nations sont novices ou trop vieux.

A son tour, le sieur O'Hara, ministre de Russie, manque faire les frais de l'espionnite. C'est un vrai chevalier maintenant, il vient de prononcer des vœux. Revêtu de l'uniforme des galères, il parcourt les rues, l'épée à la main, en conspuant les régicides. La population maltaise n'y comprend rien, sauf que cet individu a des intentions violentes, et parle français. Un agent de Bonaparte, bien mal déguisé. On l'assaille, on l'écharpe. Raczynski et ses hommes le sauvent à grand-peine.

Pendant tout ce temps, le palais du grand maître reste muet, claquemuré, gardé de toute contagion. Que fait donc Hompesch, Seigneur ? Il médite !

Raczynski et ses hommes passent au faubourg de la Floriane. Là, c'est déjà le front. Dès les dix heures, les premiers éléments français débarqués à Saint-Georges sont venus battre la porte des Bombes. A présent, des tirs les tiennent à distance. Loras se dépense sur le rempart, agité, volubile — pitoyable avorton. Les troupes ne savent pas si elles doivent lui obéir. L'on débat de l'opportunité d'une sortie.

« Vous allez faire tuer des hommes pour rien, objecte Raczynski.

— Mais non, dit Loras, il faut faire entrer les réfugiés de la campagne, et surtout leurs troupeaux. »

Le dernier argument ne manque pas de pertinence. On va soutenir un siège ; la viande sera la bienvenue.

Mal préparée, mal commandée, la sortie échoue lamentablement. Les hommes du régiment de Malte se replient en désordre derrière la muraille. Pirouettant, prêchant à la cantonade, Loras s'en va inspecter d'autres forces.

« Il n'a plus son bon sens, constate Raczynski.

— A supposer qu'il l'ait jamais eu », renchérit un autre officier.

Retour à La Valette. Le calme semble revenu dans les bas quartiers. Pour conjurer les périls, le clergé maltais processionne sur les remparts. Chanoines, archiprêtres et simples fidèles défilent derrière une statue en chantant des cantiques. Saint Jean ? Non, saint Paul. Même à l'heure du danger, les clans restent les clans.

Mais qu'est-ce encore ? Rue Royale, une horde de miliciens en rupture de ban traîne un chevalier captif. On apporte ce traître en offrande au palais. Le palais demeure clos. Avant qu'on ait dit ouf, l'otage est mis en pièces sous le balcon du grand maître. Penché sur le pavé, Raczynski reconnaît le chevalier d'Andelarre, de la Langue d'Auvergne, qui baigne dans son sang.

« Il a voulu, explique un spectateur, délivrer un camarade prisonnier de ces enragés. Du coup, ils se sont retournés contre lui. »

Malheureux D'Andelarre. Un ancien disciple de Dolomieu, mais aussi un vaillant garçon. Comme quoi on ne peut défendre Malte tout seul.

Le chevalier de Chateauneuf, major du régiment des chasseurs, a bénéficié d'un meilleur sort : saisi aux cheveux par ses propres soldats, il a simplement été précipité dans un escalier. En somme, les chevaliers s'estiment trahis par les Maltais, et les Maltais s'estiment trahis par les chevaliers.

La nuit tombe enfin. Quel repos va-t-elle apporter ? La flamme des bivouacs français se reflète dans le bassin de Marsamxett, hors de portée des canons de l'Ordre. On signale à Raczynski qu'un avocat, un des notables de la cité, a abandonné son poste de garde, porte Royale. Ce n'est pas dramatique : toute l'étendue de la Floriane sépare l'ennemi de cette porte.

Recherchons néanmoins le fautif. En dépit du couvre-feu, plusieurs fenêtres de l'hôtel de ville sont restées éclairées. Le chevalier polonais entre, trouve des robins en train de griffonner.

« Et le règlement, *signori ?*

— Vous n'allez quand même pas empêcher le travail des jurats de la ville », réplique le baron Dorell.

Gian-Francisco Dorell, exilé autrefois par Rohan, connu pour sa cervelle brouillonne et dangereuse. Un pêcheur en eau trouble. C'est le frère de la fameuse Bettina.

Raczynski se poste sur le trottoir. Un homme sort avec une grande enveloppe et une lanterne : Dorell, justement. Raczynski lui met la main au collet.

« Encore vous ! proteste le baron. Je me rends chez le consul de Hollande, puissance neutre. Vous n'allez quand même pas empêcher les jurats de la ville d'aller chez le consul de Hollande ? »

Sur ce, des coups de feu éclatent au carrefour. Ce sont deux patrouilles maltaises qui avançaient dans l'obscurité, et dont chacune a cru avoir affaire aux Français. Il ne reste plus qu'à porter à l'hôpital le soldat qui a pris une balle dans le ventre.

Précédé d'un milicien et d'un lumignon, le bailli de Loras se hâte vers le palais du grand maître. Il vient seulement d'apprendre qu'on y tient conseil. Nul ne saurait lui reprocher son retard, dû à une inspection des sentinelles de la Grande Baraque et de la Petite Baraque.

Mais le chef de l'Ordre feint d'ignorer les pouvoirs que les statuts donnent à son maréchal. Il ignore ses suggestions, bafoue son autorité. Tout cela parce que Loras a soixante-deux ans. Dites-moi donc, monseigneur, quel âge avait donc La Valette, quand il bouta les Turcs hors de l'île ?

Des estafettes montent et descendent l'escalier, créant une agitation dérisoire. Dans l'antichambre, une présence insolite : celle du président du tribunal civil.

« Je suis venu apporter une pétition des jurats », explique ce personnage.

Une pétition ! Et puis quoi encore ? Alors que ce Maltais doit sa place à l'Ordre ! Dressé sur ses hauts talons, Loras fait son entrée dans la salle aux Gobelins.

« Tiens, voilà notre généralissime », remarque le bailli des Pennes, d'un ton qui fait ricaner l'assistance.

Le Conseil délibère justement du point de savoir s'il recevra la pétition. L'air hagard, Hompesch semble écouter autre chose. On dirait qu'il a passé la journée dans la campagne, au milieu de la débandade, alors qu'il n'a pas quitté l'abri douillet de ses appartements. Mais tous les regards se tournent vers lui. Alors sa décision tombe, d'une voix blanche : il est bon qu'un souverain connaisse les sentiments de ses sujets.

Le chambrier-major introduit le président du tribunal, escorté de quatre autres notables maltais. Un seul gentilhomme parmi eux : le marquis Mario Testaferrata, chef d'une famille puissante et volontiers frondeuse. Le baron Dorell n'a pas osé paraître. Les autres sont gens de loi. La parole est donnée au plus jeune. Celui-là, Loras le connaît aussi : le fils de l'intendant de l'Auberge de Bavière, un donat de l'Ordre, qui doit tout aux chevaliers. Décidément, oignez vilain...

Les habitants de La Valette, énonce ce jeune homme, ne souhaitent pas exposer leurs épouses, leurs enfants, leurs biens et leurs propres personnes aux horreurs d'un siège. Sans doute leurs ancêtres se sont-ils battus bravement contre les Turcs, en 1565. Des nageurs maltais, le couteau entre les dents, n'allaient-ils pas porter la mort dans les lignes ennemies ? Mais l'enjeu a changé. Il ne s'agit plus d'être réduits en servitude, ni d'abjurer la religion chrétienne. La flotte d'une nation civilisée demande à faire escale. Accueillons-la.

Le bailli Carvalho, grand prieur d'Hibernie, se lève rouge de colère :

« Comment peut-on tenir un langage de défaite à un Ordre qui a fait l'admiration du monde ? D'ailleurs, messieurs les Maltais, sans cet Ordre, vous n'auriez ni épouse, ni enfants, ni propriétés, ni forme humaine.

— Bravo, dit Loras.

— Peuh, dit son voisin. Il est portugais, donc il défend les intérêts anglais.

— Mes amis, dit Hompesch aux notables, veuillez retourner

dans l'antichambre. Nous allons examiner vos arguments. »

Un brouhaha fait suite à leur sortie. Les meilleurs dignitaires sont restés à leurs postes de combat, à moins qu'ils ne gardent la chambre pour cause de maladie. Ce soir, on n'a que le deuxième ou le troisième choix : le bailli Ficelle et le bailli Fromage, le bailli Circonflexe et le bailli Paradoxe, le bailli Réglisse et le bailli Hoquet, le bailli Crécelle et le bailli Sanglot...

« Les Maltais se moquent de nous, opine l'un d'eux. Mais les Espagnols aussi. »

Le nouveau chargé d'affaires d'Espagne, Don Felipe Amat, a reçu Bonarparte et son état-major à déjeuner en sa résidence de campagne, au casal de Zurrieq. Jamais on n'aurait dû accepter cet Amat, qui n'est qu'un chevalier honoraire, marié de surcroît.

« Les Espagnols, ajoute le bailli Carvalho, retiennent depuis des mois les redevances qu'ils nous doivent. Ils veulent nous mettre à genoux. C'est un coup monté avec Bonaparte. »

Loras se dresse, un papier à la main : « Voici la liste des forces dont nous disposons. Garde du grand maître : deux cents hommes, excellents et bien bâtis. Troupes des galères et des vaisseaux : cinq cents. Régiment de Malte : sept cents.

— Écornés par une sortie malheureuse, remarque un Castillan.

— Chasseurs : huit cents.

— Ah ouiche ! Ils ont tiré sur leur colonel, par mégarde. »

En effet, le bailli de Neveu se promène le bras en écharpe.

« Milice : six mille hommes, continue Loras sans se laisser intimider.

— Ceux-là, mon cher, vous pouvez les rayer tout de suite.

— Trêve de comptes, intervient le prince Camille. Les Français sont plus de cent mille. »

Cela dit pour se faire pardonner sa retraite précipitée.

« Monsieur le maréchal, demande Hompesch, le regard perdu, comment voyez-vous la poursuite de notre défense ? »

Ma parole, il a sollicité l'avis de Loras ! Mieux vaut tard que jamais.

« La poursuite est fort simple, dit le bossu. Nous résistons jusqu'à l'arrivée de la flotte anglaise. Celle de Bonaparte est dispersée autour de l'île, et encombrée de navires de transport. Les Anglais feront un carnage.

— Votre flotte anglaise, opine le bailli des Pennes, n'est qu'un *deus ex machina*. Nous ignorons tout de sa situation et elle ignore tout de la nôtre.

— En Méditerranée, les nouvelles vont vite », réplique Loras.

Hompesch pousse un long soupir. Une fatigue immense apparaît sur ses traits. C'est donc cela, l'homme que l'on a élu à l'unanimité, voici onze mois ! Le paladin que les paysans acclamaient hier encore, aux fêtes paroissiales !

« Nous avons de la farine pour des mois, dit le grand castellan d'Emposte. Reste à savoir si nos mauvaises troupes suffiront pour tenir toutes ces lieues de rempart.

— A cette heure, la Cotonère est déjà tombée », assure le bailli Saint-Trop'.

Avec elle, c'est le flanc est qui s'écroule. Quel Conseil de veulerie ! Isolé, Loras enrage.

« Replions-nous sur la Cité-Valette, suggère-t-il. Et sur le château Saint-Ange.

— Cela fait encore bien des ouvrages à défendre, objecte le bailli Saint-Trop'.

— Alors enfermons-nous dans les cavaliers. Nous sommes cinq cents membres de l'Ordre, dont les deux tiers en état de porter les armes. Cela suffira. Prenons juste assez de soldats pour servir les canons. »

Les cavaliers : deux énormes masses de pierre, au point culminant de La Valette, près de la porte Royale. Situé en contrebas, l'ennemi aurait peine à les canonner. Et quant à les saper à travers la roche, il lui faudrait des semaines : celles qui permettront aux Anglais d'arriver.

Les chandelles fument et craquent. Hompesch se dresse, avec des mouvements de somnambule.

« Mes chers frères, nous sommes responsables de la vie et du bonheur des Maltais. Négocions. »

Un lâche soulagement se manifeste autour de la table.

« Faites revenir nos visiteurs », continue le grand maître. Il reste debout, afin d'honorer ces manants. Les notables maltais ressortent de l'antichambre et, d'un ton mielleux, proposent de prendre langue avec Bonaparte, par l'intermédiaire du consul batave, représentant d'une puissance neutre.

« Plaisanterie, dit Loras. La soi-disant République batave suit la France comme un toutou. »

De surcroît ce consul, un nommé Formosa de Frémaux, est un personnage douteux. Rohan lui avait confié les douanes. Hompesch songeait à les lui enlever.

Séance tenante, l'on confectionne une lettre pour le général Bonaparte. Les Maltais regardent par-dessus l'épaule du rédacteur, mettent leur grain de sel. Affaissé dans son fauteuil, le grand hospitalier dodeline de la tête. Un papillon blême zigzague dans la pièce, se brûle les ailes à la flamme. Hompesch fait servir une limonade au goût âcre, vieille de plusieurs jours.

Loras refuse de lire cette lettre infâme. Le consul batave acceptera-t-il de la porter ? Pas lui, il craint trop de se rompre les os dans l'obscurité. Il s'en défausse sur son secrétaire, lequel mettra des heures pour atteindre le vaisseau amiral, mouillé en haute mer. L'aube se devine, les hostilités vont reprendre.

Hompesch fait porter aux forts un ordre écrit de ne pas rouvrir le feu.

Le petit page Roquefeuil s'est endormi dans un coin, la bouche légèrement ouverte. En voyant l'abandon de ce corps d'enfant, l'on ne peut se défendre d'un sentiment de pitié, de tendresse même, envers cette très vieille chose fêlée qui s'appelle encore Ordre de Malte.

« Mes chers frères, conseille Son Altesse Éminentissime, allez réparer vos forces. »

Et, penchant sa longue silhouette à la fenêtre, elle interroge un ciel où déjà frémit la promesse d'une clarté nouvelle.

« Demain sera un autre jour. »

Dès potron-minet, le citoyen Dolomieu est mandé par le général en chef. Un canot le mène du *Tonnant* à l'*Orient*.

Bonaparte fait les cent pas dans son salon, devant un homme de tournure modeste. A l'arrivée du minéralogiste, il le prend à témoin :

« Voici deux documents que me fait tenir le consul batave. Une lettre du grand maître me disant qu'il est prêt à accueillir mes plénipotentiaires. Et une pétition des Maltais implorant ma protection.

— Les Maltais ont fait cela ? »

A vrai dire, Bonaparte espérait mieux. Sur la foi des récits de Barbara et autres boutefeux, il pensait que, dès son arrivée, les habitants de l'île allaient s'insurger contre l'oppression de l'Ordre. Mais le résultat obtenu n'est pas mince.

« Quant au troisième pli, poursuit Bonaparte avec un sourire coupant, il vous est destiné. Je me suis permis d'en prendre connaissance. »

Il tend l'enveloppe décachetée. Par Ransijat, le grand maître a appris la présence de Dolomieu à bord de la flotte. Ah, cette lettre expédiée de Toulon, selon laquelle Malte n'avait rien à craindre ! Mais au lieu de se répandre en reproches, Hompesch supplie Dolomieu d'arranger les choses entre l'Ordre et l'armée française.

« Allez, dit Bonaparte, et ne promettez rien. J'ai l'intention d'acheter cette île. »

La vanité souffrante de l'Ordre va donc recevoir une petite satisfaction : la visite de représentants de l'ennemi. Le général Junot conduit la délégation. Outre Dolomieu, toujours escorté de son fidèle disciple, elle comprend Étienne Poussielgue, l'homme qui a semé le trouble dans les courages, à la Noël.

Alors que la barque approche du môle, le cœur de Dolomieu lui manque presque, de reconnaître toutes ces péninsules de pierre, cette découpure de clochers par-dessus le rempart. Malte est là, familière, inchangée. Il y a sept ans, elle l'a laissé partir en indésirable. Et voici qu'il revient porteur d'un espoir — hélas fallacieux.

Quai de la Douane, des dignitaires poudrés à l'ancienne accueillent les envoyés du dieu Bonaparte.

« Oh Dolomieu, quelle moustache républicaine ! »

Junot conduit le train, avec un rien d'arrogance. On franchit la porte de la Marine. Un petit être contrefait veut rendre les honneurs. Loras ! Mais à la seule vue du grand Déodat, il se volatilise.

Bousculade le long de l'escalier Saint-Jean. L'accueil est peu aimable, presque hostile : çà et là, des cris en maltais, qui doivent être des injures. Au loin, du côté de la Floriane ou de la Cotonère, des gens tiraillent encore, malgré les consignes. Au passage de l'église Saint-Jean, une cloche se met en branle, timide, ne sachant trop si elle doit se réjouir. Puis elle se tait, honteuse de son audace.

Sur la place du Palais, les grenadiers à bonnet d'ourson présentent les armes. Va-t-on vraiment casser le beau jouet appelé Ordre de Malte ?

A l'étage, Hompesch, les yeux creusés, la face plus pâle encore qu'autrefois. Mantelet noir, culotte noire, les huit béatitudes sur le cœur. Dolomieu sait quels égards lui sont dus : il prend la main marquée de grosses veines, la porte à ses lèvres. Hompesch se dégage avec un rire nerveux, et embrasse son visiteur.

Peste ! Autrefois, on n'était pas si bien traité.

L'embrassade se poursuit avec le bailli des Pennes, vieux complice et bienfaiteur. Voilà qui nous rajeunit de trente ans. C'est Des Pennes qui a tiré le novice Dolomieu des prisons de l'Ordre.

« Votre général Bonaparte, plaide Des Pennes, s'est mépris sur notre réponse, au sujet du droit d'escale. Nous n'avions aucune intention désobligeante. La règle des quatre vaisseaux, nous l'avons opposée aussi à Louis XIV, en son temps. C'était un grand roi pourtant. Il ne s'est point fâché. »

Andoche Junot laisse paraître un sourire en coin. Dolomieu se voit entouré d'anciennes connaissances qui lui présentent leurs compliments et le pressent de questions. Dame, il détient une parcelle des pouvoirs de la République, ou le laisse croire. Des naïfs s'étonnent qu'il ne porte plus la croix de Malte.

Ransijat se pavane :

« Heureux de te revoir, mon vieux. Figure-toi que Mgr Hompesch m'avait mis au trou, pour haute trahison. En ton honneur, il a bien voulu m'en sortir. »

Lui aussi, on le cajole, on le flatte. Les monarchistes les plus fervents recherchent soudain son amitié. Instruit de son épreuve, le général Junot lui rend un hommage appuyé devant tout le monde.

Malgré l'âge et les soucis de tout trésorier, Ransijat a encore le poil noir. Dolomieu est à la fois plus jeune et plus blanc. Un caractère de cochon, cela conserve !

La délégation va être reçue à déjeuner par la Langue de

France. Elle remonte la rue Royale, enfile la rue du Midi. Fenêtres et balcons grouillent de curieux.

« Alors mon cher papa, plaisante Dolomieu à l'adresse du bailli Merveilleux, que prévoit la Kabbale pour cette semaine ?

— Elle dit des choses épouvantables », chuchote le pauvre vieil homme, en feignant de se moucher.

Moins bien logée que la Castille ou que la Bavière, la Langue de France a comme il se doit les meilleurs cuisiniers. Les convives prennent place dans le réfectoire à peintures. Le prince Camille fait les honneurs à la place du grand hospitalier, qui s'est excusé pour cause de fatigue. Junot sourit, ne parle guère. Dolomieu s'applique à éviter le sujet du jour ; il évoque d'anciennes campagnes, glisse un ou deux souvenirs de la Terreur. Figues fraîches, glace à la neige de l'Etna. On termine par le fameux café Rohan, rehaussé de fleur d'oranger.

Retour chez Hompesch, entouré de dignitaires. Presque aucun ne porte la tenue guerrière ; ce qui attire, à mi-voix, un sarcasme de Junot.

« Il faudrait être Achille, répond le bailli Merveilleux. Et je ne suis que Nestor. »

Les envoyés de Bonaparte sont introduits dans la salle aux Gobelins. Dolomieu veille à marcher le dernier.

« Quelles sont les demandes de l'armée française ? » s'enquiert le bailli des Pennes.

Il a longtemps représenté la France à La Valette. Pour lui, c'est toujours la France, en dépit des changements de régime.

Quant à Hompesch, il est livide, les yeux rouges. Aurait-il pleuré ?

D'emblée, Junot expose qu'il n'est pas question de négocier ici. Les visages se rembrunissent. Si l'on veut une négociation, elle ne pourra se tenir qu'à bord du vaisseau amiral français. Il y a un vainqueur, qu'on le sache.

Mais comment l'Ordre, se demande Dolomieu, pourrait-il accepter une telle injonction, alors que ses énormes remparts sont intacts, et ses greniers pleins ? Dans l'immédiat, Junot propose de conclure une suspension d'armes en bonne et due forme. Le bailli des Pennes chausse ses lunettes, prend sa plume :

« Réfléchissons à un préambule.

— Quatre lignes y suffiront, répond le général. M. Poussielgue ici présent va nous les rédiger. »

Adieu les fleurs et les rubans de l'ancienne diplomatie. On bâcle un armistice de vingt-quatre heures : juste de quoi permettre la poursuite des conversations. Les envoyés de Bonaparte s'éclipsent, afin que l'Ordre puisse désigner ses plénipotentiaires.

Guide improvisé, Dolomieu montre à Junot et à Poussielgue les galeries du grand maître : une profusion d'armes et d'armures, qui racontent une longue histoire belliqueuse. On y trouve même une machine à cracher le feu par une multitude de tubes.

« Nous appelons cela une mitrailleuse.

— Est-ce l'arme secrète, ironise Junot, qui hachera les troupes françaises, quand elles donneront l'assaut ? »

Mauvaise plaisanterie : la machine est d'une antiquité vénérable.

Les négociateurs choisis par le grand maître font leur apparition. Surprise, Dolomieu n'en connaît que deux. Tous sont vêtus de taffetas noir, l'uniforme des gens dignes, en cette île. Avec sa tenue aux couleurs généreuses, Junot a l'air d'un geai dans une compagnie de corbeaux. Le cortège se met en route vers la Floriane, à pied, fendant la foule. Malgré l'heure de la sieste, toute la ville est dans les rues.

« Vous avez des instructions ? » demande Dolomieu à Ransijat, *sotto voce*.

Le secrétaire du Trésor figure parmi les délégués : un truc pour plaire à Bonaparte. Conscient de son importance nouvelle, il avance avec majesté.

« Aucune instruction, répond-il en souriant. Sauf de faire pour le mieux. »

Valeureux Ransijat ! Le premier de tous, il a vu que l'Ordre avait besoin de réformes. On l'a suivi sur un ou deux points, concernant l'éducation des jeunes chevaliers. Pour le reste, on lui a ri au nez, on l'a couvert d'insultes. Il goûte aujourd'hui une juste revanche. Mais gare à la griserie.

Quant à ses compagnons, l'on croirait rêver. Le bailli Frisari, qui est la médiocrité même, a été choisi en raison de sa qualité d'ambassadeur de Naples. L'Ordre croit ainsi intimider Bonaparte ! Le Maltais Mario Testaferrata, quant à lui, estime ne rien devoir aux chevaliers, car son titre de marquis est d'origine espagnole. Le reste de l'équipe se compose d'hommes de loi indigènes.

Sur six plénipotentiaires, les îliens en ont donc fourni quatre. Son Altesse, paraît-il, y a tenu personnellement. Juste retour des choses, pour des gens que l'Ordre avait écartés des affaires publiques. Mais n'est-ce pas tomber d'un excès dans l'autre ? A part soi, le libéral et républicain Dolomieu ne peut s'empêcher de le penser.

Le petit secrétaire Doublet trottine en queue. Il n'aura point voix délibérative, mais on a pensé qu'il faudrait quelqu'un pour écrire.

Des tireurs fous se font encore entendre dans les lointains. Le cortège franchit la porte Royale, ouverte à deux battants, traverse le grand glacis, longe le mail des chevaliers, où personne n'a le cœur de jouer aujourd'hui. La presse est toujours aussi grande. De toute sa hauteur inachevée, la façade de l'église Saint-Publius contemple cette pagaille. La délégation atteint enfin la porte des Bombes ; depuis le palais, elle a mis deux heures, au lieu du quart d'heure habituel.

On entrebâille la porte des Bombes, on abaisse le pont-levis ; là commencent les lignes françaises. Avouons qu'avec ses bicornes, et ses uniformes neufs, cette troupe a meilleur air que la maltaise. Junot monte à cheval. Les autres délégués s'entassent dans des calèches à deux roues.

La route est encombrée de soldats, d'équipements, de caissons d'artillerie. Bonaparte poursuit les préparatifs d'attaque, comme si de rien n'était ! Les pêcheurs de Msida ne se retournent même pas au passage des plénipotentiaires ; ils en ont vu bien d'autres, en deux jours. A Saint-Julien, la chaloupe attendue n'est pas encore arrivée. La nuite tombe. Un officier tire une fusée.

Le chevalier Amat, chargé d'affaires d'Espagne, rejoint la délégation en soufflant :

« Son Altesse m'a agréé comme médiateur. »

Drôle d'arbitre, dont on devine déjà où il penche.

Dolomieu poursuit avec son copain Ransijat une conversation décousue : « Alors vieux, tu dessines encore ? Toujours aussi malchanceux aux cartes ? Les numéros du *Moniteur* te sont bien parvenus ? »

La chaloupe espérée accoste vers les onze heures. Le clapot a encore forci. Sur la droite, le château Saint-Elme n'est plus qu'une masse indistincte, car on n'a pas rallumé le phare, de crainte de faciliter un coup de main. Au large, les vaisseaux français forment une immense couronne. Pour les atteindre, il faut faire une lieue entière en mer, par roulis de nord-ouest.

On arrive enfin au pied de l'*Orient*, un monstre à trois ponts. De là-haut, les matelots jettent une corde. Qui commence ?

« Moi, dit le petit Doublet. Je ne crains rien, je n'ai pas déjeuné. »

L'équipage le hisse gracieusement jusqu'au pont supérieur. Vous voyez que c'est utile, d'avoir servi au régiment de Malte. Les autres participants renoncent à l'imiter. Poussés au derrière, ils entrent par les sabords, à quatre pattes. Dolomieu est resté dans la chaloupe.

« Venez donc, lui crie Junot. Nous aurons besoin de vous.

— Non merci, répond-il. Je regagne le *Tonnant.* »

Il devine le genre de ragoût que l'on prépare, et ne veut pas en être rendu responsable.

***

L'*Orient* se balance sur son amarre. Les plénipotentiaires sont introduits dans le salon de Bonaparte, au château arrière.

« Un instant de patience », prie le marin qui fait office de valet de pied.

Ransijat s'assied. Le bichon de l'amiral Brueys le reconnaît, le fête à sa manière, en aboyant et en montrant les crocs. Leur inimitié remonte au temps de Rohan.

« Qu'on enlève ce ci-devant, exige Ransijat. Cet Amadis du diable !

— Brutus, corrige l'amiral avec un sourire. C'est devenu un bon républicain. »

Le marquis Testaferrata prend des airs solennels, sans se rendre compte que le voyage a dérangé sa perruque.

Bonaparte fait son entrée, sec, pâle, dominateur, parfaitement à l'aise. On ne dirait pas qu'il vient de se réveiller. Il marque une amabilité particulière à Ransijat, rescapé des prisons féodales, et de la froideur au reste de la délégation. Attitudes calculées. De toute façon, Ransijat avait décidé qu'il éprouverait de l'enthousiasme. Le voilà donc transporté, alors que d'autres grelottent.

« Servez du punch », ordonne Bonaparte.

Ransijat tire sa montre. La journée du mardi 12 juin 1798 vient de commencer. 24 prairial an VI, dit l'almanach républicain.

« Alors, attaque le général en chef après un silence savamment ménagé, ils ont bonne mine, les héritiers de La Valette et D'Aubusson ! Ils ont vendu leur île à la Russie ! »

Les délégués se regardent, interloqués. « Bien joué », dit Ransijat, *in petto*. L'amiral Brueys sourit d'un air conciliant. Le petit Doublet tousse poliment :

« Pardonnez-moi, général. L'Ordre s'est contenté de récupérer ses commanderies polonaises, sous forme de pensions du tsar. »

Bonaparte se fait expliquer, à voix basse, quel est ce moustique.

« Il n'y a rien dans nos accords, insiste Doublet, qui prévoie une garnison russe à Malte. Si tel était le cas, je ne pourrais l'ignorer.

— Qui nous prouve, s'exclame Ransijat, que le grand maître ne tient pas une correspondance parallèle avec Paul Ier, en allemand ? Pétersbourg est une ville pleine d'Allemands. »

Certains assistants haussent les sourcils. Cette supposition sur Hompesch ressemble à un coup de pied de l'âne. Mais nul n'osera en faire la remarque. Coupable d'avoir ignoré tous les avis de Ransijat, le grand Ferdinand reçoit ce soir son châtiment.

Cependant Bonaparte, sans s'attarder en circonlocutions, a fait venir un secrétaire et une feuille de papier. Déjà, il dicte :

« Capitulation. Non, ménageons l'honneur de messieurs les chevaliers. Le mot convention vous agrée-t-il, citoyens ? »

La plume grince affreusement. *Article premier :* l'Ordre cède les îles de Malte, du Cumin et du Goze à la République française, en toute propriété. C'est énorme. Ransijat ne dit rien. Le bailli Frisari ne dit rien. Doublet rentre sa tête dans ses épaules. Les Maltais laissent paraître leur stupéfaction.

Article deux : la République française interviendra pour le grand maître au congrès de Rastatt, afin de lui obtenir une principauté allemande. Ce qui, entre nous, est une excellente plaisanterie. Les roitelets allemands ont déjà bien du mal à s'accorder sur une nouvelle carte du Saint Empire. Ils n'auront aucune envie de se serrer pour faire de la place à un intrus. En attendant...

Le marquis Testaferrata laisse tomber sa blague à tabac.

« En attendant, continue Bonaparte, d'un air de réciter un texte appris par cœur, la République versera audit grand maître une pension annuelle de trois cent mille francs. Elle y ajoutera une indemnité unique de six cent mille pour la perte de ses meubles.

— C'est beaucoup », dit Ransijat, tout à sa hargne.

N'ayant plus de palais, de garde, ni de galères à entretenir, monseigneur Hompesch (il appuie avec ironie sur le *monseigneur*) pourrait se contenter de bien moins. Ah, mon bonhomme, tu n'as pas fini de me la payer, cette nuit de cachot !

Légèrement contrarié, Bonaparte se retourne :

« Monsieur Poussielgue, ces chiffres étaient de votre cru.

— Et je les maintiens, répond le trésorier de l'expédition. Le grand maître a de lourdes dettes. »

Va donc pour les trois cent mille, et pour les six cent mille. Voilà qui éclaire en tout cas le singulier propos de Bonaparte à Dolomieu, répété par celui-ci : l'île vient d'être achetée.

« Article trois, poursuit le général en chef. Les chevaliers français pourront regagner la mère patrie, à condition qu'ils n'aient pas porté les armes contre elle. »

Dans la pratique, le consul Caruson, présent à bord, dressera la liste de tous ceux qui ont séjourné à Malte sans interruption depuis le printemps 1792. En cas de doute, il consultera les registres des Langues.

Là, Ransijat décide de se montrer bon camarade :

« Je connais des garçons qui ont erré d'un pays à l'autre avant de se fixer à Malte, sans pour autant servir dans l'armée anglaise, ni dans celle de Condé. J'en connais d'autres qui ont commis des folies de jeunesse, mais se sont rangés. Doit-on leur en vouloir éternellement ?

— L'armée, tranche Bonaparte, ne comprendrait pas que je cède sur ce point. Article quatre : les chevaliers autorisés à rentrer en France percevront une pension de sept cents francs par an. »

A peu près ce que leur sert actuellement le grand maître. Mais comment vivre avec cela sur le continent, sans les Auberges et autres facilités ? Trois cent mille francs pour l'incapable Hompesch, sept cents francs pour l'homme du rang : le contraste est un peu fort.

« Et les sexagénaires ? plaide Ransijat. Comment trouveront-ils un nouvel emploi ? Ne pensez pas que je défende ma propre cause ; je suis trop jeune de trois ans. »

Il a mis les rieurs de son côté. L'amiral Brueys abonde dans le même sens. Magnanime, Bonaparte accorde mille francs par an aux chevaliers qui ont atteint la soixantaine.

« Et les Italiens ? » s'inquiète le marquis Testaferrata.

Dans toute la péninsule, excepté le royaume de Naples, on a confisqué les commanderies. Rentrés chez eux, les chevaliers italiens se trouveront aussi démunis que leurs confrères français.

« Le Directoire, dit gracieusement Bonaparte, s'entremettra auprès des républiques-sœurs afin qu'elles accordent les mêmes pensions. »

La cisalpine, la ligurienne, la romaine : ces États de comédie fabriqués par l'armée française. Les chevaliers peuvent compter sur leur aide ! En veine de générosité, l'on ajoute la République helvétique. Ransijat sourit à la pensée du chevalier de Pfyffer, son geôlier d'une nuit. Voilà Pfyffer et compagnie nantis de belles promesses.

Suivent quelques articles de moindre importance. Les Maltais obtiennent la liberté du culte catholique et le respect de leurs propriétés. Ils respirent, c'était l'essentiel de leurs préoccupations. Timidement, l'un d'eux demande aussi le maintien de leurs privilèges ; en clair, l'exemption des impôts directs.

« Tous les privilèges féodaux sont abolis, réplique Bonaparte. Mais la présente convention garantit les habitants contre les contributions extraordinaires. Et ils participeront enfin au gouvernement de leur île, dont l'Ordre les avait écartés. »

Pendant que le secrétaire recopie ce chef-d'œuvre, Ransijat se lève, s'approche d'un hublot. L'aube ne devrait pas tarder à poindre. Aucun feu ne signale la côte. On dirait que Malte a sombré dans la mer.

Du côté français, Bonaparte signe seul. Puis viennent Ransijat et les Maltais. Frisari veut émettre une réserve, concernant la suzeraineté que le roi des Deux-Siciles exerce sur Malte.

« Quelle suzeraineté ? dit Ransijat.

— Quelle suzeraineté ? » enchaîne Bonaparte.

On le laisse faire son adjonction, qui n'engage que lui. Doublet décline l'honneur de signer : il n'est que secrétaire. Le chevalier Amat clôt la série ; on l'a intitulé médiateur, mais les Français n'ont même pas eu besoin de son aide pour mettre la victime à mort.

« Au plaisir de vous revoir, citoyens », dit Bonaparte. Et il ajoute à mi-voix : « Malheur aux vaincus. »

Comme ivre, Ransijat se laisse descendre dans la chaloupe. Il n'a pourtant bu qu'un verre de punch. La joie de la revanche le dispute au sentiment d'avoir trempé dans une espèce de crime.

Le bailli Frisari se penche vers lui :

« Cette convention ne peut entrer en vigueur qu'une fois ratifiée. Et jamais le Conseil de l'Ordre ne ratifiera chose pareille. »

Ransijat s'apprête à remettre cette vieille bourrique à sa place. Le marquis Tête-de-fer le devance :

« Il n'est pas question que les combats reprennent. Ou alors je ne réponds plus de la fidélité des Maltais. »

Sur cette partie du rivage, les fougasses avaient fonctionné, mais sans causer de dommages à l'adversaire. Une fois enlevées les deux tours côtières, celui-ci débarqua en masse au port de pêche de Marsaxlokk.

Le chevalier de La Guérivière s'enferma au fort voisin avec ses hommes. Restauré en bonne pierre par le grand maître Rohan, cet ouvrage en avait pris le nom. Il disposait de quatre bouches à feu.

Durant la journée du lundi, le fort tira sur les groupes ennemis qui venaient le renifler. Ils décampaient sans insister.

La nuit tombée, l'on fit des signaux à l'adresse du clocher de Zejtun, pour signaler que l'on avait grand besoin de poudre.

Personne ne répondit. Le guetteur avait-il déserté son poste ? Zejtun était-il tombé en des mains étrangères ?

Le mardi, au réveil, les soldats maltais firent savoir qu'il n'était plus possible de résister dans ces conditions. Jean-François de La Guérivière s'était préparé à cette nouvelle. Il leur donna congé, ôta le drapeau de sa hampe, le cacha dans sa chemise et, après un dernier regard sur les eaux indécises de la baie de Saint-Thomas, s'en fut à travers champs.

A Zejtun, la ville des oliviers et des pressoirs, il tomba sur des sentinelles françaises.

« Conduisez-moi à votre chef. »

Il devait avoir l'air si terrible, avec sa haute taille et sa chevelure noire en désordre, qu'on lui obéit séance tenante. Ledit chef était un jeune homme d'aspect timide.

« Chevalier de La Guérivière, ancien lieutenant de vaisseau de la marine royale.

— Enchanté de faire votre connaissance. Général Desaix. »

On servit un bol de soupe.

« Seul le manque de poudre, dit La Guérivière, m'a contraint de me rendre.

— Je ne sais si je dois vous féliciter, dit le général français. Mais vous avez tenu plus longtemps que le grand maître.

— Le grand maître a capitulé ?

— L'Ordre a capitulé tout entier, vers deux heures du matin. »

La Guérivière dut s'appuyer au mur. Il se sentait immensément malheureux.

« Nous entrons ce matin dans les cités de l'est, ajouta Desaix. Voulez-vous nous faire un bout de conduite ? »

L'on se rendit au pied de la Cotonère, l'énorme rempart intact. La veille du débarquement des Français, la poterne Saint-Nicolas avait été murée. Des maçons s'affairaient à présent à la démurer. Desaix ôta son bicorne, baissa la tête et passa.

« Après vous, monsieur le chevalier, dit l'aide de camp avec une politesse narquoise. Faites comme chez vous. »

La Guérivière se plia en deux et déboucha de l'autre côté. Il n'y avait eu aucune destruction. Les gens de Bormla paraissaient nerveux. En arrivant au quai des Galères, le chevalier vit que tous les forts avaient amené leurs couleurs : la Sengle, Saint-

Ange, la grand porte de la Victorieuse... Victorieuse de Soliman II, assurément, mais non point du général Bonaparte.

Seule La Valette, en face, restait au pouvoir de l'Ordre ; la reddition des clefs n'était prévue que le lendemain. La Guérivière trouva non sans peine un batelier, traversa le port, monta au palais. On y entrait comme dans un moulin.

Le grand maître s'était affalé sur un canapé avec son vieux copain le bailli de Neveu — un ornement de la Langue d'Allemagne, malgré son nom français. Ce Neveu poussait de gros sanglots d'ivrogne.

« Voici le drapeau du fort Rohan, dit le visiteur. Il a été sauvé de l'ennemi. »

Le grand maître déroula la soie pâle, y appuya ses lèvres. Les larmes jaillirent. La Guérivière sortit. Campé sur le palier, le bailli de L.T.D.P.M. répétait à tout venant sa phrase historique :

« Tout est perdu, même l'honneur. »

D'un élan martial, Bonaparte saute sur le quai. Une troupe de notables s'incline, lui souhaite la bienvenue. L'aide de camp Sulkowski regarde avec curiosité, regarde avec dégoût tous ces baillis et commandeurs qui auraient été ses frères d'armes si son propre destin, par bonheur, n'avait pas tourné de travers.

Au-devant du vainqueur, le grand maître a envoyé son fameux carrosse à six chevaux. Le vainqueur décline l'offre et monte la rampe à pied, comme Junot l'avait fait la veille. N'osant emprunter ce véhicule dédaigné, les dignitaires suivent en soufflant. Il marche vite, le général en chef !

Sulkowski s'émerveille de cette ville serrée, pentue, bâtie tout entière d'une belle pierre blonde. Et propre encore, malgré le désordre. En vérité, ceux qui ont construit cela n'avaient pas l'âme petite.

« Général, dit le chambrier-major, Son Altesse vous attend au palais. Elle a fait préparer votre appartement.

— Expliquez à votre maître, répond Bonaparte, que l'hôtel de ville m'a paru être une résidence plus appropriée. »

Si Hompesch s'imaginait que le vainqueur allait rendre visite au vaincu !

Baillis et commandeurs renoncent à poursuivre. Ils ont enfin compris qu'ils étaient *personae non gratae.* Pauvres vieilles choses.

Mais la maison municipale manque de confort. Dès le lendemain, Bonaparte exige un autre gîte. Sulkowski se met en chasse. Fort obligeamment, le baron et la baronne Parisio prêtent leur hôtel, la plus belle demeure privée de La Valette, rue des Marchands, juste en face de l'Auberge d'Italie. L'hôte est un ancien chevalier de Saint-Jean, marié avant d'avoir prononcé ses vœux ; son épouse est maltaise, très jeune et très jolie.

« Madame, faites-nous la grâce de rester chez vous, supplie Sulkowski. Loin de nous déranger, votre présence ajouterait au charme des lieux. »

Mais son baron de mari préfère déménager.

Quant aux troupes françaises, elles campent tout bonnement dans les rues. Par ce beau temps, les nuits ne sont point désagréables. Les boutiquiers ont abaissé leurs volets, de crainte des pillages.

Dès leur arrivée, les nouveaux maîtres de la ville font l'inventaire de leur butin. Vivres et munitions ne manquent pas. Mais on laissera l'essentiel sur place, pour que l'île puisse se défendre contre les Anglais, s'ils viennent à l'attaquer. On lui laissera aussi le vieux vaisseau *Saint-Zacharie,* que Bonaparte rebaptise le *Dego,* du nom d'un de ses hauts faits d'Italie ; et la frégate bien fatiguée, la *Sainte-Élisabeth,* devenue la *Carthaginoise.* Quant au vaisseau en construction, le *Saint-Jean,* on l'appellera l'*Athénien* quand il sera achevé. En fin de compte, Bonaparte ne prélève que la meilleure des galères, la plus grande.

Escorté des officiers du génie, il entreprend le tour des fortifications. Superbe ensemble, dont l'escarpe atteint souvent soixante pieds. « Heureusement qu'on nous a livré tout cela, avoue-t-il en rentrant. Nous n'aurions jamais pu le prendre. »

Les institutions de Malte sont rénovées à coups de sabre. L'île fera partie de la République française, mais jouira d'une certaine autonomie, sous la tutelle de l'armée occupante. Bonaparte reçoit les représentants du clergé : « *Predicate il Vangèlo,* leur dit-il, *e fate rispettare le autorità costituite*[1]. »

Bonne pâte, l'évêque de Malte chante un *Te Deum* pour remercier le ciel d'avoir économisé le sang versé. Les Français n'ont perdu que trois hommes. Les chevaliers, quatre, dont deux occis par leurs propres troupes. Alors que, durant le Grand Siège, l'Ordre avait sacrifié deux cent dix-neuf de ses membres. Quant aux victimes maltaises de ces derniers jours, personnes n'a pris la peine de les compter, mais leur nombre reste fort raisonnable.

Sulkowski éprouve une sorte de honte pour son ancienne confrérie.

Le surlendemain de l'arrivée de Bonaparte, le grand maître comprend enfin qu'il n'aura jamais sa visite, et se résout à faire le premier pas. Haute stature, port noble, visage ravagé. Afin d'honorer son vainqueur, le malheureux, il a mis une cocarde tricolore à son chapeau ! Tu boiras la coupe jusqu'à la lie, Ferdinand...

De surcroît, il se présente au pire moment. Le général en chef recevait un vieux prêtre maltais, un certain Mannarino, embastillé depuis vingt-trois ans pour cause de rébellion contre l'Ordre. Mannarino n'a jamais vu le grand maître, et pour cause. Mais il le reconnaît à ses insignes, le prend à partie avec véhémence. C'est Bonaparte qui doit le faire taire.

Exit Mannarino, l'écume à la bouche. Conversation délicieuse entre l'ancien seigneur de l'île et le nouveau. Hompesch s'excuse de tout : d'avoir résisté un peu, d'être ce qu'il est, de rester au palais encore quelques heures...

« Vos créanciers sont venus se plaindre à moi », observe le général en chef.

Il leur affecte la moitié de l'indemnité de départ promise à Hompesch, soit trois cent mille francs. Pour dégager cette somme, l'on vendra les propriétés maltaises de l'Ordre. Ainsi, la grande France paie ses dettes envers les vaincus en puisant dans la substance des vaincus eux-mêmes.

Hompesch ne recevra que le solde, soit cent mille francs en numéraire, et deux cent mille en traites sur le Trésor français. Puis viendra la pension. Tout cet argent lui permettra de vivre

1. Prêchez l'Évangile, et faites respecter les autorités constituées.

entouré d'une petite cour de fidèles, quelque part à l'étranger, et de jouer encore au souverain.

« Je vous fais toute confiance, dit-il en se retirant, pour que les échéances soient respectées. »

Bonaparte appelle ensuite le secrétaire Doublet, se fait remettre la correspondance diplomatique avec Pétersbourg :

« Et le code, citoyen ? »

Doublet apporte le code secret, d'ailleurs inutile en l'occurrence, puisque le premier lecteur des dépêches a porté le texte déchiffré dans les interlignes.

« Eh bien Sulkowski, dit Bonaparte, sans se donner la peine de lire, voilà qui devrait plaire à un Polonais. Ces papiers sont pleins de preuves de collusion de votre Ordre avec le tsar. »

Soucieux de faire sa cour, Doublet montre également une lettre venue de Rastatt, en Allemagne. Elle mettait le grand maître en garde contre une prochaine attaque française. La source de l'information est identifiable, et proche du Directoire.

« Vous voyez, Sulkowski, s'écrie le général en chef. Le Directoire souhaitait la perte de notre expédition.

— Le Directoire est jaloux de votre gloire », reconnaît l'aide de camp.

Par bonheur, ce jocrisse de Hompesch n'a pas su profiter du renseignement.

Pendant que Bonaparte continue de réorganiser l'île à sa guise, Sulkowski s'intéresse au sort des jeunes chevaliers. Il les voit errer sans but dans les rues, traînant leurs regrets et leur mauvaise conscience. Certains prennent langue avec des soldats français. D'autres tourniquent auprès de l'hôtel Parisio, et tentent d'apercevoir le dieu, ou se rappellent au bon souvenir d'Eugène de Beauharnais, qu'ils ont connu à l'école Lemoine-Loiseau, rue de Berri à Paris.

Sulkowski leur explique qu'ils ne peuvent rester dans ce déshonneur. En Orient, l'armée française aura besoin de talents. Elle redorera leurs blasons. Qu'ils viennent donc !

Lui aussi, l'aide de camp de Bonaparte, il aurait pu être l'un de ces infortunés, si sa famille ne lui avait retiré la commanderie promise. Lui aussi, il aurait été plongé dans le malheur par la faute de chefs incompétents. Il veut aider ces garçons, ces victimes.

« Je ne puis vous suivre, confie l'un d'eux. J'ai servi à l'armée de Condé.

— Raison de plus. L'armée française vous refera une vertu. »

Courrier du soir : une seule enveloppe sur le plateau. Elle émane du principal coupable, et du grand perdant de cette affaire. Avant de quitter l'île, Hompesch a voulu prendre congé. Il se confond en remerciements envers Bonaparte !

La revoici donc, la petite maison, émouvante, intacte. Le visiteur passe de pièce en pièce en inclinant sa haute taille. La pipe de l'oncle Guy attend dans le cendrier, on dirait que le brave cher homme est à la promenade, qu'il va revenir pour le dîner. Et pourtant, Déodat l'a bien vue, sa dalle mortuaire, en l'église Saint-Jean, devant la chapelle des Trois Rois.

Il s'installe lui-même dans son ancienne chambre, devenue ensuite celle de Casimir, le petit frère. Pauvre garçon, encore un qui s'est fait tuer pour rien. Mais avant cela, reconnaissons-le, il a pris du bon temps. Avec ses amis, il a bu tout le vin d'Alicante et dérangé les collections de minéraux. Rien de cassé, par chance.

Dolomieu caresse les sardoines, soupèse les éclats de trapp. Emporter tout cela en Orient ? Ce serait folie. Au retour, il faudra repasser par ici, emballer ce musée pour la France.

Ah, l'île de Malte est bien un piège ! L'on croit toujours l'avoir quittée, et l'on se découvre chaque fois une bonne raison d'y revenir.

La vieille servante Marguerite est restée elle aussi, comme un meuble, sans être payée. Dolomieu lui rembourse la somme que ce chenapan de Casimir lui avait empruntée pour son dernier voyage. Il lui verse également, d'un seul coup, plusieurs années de pension. Quant à l'arriéré de loyer que l'Ordre, bon prince, s'est si longtemps abstenu de réclamer à l'oncle, mieux vaut n'en point parler : le remue-ménage des derniers jours aura fait oublier cette créance.

Mais qu'arriverait-il si la République française, nouvelle propriétaire de ces murs, les vendait pour se faire de l'argent de poche ? Dolomieu laisse des recommandations. Ses minéraux seront traités comme si c'était de l'or.

Cependant, d'étranges choses se passent à Malte. Les Auberges sont mises en coupe réglée par les fourriers de l'armée française. Berthollet s'est enfermé dans l'église Saint-Jean, avec d'autres savants, pour y inventorier les objets de métal précieux. Et cela dure des journées entières ! Porté à la fonte, ce trésor aidera à financer la suite de l'expédition. Besogne immonde, dont Dolomieu ne veut prendre aucune part.

Des amis, des curieux affluent vers son refuge. Et d'abord les vieux complices du temps des intrigues : le bailli des Pennes, le bailli Merveilleux... Ils ont obtenu de rester dans l'île, à cause de leur âge, mais n'ont pas encore compris ce qui leur arrivait. On dirait que la terre vient de se fendre sous leurs pieds.

Les anciens disciples de Dolomieu sont là aussi, présentant leurs respects. Hier encore, c'étaient presque des enfants. Aujourd'hui, ils approchent la quarantaine !

« Qu'avez-vous fait ? s'étonne Déodat. Il vous suffisait de tenir quelques jours. Bonaparte aurait déguerpi, par crainte de la flotte anglaise.

— Nous n'en pouvions plus de cette vie médiocre », répond l'un d'eux.

Et un autre ajoute en baissant la tête : « Nous en avions assez d'être nous-mêmes. »

Dolomieu se lève :

« Mes enfants, qu'allez-vous devenir ?

— Nous n'en savons fichtre rien.

— Accompagnez-nous donc en Orient.

— Comment pouvez-vous, mon cher commandeur, jouer les sergents recruteurs de Bonaparte ?

— Peu m'importe Bonaparte, dit Dolomieu. Je vous parle dans votre intérêt. »

Le chevalier Marie du Lac se laisse tenter. Le chevalier Silvain de Bosredon-Vatange s'excuse : malade, il va devoir rester dans son jardin, où on le soignera au rhum chaud. Jean-Louis d'Andelarre manque à l'appel ; brave comme toujours, il a trouvé le moyen de se faire descendre la veille de la capitulation.

Dolomieu voudrait bien embaucher Ransijat. Il a tant d'histoires à lui raconter.

« Libre à toi de jouer au mirliflore, répond l'Auvergnat. Moi, je suis devenu un vieil homme prudent. »

A la vérité, monsieur a d'autres ambitions. En récompense de son attitude pendant ces derniers jours, Bonaparte entend le nommer à la tête du Conseil de gouvernement. Ainsi, Ransijat sera le successeur des grands maîtres. Le remplaçant de ce Hompesch qui l'a humilié. Ransijat va enfin réaliser les projets qu'il ruminait depuis si longtemps, et faire le bonheur des Maltais. Longue vie à Ransijat Ier, roi de Malte !

Timidement, le jeune André de Saint-Simon franchit à son tour le seuil de la petite maison. Il pratique l'archéologie, il voudrait être versé dans le corps des savants. L'obligeant Déodat, qui a connu divers oncles et grands-oncles de ce garçon, tous baillis de l'Ordre, le fait nommer secrétaire de la commission scientifique, et le prend avec lui sur le *Tonnant.*

Rencontre inopinée du bailli de L.T.D.P.M. et de son frère, le marquis de Montauban. Ils s'en vont vers Trieste ou Venise, sous la protection de l'Autriche. Entre eux et Dolomieu, un cadavre a pourri : celui de la première marquise, sa maîtresse d'une saison. Mais quelle vieille histoire ! Dolomieu s'avance, la main tendue. Ils se détournent. Ils n'ont rien appris, rien oublié.

Viennent enfin quelques tapeurs ; on pouvait s'y attendre. Ceux qui ne peuvent ou ne veulent rentrer en France, et vont user leurs souliers sur les routes de l'exil. Dolomieu leur ouvre sa bourse.

« Si je vous aide, précise-t-il, je n'approuve pas pour autant la conduite de l'Ordre. Vous vous êtes compromis avec le tsar de honteuse manière ! »

C'est du moins ce que fait savoir l'état-major de Bonaparte. Dolomieu a trop souffert des cabales russes, autrefois, pour ne pas être sensible à ce grief. Pétersbourg ordonnait, Naples obéissait, Loras exécutait.

Mais qui parle de Loras ? Le voici justement. A son tour, il vient en pèlerinage à la maison Dolomieu. Maréchal d'une armée dissoute, il adopte une humble contenance dans son habit noir.

« Vous devez me trouver bien vieilli, dit-il en s'asseyant dans le fauteuil favori de l'oncle Guy.

— Vous aussi, j'imagine », répond Dolomieu.

Quelle intrigue ce gnome a-t-il encore inventée ? Que va-t-il négocier ? Mais non ; pour une fois, il ne demande rien, ne combine rien. Tout simplement, il a voulu s'incliner devant l'une des vedettes du jour. Présenter ses compliments à un rival heureux.

« Alors, vous êtes devenu le conseiller de Bonaparte !

— Les génies ne prisent guère les conseils, objecte le grand Déodat en riant.

— En tout cas, vous vous êtes joliment vengé de Malte.

— N'en croyez rien. J'ignorais même qu'on y débarquerait. »

Loras soupire, dresse le nez. Il sent l'essence de violette.

« C'est Hompesch qui a tout gâté. J'avais proposé que l'on se réfugiât dans les cavaliers. Une position i-nex-pugnable. On n'a pas voulu m'écouter.

— Ce que Hompesch a perdu, corrige Dolomieu, branlait dans le manche depuis cinquante ans. »

Malgré la chaleur, le petit Abel n'a pas touché au breuvage servi par la bonne Marguerite. Craindrait-il le poison ?

« Qui plus est, continue-t-il sans tenir compte de la dernière réplique, Hompesch a accepté un traité sans valeur. Un traité conclu par Ransijat, pensez donc ! Ransijat était hors d'état de payer ses dettes de jeu. Il avait besoin d'une catastrophe.

— Je comprends votre amertume, coupe Dolomieu. Mais ne venez pas insulter mes amis sous mon toit. »

Loras n'a pas entendu. Il pose sur son interlocuteur un regard rongé par l'insomnie :

« En tout cas, poursuit-il, Ransijat ou pas Ransijat, ce document devait être ratifié par le Conseil de l'Ordre. Hompesch s'est abstenu de le lui soumettre, craignant d'être désavoué. L'armée française est donc occupante sans titre.

— Mais très présente », ironise Dolomieu.

Malgré les patrouilles dans les rues, des Maltaises se sont plaintes d'avoir été importunées. Un soldat ivre a pénétré chez le petit Doublet, l'ancien secrétaire de la chancellerie ; terrifié, le gosse qui se trouvait sur son pot est tombé sur le carrelage et s'est fêlé le crâne.

« Quand je vous ai vu arriver à la porte de la Marine, avec ce général Junot, reprend brusquement Loras, j'ai pensé que vous me feriez fusiller.

— Mon pauvre bailli ! J'ai trop souffert sous la Terreur pour songer à cette sorte de revanche. Rentrerez-vous en France ? Vous y avez droit.

— Ce pays me fait horreur. Et je ne veux pas toucher la pension de Bonaparte. Je me rendrai à Naples, ou en Sicile. Vous vous souvenez que certains ministres m'y honoraient de leur amitié. Mais un homme dans l'infortune a-t-il encore des amis ? »

Le petit être se lève, secoue de sa manche un insecte imaginaire :

« Vous et les vôtres, vous croyez avoir abattu l'Ordre.

— Je vous répète que je suis étranger à ce brigandage, dit Dolomieu.

— Ceux qui croient nous avoir abattus se leurrent. Notre Ordre se trouvera une autre demeure. Notre Ordre est éternel. »

Et M. de Loras s'éloigne sous le grand soleil de Malte, portant dans sa bosse gonflée le deuil de tout un monde.

Au bagne, on n'y comprenait plus rien. On entendait des coups de fusil dans la campagne, des coups de canon du côté de Saint-Elme. Les gardiens avaient disparu. Personne n'était venu chercher les forçats pour les petits travaux en ville. Personne ne leur avait apporté leur pitance.

« Le rata ! », commença une voix. « Le rata ! » exigea le chœur, en s'accompagnant d'un bruit de chaînes.

« Les Français attaquent, dit un bagnard mystérieusement informé.

— Une guerre entre chrétiens ? Quelle drôle d'idée ! dit Kassem.

— Les Français se briseront les os sur nos remparts », affirma un petit gars de Bizerte.

Nos remparts, non sans fierté. Bien des bagnards s'étaient usés à les réparer, ces chiennes de murailles.

Le lendemain, il y eut une accalmie.

Le surlendemain, on reçut la visite d'officiers français, avec bicornes et plumets. Un curieux personnage les accompagnait, tout de noir vêtu, coiffé d'une toque noire, et parlant un arabe d'Orient difficile à comprendre.

« Le général Bonaparte vous libère, traduisit-il. Il a écrit au bey de Tunis, au dey d'Alger. Dès que le bey et le dey auront renvoyé leurs prisonniers maltais, vous pourrez rentrer dans vos foyers. »

Du côté musulman, les bénéficiaires de cet échange allaient être au moins mille.

Questionné par les bagnards, l'interprète expliqua qu'il était un prêtre chrétien de Syrie. Les Français l'avaient pris à Rome pour leur expédition. Un Syrien chrétien ! Jamais Kassem n'aurait imaginé pareille chose. Brusquement, le monde lui parut bien compliqué.

Il rêvait de sa ville natale, qu'il allait bientôt revoir. Ah, les terrasses de Sousse, les étagements blancs et bleu pâle ! Ce serait la fête dans sa famille, avec danses et coups de fusils. On aurait tôt fait de lui trouver une épouse, et un bateau.

Les jours suivants, d'autres Français parurent. Ils passaient dans les rangs, choisissant les forçats les plus jeunes, les plus vigoureux.

« La flotte française embauche, dit un interprète maltais. Vous ne serez pas rameurs, c'est juré. On vous apprendra la manœuvre des canons.

— Où va-t-elle donc, la flotte française ?

— Prendre Constantinople. »

Depuis longtemps, Kassem avait envie de tirer au canon. Depuis toujours, il souhaitait connaître la capitale ottomane.

Il fut affecté au *Peuple-Souverain* : un vaisseau plus très jeune, mais qui se dressait fièrement dans le port. Kassem compta soixante-quatorze canons ; de quoi faire du beau carnage. A bord, une petite réception attendait les recrues. D'autorité, on leur mit un quart de vin dans la main.

« Tu es un homme libre, maintenant », dit à Kassem un gros matelot qui parlait italien.

Sitôt vide, le quart était rempli à nouveau. Des gamelles circulaient, pleines d'une viande inconnue.

« De la viande de la France. Mange. Tu verras. »

Excellente, en vérité.

« Eh bien les gars, révéla le gros marin, vous venez de manger du cochon.

— Hallouf ! » dit le petit gars de Bizerte, en riant aux larmes.

Il était complètement saoul.

« Fini les religions, renchérit le gros matelot. A bas Jésus-Christ ! A bas Mahomet ! Vive la République ! »

Alors Kassem, laissant là toute culpabilité, congédia son ancien soi-même, ainsi qu'une peau morte, et se laissa glisser dans le paradis des Français.

L'immense convoi français est sorti du port de Toulon. Destination inconnue.

Bientôt renforcé de dix vaisseaux, l'amiral Nelson se lance à sa poursuite. Depuis son premier passage en cette mer, il a perdu un œil (devant Calvi) et un bras (devant Ténériffe). Mais il se sent au mieux de sa forme.

Sans doute Bonaparte entend-il donner une leçon aux Deux-Siciles, pour cause de sentiments antifrançais (bien que ce soit une puissance neutre). Nelson se précipite à Naples. Aucune trace d'ennemis.

Alors, la cible serait-elle Malte ? Tout donne lieu de le croire. Le 20 juin, de Messine, Nelson envoie un message au grand maître : tenez bon, j'arrive. Il ne sait pas encore que le grand maître a capitulé depuis huit jours, avec armes et bagages.

La rencontre d'un brick maltais le lui apprend bientôt. La flotte de Bonaparte vient de quitter l'île après l'avoir soumise. Malte aux mains des Français ! Inconcevable. Intolérable.

Cet Ordre de chevalerie n'était donc qu'une outre emplie de vent. Mais avec lui, on réglera les comptes plus tard. Dans l'immédiat, c'est Bonaparte qu'il faut empêcher de nuire.

Où va-t-il, ce démon corse ? En Égypte, probablement. Il veut couper les communications anglaises avec les Indes. Nelson paraît devant Alexandrie. Personne n'a vu la flotte de la République !

En vain, Nelson revient sur sa route. Tonnerre, où est l'ennemi ? Nelson a besoin d'eau, besoin de vivres. Il aborde à Syracuse :

« Pas plus de quatre vaisseaux à la fois, déclare le gouverneur de la ville. C'est la loi des neutres. Traité d'Utrecht, article treize. »

Nelson plaide comme un furieux, finit par faire admettre toute son escadre, malgré la crainte de représailles françaises. Entre-temps, le renseignement manquant lui est parvenu. L'objectif adverse était bien Alexandrie. Les Anglais y sont passés un jour trop tôt. Arrivé le lendemain, Bonaparte s'en est emparé sans difficulté. L'Égypte est perdue !

On repart, on court sur les eaux. Le 1er août, en début d'après-midi, la flotte française paraît enfin, ancrée dans une baie ouverte, à l'est d'Alexandrie. Profitant d'une lumière favorable, l'amiral britannique compte les bâtiments à la lunette. Les Français sont nombreux. D'après les marchands croisés en route, ils ont un vaisseau de cent vingt canons, et plusieurs de quatre-vingts. Tandis que lui, Nelson, n'a que des soixante-quatorze. Au total, la puissance de feu française excède la sienne.

Mais que vaut cette flotte hétéroclite ? Que valent ces équipages recrutés en hâte dans tous les ports de la Méditerranée ? Les loups de mer de Nelson n'en feront qu'une bouchée. En avant toute !

Antoine n'a rien pu faire. Personne ne lui donnait d'ordres, et il n'avait personne à commander. Sa chère *Sainte-Élisabeth* était à l'ancre, et hors de portée.

Lorsqu'il a vu le général français qui venait négocier, ce matamore en uniforme de farce, il a pleuré de rage :

« Je le tuerai ! »

Mais lorsque les baillis et les grands prieurs se sont inclinés bien bas devant ce même Junot, il s'est senti plutôt bête.

Dolomieu se trouvait là aussi, le rebelle, l'agitateur. Les préjugés d'Antoine ont fondu en le regardant agir, à la fois aimable et soucieux — si supérieur, en un mot. Il aurait aimé pouvoir l'aborder.

Quant à Charles, il a vainement tenté d'enrayer la débâcle de sa troupe, dans la campagne.

Et voici maintenant l'état-major des vainqueurs, au complet.

« Lequel est-ce, Bonaparte ? demande Antoine en se dressant sur la pointe des pieds. Le grand avec le panache ?

— Non, c'est le plus petit.

— Pas possible ! »

En un rien de temps, Malte est devenu un asile de fous. Sans qu'on ait compris pourquoi, ni comment, l'Ordre est entré en liquéfaction. Les deux garçons se sentent odieusement floués. Leurs chefs leur avaient appris qu'ils étaient l'armure de la chrétienté, qu'ils continuaient sept siècles de chevalerie...

« Désormais, jure Charles, je ne salue plus les baillis. Je ne salue plus personne. »

Selon de méchantes rumeurs, Hompesch aurait été suborné dès la Noël par l'espion de Bonaparte, le subtil Étienne Poussielgue. Séduit par l'idée d'échanger ses ennuis de prince régnant contre une grosse indemnité, il aurait accepté de ne pas se défendre.

Mais rien ne sert d'accuser. Que va-t-on devenir ? Antoine voudrait bien revoir ses parents, embrasser cette petite sœur née en son absence. Comme son ami Charles, il peut prouver qu'il réside à Malte depuis le printemps 1792. Cela figure sur les registres. Il n'a donc servi dans aucune armée en guerre contre la France.

« Nous aurons même une pension de sept cents francs », se moque Charles de Bonvouloir.

Ça, c'est moins sûr. Le traité de la capitulation n'exclut de cet avantage aucun des chevaliers autorisés à rentrer en France. Mais Bonaparte aurait dit qu'il fallait sept ans de séjour à Malte, pour en bénéficier. Or Antoine et Charles n'en ont que six. Qui croire ?

« A notre âge, déclare Antoine, peu nous importent les pensions. Nous voulons servir. Nous trouverons bien quelqu'un pour nous employer. »

Les deux amis errent entre l'Auberge de France, l'Auberge de Provence et le palais magistral. Ôtant leurs habits rouges, qui pourraient provoquer, ils ont enfilé leurs vêtements de tous les jours. Les factionnaires français leur barrent néanmoins l'accès des remparts. L'Ordre de Malte n'est plus chez lui.

« Revenir au pays ? s'interroge l'ami Charles. Plus tard. Je ne veux pas revenir en vaincu. »

C'est alors qu'un ange du ciel les prend sous sa protection. Il est vêtu en officier français, mais sa blondeur attire les regards :

« Joseph Sulkowski, aide de camp du général en chef. Un ancien confrère à vous, qui n'a pu pousser jusqu'aux vœux. »

Une querelle familiale et les malheurs de sa patrie l'ont conduit à l'armée française, où jamais personne ne lui a reproché son passé.

« Bonaparte se moque de vos antécédents, insiste-t-il, pourvu que vous le serviez bien. »

Les deux copains échangent des regards perplexes.

Le lendemain, un autre exemple achève de les ébranler : celui de Théodore Lascaris. Il avait refusé de se battre contre les Français, et on avait négligé de le punir. Par l'entremise des Poussielgue qui, contrairement au proverbe, sont à la fois ses créanciers et ses amis, il vient de s'enrôler dans l'armée victorieuse.

« Eh, comment faire ? plaisante Charles. Nous n'avons même pas de créanciers, nous. »

Antoine rougit ; il ne va point s'adresser à Ransijat ! Absorbé par ses nouvelles occupations, Lascaris a déjà disparu. Et l'ange Sulkowski, apparemment, est remonté aux cieux.

Un incroyable remue-ménage règne sur le port. Des bâtiments français accostent, déversent leur équipage. Encore beaucoup devront-ils rester au large, faute de place. Antoine avise un haut gradé — un amiral, dirait-on — qui déambule en portant un petit chien dans ses bras.

« Mais c'est Amadis ! »

L'amiral se met à rire :

« Brutus, désormais. »

Pauvre petite bête, qui n'a jamais attrapé un rat de sa vie ; la voici affublée d'un nom tyrannicide.

« Êtes-vous chevaliers ? s'enquiert l'amiral.

— Nous l'étions, dit Antoine, mais il paraît que ce n'est plus de saison. Nous voudrions nous engager dans la marine française.

— Vous me paraissez bien jeunes, dit l'amiral.

— J'ai vingt-deux ans, répond Antoine, dont six de navigation. »

Du coup, l'amiral oublie d'interroger Charles, qui n'est qu'un officier de milice, et les embauche tous deux sur son vaisseau. L'*Orient !*

De retour en ville, les deux amis tombent sur le petit club des anciens de l'armée Condé : Mongenêt, les frères La Panouse et consorts. Interdits de séjour en France, ils viennent de s'engager eux aussi, et ont été affectés au vaisseau le *Causse.* Charles les brocarde :

« Un vieux rafiot vénitien ! On l'a vu pourrir pendant des années dans nos bassins, du temps de la guerre contre Tunis. »

Le *Causse,* ex-*Vulcano,* n'a qu'un demi-équipage. En cas d'épidémie, ou de coup dur, il servira de navire-hôpital. L'*Orient,* c'est quand même autre chose.

Comment expliquer tout cela à Lucija ? Elle ne pleure pas, elle se tient bien droite. Ma parole, elle s'y attendait ! Mais elle n'a rien compris à cette histoire de Français qui ont attaqué d'autres Français.

« Je vais chercher la gloire avec Bonaparte », dit Antoine.

De toute façon, il ne pouvait rester à La Valette. Craignant que l'Ordre n'essaie de reprendre le pouvoir, les Français ne tolèrent aucun chevalier dans l'île, hormis les vieillards.

« Je reviendrai, ajoute Antoine, dès que Constantinople sera prise. Je serai capitaine de corvette. Tout ira bien. »

La mère Buhagiar écoute avec une satisfaction non dissimulée. Elle n'a jamais goûté l'idylle de sa fille avec ce petit miséreux de chevalier. Maintenant qu'il cède la place, on va s'employer à trouver un meilleur parti.

« Emmenez donc Pinu, intervient-elle. Un fainéant, un vaurien qui mange comme quatre. Il aime la bagarre, il sera servi. »

Le petit frère de Lucija est un brave gosse, dont le minois n'est pas sans rappeler celui de sa sœur. Antoine le fait embaucher comme mousse sur le *Franklin.*

La vaisselle des Auberges françaises et de l'Auberge d'Italie a été vendue à vil prix, avant que l'intendance de Bonaparte ne s'en empare : ces assiettes et ces plats d'argent, dans lesquels l'on s'enorgueillissait de manger une pitance devenue infecte. En cachette, les chevaliers se partagent cette petite provende : pour chacun, quelques dizaines d'écus qui aideront à financer le voyage de retour, ou à attendre sur le continent un emploi bien hypothétique. Antoine et Charles refusent leur part avec hauteur. Eux, ils font partie de l'armée d'Orient !

Mais certaines personnes prétendent que Bonaparte va s'en prendre à la Sicile, territoire neutre. On parle aussi du Portugal, satellite de l'Angleterre. Vraies et fausses nouvelles s'entrechoquent joyeusement.

« Hompesch fout le camp cette nuit, annonce l'ami Charles. Celle-là, elle est authentique.

— Pourquoi la nuit ?

— Pour échapper à ses créanciers, tiens !

— Je ne saurais assister à cela », dit Antoine.

On l'en persuade ; un événement historique, citoyens. Deux navires sont amarrés au quai de la Douane : le marchand qui va mener Hompesch à Trieste, le port de l'Autriche ; et la frégate l'*Artémise,* qui l'escortera sur une partie du trajet, pour éviter une mauvaise surprise. Le grand maître de l'Ordre prisonnier des Barbaresques, ce serait complet, non ?

A la lueur des lanternes, des matelots chargent ses effets personnels. Vingt caisses ! Timidement, les fidèles apparaissent en manteau de voyage : silhouettes que l'on devine, plus qu'on ne les reconnaît. Le bailli Saint-Trop', le commandeur de Bosredon, qui fait tout ce qu'il peut pour se distinguer de Ransijat son frère. Le commandeur de Saint-Priest, auteur de la célèbre cantate *Hébé,* nouvellement chargé des affaires diplomatiques de l'Ordre, ou de ce qui en reste. Il paraît que Loras convoitait le poste, mais Son Altesse se trouvait fatiguée de lui. Un chapelain disant des patenôtres. Quelques domestiques maltais.

Enfin, la chaise à porteurs de Hompesch débouche de la porte de la Marine. Son Altesse met pied à terre. Précédée d'un porteur de falot, elle s'avance, grande silhouette voûtée, pressant des objets volumineux sur son cœur. Les deux garçons connaissent le contenu de ces boîtes : un morceau de la Vraie Croix ; une main de saint Jean-Baptiste, patron de l'Ordre ; et l'icône de Notre-Dame de Philerme, jadis offerte par le Grand Turc, pour célébrer une trêve. C'est tout ce que l'on a pu sauver du pillage méthodique de l'église Saint-Jean par l'armée française.

Comme dans un songe, le grand maître passe devant Charles et Antoine, qui ne bougent pas, ne s'inclinent pas. Un seul des assistants essaie de baiser ses mains encombrées : le petit page

Roquefeuil, venu dire adieu à celui que, la semaine dernière encore, il appelait bon-papa Hompesch.

« Comment, *Schätzle,* tu m'abandonnes, toi aussi ?

— Je vais en Orient avec Bonaparte, déclare M. de Roquefeuil de sa voix qui mue. Tous mes cousins vont avec Bonaparte. »

Hompesch se détourne, fait encore un pas et, dans son émotion, laisse tomber le reliquaire de la Vraie Croix. Un instant, le coffret d'argent reste à même le quai, personne n'osant y toucher. Puis le page se jette à genoux, ramasse l'objet saint, embrasse son ancien maître, et sans un regard en arrière, s'embarque avec lui.

Ainsi, Hompesch n'est pas tout à fait maudit. Il aura au moins eu cette petite joie.

Le lendemain, le tambour rappelle à bord les permissionnaires de la flotte républicaine. Du quai, un groupe de chevaliers déchus les regardent partir, en attendant d'autres bateaux, qui les mèneront eux-mêmes en douce France. Charles ne peut résister à l'envie de leur faire un bras d'honneur :

« Vous croyez peut-être, les amis, que votre pension vous attend à l'arrivée ? Eh bien, vous n'en verrez jamais la couleur. Jamais. »

Bonaparte a fait remettre cent cinquante francs d'acompte à chacun de ces expulsés, pour le voyage. Quant à la suite... Les finances du Directoire, dit-on, ne sont qu'un grand trou. Les Français ont acheté Malte avec de la monnaie de singe !

Ignorant ce triste spectacle, Antoine se lève dans le canot qui le conduit à l'*Orient* et fait des signes en direction de la Grande Baraque : là-bas, au parapet, une forme bleue qui ne peut être que Lucija.

Le chapitre maltais de l'histoire de Bonaparte n'aura duré que huit jours : deux devant l'île et six à terre.

Et pour Antoine aussi, la page est tournée. Il a vécu là six années de sa vie, celles que l'on tient pour les plus belles. Mais dans cette île ensorcelée, il n'avait pas senti la fuite du temps. Il était mort sans s'en apercevoir — tandis que Bonarparte et ses lions conquéraient la moitié de l'Europe. A présent, il va vivre ; avec eux, grâce à eux.

Durant son passage à Malte, le corps expéditionnaire s'est

enrichi de cinquante-deux chevaliers, d'un petit millier de soldats et de marins (mahométans compris), de trois cents galériens chrétiens (des criminels achetés par l'Ordre au roi de Naples, et confisqués par la France), de quatre cents moutons également chrétiens, et d'une quantité d'argenterie assez considérable.

Antoine et Charles apprennent vite à connaître leur nouveau domaine. L'*Orient* est une ville. Pour des raisons d'équilibre, on y a réparti les canons par ordre de poids. Le pont supérieur porte les pièces de huit ; le pont moyen, celle de douze ou de dix-huit ; les plus grosses sont réservées au pont inférieur, ainsi que l'ancre de miséricorde, qui pèse douze mille livres, et ne sert qu'en cas d'extrémité. Plus bas encore, sous la ligne de flottaison, se trouvent la cuisine, les réserves, la Sainte-Barbe, l'hôpital...

« Nous avons autant de hauteur sous l'eau que sur l'eau », précise fièrement un guide improvisé.

Profitant d'une absence de Bonaparte, les deux garçons sont admis à jeter un coup d'œil sur ses appartements. Le lit est monté sur des ressorts spéciaux : car, si le général en chef ne craint pas la mort, il redoute le mal de mer. Un luxe assez peu républicain règne dans la pièce. Les parquets brillent.

« Ici, c'est comme du temps des rois », dit le valet de chambre en clignant de l'œil.

Et, sur la paroi de la cabine, l'on a fixé une dague précieuse, celle que le pape avait jadis donnée au grand maître La Valette, pour le remercier d'avoir défendu l'île contre l'infidèle. C'est désormais la propriété de Bonaparte.

Le jour du solstice, les équipages décident de fêter le passage de la ligne. En réalité le tropique est loin, l'équateur plus encore, mais le commandement laisse faire : il faut bien que la troupe s'amuse. Affublé d'une grande barbe, un matelot joue le bonhomme Tropique. Les jeunes marins comparaissent devant lui et, selon son humeur, sont roulés dans la farine ou jetés dans un bac de toile rempli d'eau.

Cependant, la flotte longe la face méridionale et nue de l'île de Crète. C'est là qu'il va falloir choisir. Vers Constantinople ? Non, cap au sud. Bonaparte se fend d'une proclamation. Il offre l'Égypte à son armée.

Bientôt se présente une côte basse, relevée d'un bouquet de minarets : Alexandrie. Non loin de là, un fût isolé se dresse sur une éminence : citoyens, la colonne de Pompée. La flotte mouille au large d'une ligne de plages. Canots et chaloupes commencent leurs navettes. A la nuit tombée, la grande galère de Malte vient chercher Bonaparte ; grâce à son faible tirant d'eau, elle pourra s'approcher tout près du rivage.

Et les marins, quel rôle joueront-ils, dans cette conquête ? Les marins restent à bord. Ils sont réduits à compter les feux de l'armée française, dans les sables. Surprise, il pleut un peu.

Au matin, le long cortège se met en marche à travers les dunes — tout le monde à pied, même les généraux. A la lorgnette, l'on distingue les échelles portées à dos d'hommes. Bonaparte n'a même pas daigné débarquer l'artillerie.

Quelques heures plus tard, après un concert de mousqueterie, les trois couleurs flottent au loin sur Alexandrie. Un hourra retentit sur les navires. Décidément, rien ne résiste à ce diable d'homme. Les mahométans se sont défendus un peu plus que les chevaliers de Malte. Il a fallu donner l'assaut. Mais les remparts décrépits de la ville n'étaient pas en état d'arrêter le nouvel Alexandre.

La flotte essaie de pénétrer dans le Port-Vieux. La passe est peu profonde. Après un fâcheux échouage, l'amiral Brueys ne fait entrer que les bâtiments pris à Venise, et la galère de Malte. Plus hauts sur quille, les vaisseaux de construction française vont s'embosser en baie d'Aboukir : site en plein vent, où l'on jouit de la seule protection d'une batterie, sur un îlot.

Antoine et Charles reçoivent permission de descendre à terre. La campagne est jonchée des vestiges d'une citée fabuleuse. *Intra muros,* la situation n'apparaît guère plus brillante, car mahométans, juifs et chrétiens se sont gardés d'entretenir leurs maisons, de crainte d'éveiller la cupidité des gouverneurs mamelouks. Les environs ne produisent rien, il faut faire venir la nourriture de loin. Les intendants français jurent et sacrent.

Entre deux ruines, les garçons rencontrent Dolomieu et son ami Vivant Denon. Ces messieurs ne savent plus s'ils doivent protester contre l'inconfort de ce séjour, ou se réjouir de leur découverte : dans la cour d'une mosquée, un sarcophage de pierre verte, décoré d'hiéroglyphes, et utilisé par les musulmans pour les ablutions rituelles.

« Citoyen, dit Charles au grand Déodat, c'est une joie de vous connaître. Vous êtes pour nous un modèle.

— Je ne suis pour rien dans la prise de Malte, se hâte de préciser Dolomieu. Elle m'a navré le cœur.

— Ce serait dommage, répond Charles. Cette prise devait avoir lieu un jour. Grâces vous en soient rendues. »

Dolomieu réoriente la conversation vers le réseau de réservoirs et de citernes communicantes, qui depuis l'Antiquité sauve de la soif cette cité du désert. Il projette une expédition, avec porteurs de torches. Antoine et Charles s'inscrivent.

Et la flotte anglaise, dans tout cela ? A force de l'attendre, on finit par se demander si elle existe vraiment. Mais cette baie d'Aboukir est bien exposée. Ne vaudrait-il pas mieux chercher abri à Corfou, port français ?

« Les Anglais nous empêcheront d'en revenir, objecte un officier. L'armée sera bloquée en Égypte.

— Nous irons à Corfou, tranche l'amiral Brueys, quand nous aurons embarqué suffisamment de provisions. »

L'armée de Bonaparte s'en est allée vers le Caire et les pyramides, tous drapeaux déployés. Habituées à travailler au grand soleil, les troupes maltaises ont été retenues pour consolider les remparts d'Alexandrie. Brueys licencie la plupart des navires de transport, ces Espagnols, ces Danois, ces Dalmates que l'on avait embauchés à Toulon ou à Gênes. Dans l'Antiquité, on appelait cela brûler ses vaisseaux. Sapristi, les Français tiennent l'Égypte pour longtemps.

Ce matin, l'almanach républicain annonce le 14 thermidor (1er août 1798). Un mois déjà s'est écoulé dans les parages d'Alexandrie. L'amiral Brueys a souffert de dysenterie ; depuis, les équipages ont ordre de faire cuire les melons d'eau. Mais cela commence à aller mieux. Un repas solennel fête le rétablissement des estomacs.

Alors que ces messieurs se trouvaient encore à table, des voiles sont signalées au ras de l'horizon. Un sacré nombre de voiles. Chacun se hâte de regagner son bord. Hélas, il y a des hommes en ville, qui n'auront jamais le temps de rentrer. Et les équipages étaient déjà déficitaires !

« Toute la bravoure, dit Antoine, que nous n'avons pu, à Malte, déployer contre les Français, nous la déploierons contre les Anglais. »

Tandis que Charles, en pleine forme, chante la chanson de *Compère Guilleri.*

L'ennemi se rapproche. Laissera-t-il passer la nuit ? Attaquera-t-il le soir même ? La chaleur du jour est encore à son comble. Brueys ordonne le branle-bas, et confirme sa décision de se battre à l'ancre, alors que certains voulaient se battre sous voiles. Antoine le regarde à quelques pas, vieux marin d'Ancien Régime, mal à l'aise sous sa défroque républicaine.

« Mes enfants, dit l'amiral, soyez forts. Notre armée a cueilli beaucoup de lauriers. Notre marine se doit d'en faire autant. »

Malte la libérée s'apprête à fêter le 14 juillet, comme n'importe quel département français.

« Ma bien chère sœur, dit Gian-Francesco Dorell, je vous ai réservé la place d'honneur. »

Lui-même est l'homme de la situation. Il étale ses convictions démocratiques, et son excellent français. Les occupants lui savent gré de l'action menée certain dimanche soir, alors que rien n'était joué encore, pour que les Maltais demandent la protection de Bonaparte. Voudrait-on l'oublier, il se chargerait d'ailleurs de le rappeler. Son passé maçonnique lui a gagné certaines confiances. On l'a nommé membre de la Commission de gouvernement. Ministre, quoi.

Et vous donc, Sinjura Bettina ? Ancienne zélatrice de l'Ordre, allez-vous faire la révérence aux usurpateurs ? A vrai dire, depuis la mort du bien-aimé Rohan, vous ne vous sentez plus tenue à une fidélité quelconque. En politique, estimez-vous, la foi jurée n'a pas de sens. Une seule règle : préserver les intérêts de votre famille, et de la vraie religion. Vous étiez l'amie des chevaliers. Vous serez celle de l'armée française.

Les Maltais, pour la plupart, ont vu s'effacer sans déplaisir une chevalerie qui les dominait de trop haut. Bettina leur trouve la mémoire un peu courte. Qui leur a apporté la prospérité ? Qui leur a permis de proliférer comme des lapins ?

L'autorité nouvelle a requis des ouvriers pour araser les écussons de l'Ordre, et ceux des baillis. Martelés, l'hôtel de Verdelin et l'hôtel Caraffa. Martelés, frontons et fontaines. A Rhodes, paraît-il, quand l'île s'est rendue, les Turcs ont respecté les armoiries des défenseurs. La République française n'a point ce scrupule.

Les Maltais ne se sont pas émus davantage du pillage de l'église Saint-Jean. C'était celle de l'Ordre, non la leur. Tout au plus s'amusent-ils en secret d'une bonne histoire. La grille de la chapelle de la Vierge étant en argent massif, les bedeaux se sont hâtés de la peindre en noir. Abusés par cette couleur, les Français n'ont pas pensé à s'en saisir.

Les choses commencent à se gâter quand les fourriers de la République s'en prennent au clergé indigène. Le texte de la capitulation garantissait la liberté du culte catholique. Pour les Maltais, cette garantie couvrait évidemment les biens de l'Église. Les Français ne l'entendent pas de cette oreille. La garnison doit vivre sur le pays, crénom !

Pour tenir leur état civil, les Maltais auront désormais le choix entre leurs curés et les nouvelles municipalités laïques. Des officiers français entrent dans les couvents, dressent la liste des religieuses, leur demandent si elles désirent être dégagées de leurs vœux. Celles qui le souhaitent, ils les libèrent, comme s'ils étaient le pape en personne, et, de surcroît, le couvent doit leur allouer une petite pension ! Quant aux moines et moniales nés hors de Malte, sans ménagement, on les expulse. Rien qu'au Bourg, trois monastères ont été supprimés, par rattachement à d'autres.

D'où grogne, bien sûr, parmi la population. Pourtant elle n'ose rien dire à voix haute. Les Français sont invincibles !

La nation française, proclament les autorités, *est venue pour rendre l'isle de Malte heureuse en l'intégrant à son gouvernement. Mais, en même temps qu'elle s'occupe du bonheur du peuple, elle veut être obéie et ne pardonne point à ceux qui résistent à ses lois.* Pour mieux surveiller sa nouvelle possession, elle fait numéroter les maisons, le long des rues.

Négresse, la servante de la Sinjura, se terre dans la demeure du Bourg. Elle aussi, on l'a libérée de sa servitude. Depuis, elle vit dans la peur d'être mise de force dans un bateau en partance pour l'Afrique. Son pays est si loin, maintenant ; elle n'y connaît plus personne. Sa maîtresse passe des heures à la rassurer. Pour plus de sûreté, on finit par lui faire signer, d'une croix, une demande de nationalité française. *Excellente créature,* écrit sans rire Gian-Francesco Dorell, *animée depuis toujours de sentiments républicains.*

Les redevances espagnoles sont enfin arrivées — celles que le pauvre Hompesch avait si longtemps attendues. Les nouveaux maîtres s'approprient cette ressource. Il faut bien faire bouillir la marmite.

Le 14 juillet, de bonne heure, la Sinjura traverse le port en barque et gagne les hauts de La Valette en chaise à porteurs. Dieu merci, les Français n'ont pas encore supprimé les chaises ! Place de la Liberté, ci-devant place du Palais, elle s'assied parmi les officiels. Sans vergogne, elle a noué un ruban tricolore à sa taille ; caressons la bête dans le sens du poil.

Cheveux blancs coiffés à l'ancienne, habit couvert de dorures, grosse ceinture d'étoffe supportant l'épée : voici le général Vaubois, à qui Bonaparte a confié l'île en son absence.

« D'orgueilleux despotes vous commandaient, dit-il aux Maltais. Vous étiez des citoyens sans patrie. »

Grâce à Bonaparte, ils en ont maintenant une : la France. Puis, se tournant vers le large, le général apostrophe l'Angleterre, dont chacun à Malte se demande ce qu'elle prépare :

« En vain, ses vaisseaux fatigueront de leur poids les mers qui vous entourent. »

Bouche bée, les indigènes écoutent ce beau discours. Ils en trouveront demain la traduction dans la gazette bilingue. Car Malte, touchée par le progrès, a maintenant un journal !

De sa voix rogue, qu'il s'efforce d'adoucir, Ransijat répond par un autre discours, où Malte apprend qu'elle deviendra l'entrepôt du Levant, et qu'une ère de bonheur s'ouvre pour elle. Un feu a été allumé près de l'arbre de la liberté. En file indienne, avec des mines confites, les aristocrates locaux viennent y jeter leurs titres de noblesse.

Gian-Francesco Dorell inaugure l'holocauste. Carbonisée, la baronnie de Marsa ! D'une main ferme, la Sinjura lance dans les flammes cette patente de marquise que Rohan lui avait donnée pour ses beaux yeux. Entre nous, elle en a fait faire une excellente copie, qu'elle tient cachée à la campagne. Marquise elle était, marquise elle restera, aux yeux du monde comme aux siens propres.

Puis s'avancent le marquis de Fiddien, le baron de Grua, le baron de Buleben, le marquis de Gnien-is-Sultan : toute cette aristocratie clinquante et payante, née de la complaisance des derniers grands maîtres... Seul, le marquis Testaferrata manque à l'appel. Il prétend que son titre, d'origine espagnole, ne peut être aboli que par l'Espagne elle-même. De crainte de froisser leur alliée, les Français n'ont pas insisté.

Le petit Vincent Fontani vient le dernier. Le fils de Rohan ! Pâle et sérieux comme un archevêque, il sacrifie le titre de comte que son auguste père lui avait offert pour ses étrennes.

Battez tambours, sonnez trompettes. Les Maltais commencent à danser sur la place. Il y aura des courses en sac, des feux d'artifice... Tout ce qui était prévu pour la Saint-Jean, et que les Français ont fait reporter sur leur fête à eux.

La Sinjura fend la foule, rattrape le petit Fontani. Elle aime ce gosse si doux et si triste, hélas né d'une autre, mais dont la présence ici-bas est la seule preuve charnelle qu'un homme appelé Rohan est passé sur cette terre.

« Alors, mon trésor, on t'a inscrit au lycée français de La Valette ?

— Bien pis, Sinjura. On m'expédie en France ! »

Comme le Minotaure, les occupants exigent soixante garçons des meilleures familles de l'île. Ces heureux élus iront à Paris, pour recevoir une éducation patriotique. Certains se sont dérobés, ont triché sur leur âge. Mais Vincent Fontani est trop en vue. Tout le monde le sait, qu'il va avoir quatorze ans.

Alors qu'elle l'embrasse, il éclate en sanglots. Le bâtard du grand maître, otage de la République : n'est-ce pas une charmante facétie ?

Une fois encore, Lucija regarde la mer où s'en est allée la flotte française. Puis la tête lui tourne, et elle s'assied sur une marche.

Elle attend un enfant. Elle n'a pas voulu le dire à Antoine, quand il s'est embarqué. Il avait l'air si heureux, de partir à la conquête d'un nouveau monde. A quoi bon l'encombrer d'un souci !

Mais à présent, l'enfant grandit en son ventre. Elle voudrait le faire savoir là-bas. Hélas, ses doigts n'ont jamais tenu une plume. Comment confier pareille chose à l'écrivain public ?

Avant-hier, dans la rue, elle a eu un malaise. Certaines gens ricanent. Elle craint surtout qu'on ne l'envoie de force chez cette mauvaise femme qui habite rue Étroite, et qui empêche les bambins de venir au monde. Le fils d'Antoine doit vivre. Car, naturellement, ce sera un fils. Beau, grand, fort, valeureux... Un chevalier.

D'un pas lourd, elle revient au logis. Quelqu'un lui barre le passage. Encore Carbott ! C'est le menuisier, un voisin. Veuf, il a une fille mariée. Cela ne l'empêche pas, depuis des années, d'épier Lucija, de la pincer, de l'attirer dans des coins. Un brave homme avec une mauvaise idée vissée dans la tête.

« Alors la péronelle ? s'écrie-t-il. Elle faisait la folle avec son petit Français. Et maintenant, elle va avoir le résultat. Ah, ah ! »

Lucija le frappe d'un geste las, monte les premières marches de l'escalier. Il la retient par sa jupe :

« Tu n'as plus qu'une chose à faire.

— Me jeter à l'eau ?

— Mais non. Passer ma bague à ton doigt. »

Sa grosse figure d'artisan honnête, émoustillé par la chair fraîche. A sa propre surprise, elle s'entend répondre :

« Soit, je serai ta femme, Carbott. Mais tu n'as pas fini de t'en repentir. »

Quant à la mère Buhagiar, elle consentirait dix fois plutôt qu'une. Vite, vite, fourguer au premier venu cette marchandise dépréciée qu'est une fille enceinte ! On bâcle une noce, la plus modeste qui puisse se concevoir à Malte. Lucija redoute que les gosses du quartier ne donnent un charivari sous sa fenêtre, comme chaque fois qu'un barbon épouse une jeunesse. Mais ces galopins n'y songent même pas. Ils ne pensent plus qu'à Bonaparte.

Les Français vendent tous les gages déposés au mont-de-piété depuis plus d'un an ; au désespoir des propriétaires qui comptaient bien les récupérer un jour. Les Français révisent des baux que l'Ordre avait passés pour cent ans. Les Français augmentent le prix de l'eau.

Et l'expédition d'Égypte ? L'on a vu revenir quelques-uns des bâtiments de commerce qui avaient été frétés pour la circonstance. L'on sait par eux qu'une grande partie du pays a été conquise. Antoine doit être devenu pacha, pour le moins. Mais l'escadre anglaise a été aperçue au large de Malte, se dirigeant vers l'Orient. Lucija ne peut se défendre d'une angoisse.

Rumeurs en ville. Une bataille navale a eu lieu. La flotte britannique a été écrasée. Son amiral s'est brûlé la cervelle. Quoi, vous en doutiez ? Ne savez-vous pas que Bonaparte est fils de la chance ? Les soldats de la garnison arborent de larges sourires. Lucija se retient de chanter.

Soudain, sans fanfare, deux frégates et un vaisseau font leur entrée dans le port. C'est tout ce qui subsiste de la flotte française. L'amiral Nelson a détruit le reste.

Les Français ne sont plus invincibles !

Affolée, Lucija accourt sur le quai. Elle pose des questions aux premiers militaires rencontrés. On ne la comprend pas. Elle trouve des matelots maltais, débarqués de ces bâtiments, malgré la quarantaine. Eux la comprennent fort bien, mais ne veulent point parler de cette bataille qui n'était pas la leur. D'ailleurs, ils ont quitté l'Égypte en pleine nuit. Ils n'ont rien vu.

En désespoir de cause, elle s'adresse aux loups de mer du Bourg, ceux qui ne bourlinguent plus, mais observent le mouvement du port en tétant leurs bouffardes.

« Ma fille, déclare l'un d'eux, s'ils ne parlent pas, c'est qu'ils ont honte. Ils ont fui sans combattre. »

Ainsi, Antoine est peut-être captif. Que font les Anglais de leurs prisonniers ? Ils ne sauraient les tuer. Ils les mettent sur des pontons, en Angleterre. Heureusement, en Égypte, il n'y a pas de pontons.

Beaucoup de familles, à La Valette, se posent les mêmes questions. Qui n'a pas un frère, un fils, un petit cousin parti avec Bonaparte ? Carbott le menuisier triomphe.

« Alors, les Français ont bu la tasse ! »

Lucija a pu néanmoins savoir que la grande galère de Malte, enlevée par le général en chef, et ancrée dans le port d'Alexandrie, n'a pas été attaquée par les Anglais. Ni les deux demi-galères prises au pape, et qui se tenaient en un lieu mystérieux appelé les bouches du Nil. Espoir, espoir. Elle brûle cierge sur cierge à Sainte-Barbe, l'église de sa première rencontre avec Antoine.

Cependant, la nouvelle de la défaite tricolore s'est répandue dans la campagne. Les gens relèvent la tête. Les sujets de mécontentement paraissent au grand jour. La Vierge s'est montrée, assure-t-on, et elle a ordonné aux Français de quitter l'île.

Dimanche : pourquoi donc sonne le tocsin ? Le gouverneur Vaubois a fait fermer les portes. Carbott va aux nouvelles, revient tout excité. Des fonctionnaires français qui voulaient enlever une tapisserie d'une église rurale ont été attaqués par les paroissiens. Un capitaine français a été jeté par une fenêtre. Les paysans ont forcé les petites armureries de l'Ordre, ont pris les fusils. Ils bloquent la garnison française de Mdina, réduite à une cinquantaine d'hommes.

Ainsi, c'est la guerre dans l'île, la géante à la face hideuse. Celle qu'on avait cru éviter en juin. On s'était réjoui un peu vite.

Le général Vaubois fait une tentative de conciliation. Il envoie quelques clercs en parlementaires, dans le carrosse de l'évêque, et munis d'une lettre épiscopale des plus apaisantes. Les Français ne sont pas si mauvais que cela, puisque l'évêque les soutient.

Peine perdue, les culs-terreux ne veulent rien entendre. Ils culbutent deux compagnies françaises, qui se portaient au secours des assiégés. Du coup, ceux-ci se rendent, contre promesse de vie sauve. Mais au moment de poser les armes, quelqu'un tire. Erreur ou noirceur d'âme ? demande Lucija. Nul ne sait. La petite garnison de Mdina est massacrée jusqu'au dernier homme.

De leur côté, les Français ont fait fusiller un dominicain, coupable de paroles imprudentes. Et pourtant, comme il fait beau, comme il fait chaud, en ce début de septembre ! Lucija étouffe une plainte :

« Il a bougé.

— Qui cela ?

— Antoine. »

Le petit être qui grandit en elle.

« Par les cornes du démon, jure le menuisier, jamais il ne se nommera Antoine. »

Les habitants de La Valette retiennent leur souffle. Sans doute le général Vaubois va-t-il reconquérir la campagne, et faire payer aux fous leur folie. Avec plus de trois mille soldats bien aguerris, il aura le dessus sur ces bandes mal armées. Et pourtant, le général hésite. Le combat peut lui coûter cher. En juin dernier, les villageois n'avaient aucune raison de se battre. Aujourd'hui, ils en ont cent : la religion, le prix de l'eau, la peur d'être exécutés... Ils vont s'embusquer derrière chaque muret et défendre leur peau.

Pour prévenir toute tentative de coup de main nocturne, les Français illuminent les rues de la ville, d'habitude si obscures dès le coucher du soleil. De l'autre côté du grand port, les habitants de la cité ouvrière de Bormla ont manifesté. Le général Vaubois les fait bombarder par le vieux vaisseau *Saint-Zacharie,* rebaptisé *Dego.* Les mutins sont forcés de se rendre, ou s'enfuient dans la nature.

Lucija file elle-même une laine qu'elle tricotera pour son mouflet. Les campagnardes ne viennent plus proposer au marché leurs volailles et leurs légumes. Par bonheur, on a encore les produits des jardins de la Floriane, mais ils ne sauraient durer longtemps.

D'autres événements se préparent en mer. Des pêcheurs ont rencontré l'escadre anglaise qui revenait d'Égypte, pour se faire radouber à Naples. Les vaisseaux anglais sont en triste état : mâts abattus, vergues cassées. Quant aux vaisseaux français, capturés et pris en remorque, ce sont de vraies ruines. La bataille a dû être terrible ! Lucija serre les dents, pleure sans bruit.

Puis des navires inconnus viennent bloquer l'entrée du port. A la lorgnette, les experts reconnaissent le pavillon portugais.

« Qu'est-ce que le Portugal ? » demande Lucija.

Un allié des Anglais. Il débarque des armes et même de l'artillerie, au profit des campagnards de Malte.

Voilà donc La Valette assiégée de toutes parts : côté terre et côté mer.

***

Stupeur en Europe. Stupeur à Pétersbourg : Malte s'est rendue aux Français sans combat. D'une chiquenaude, Bonaparte a renversé la place la plus forte de la chrétienté.

Le chancelier Bezborodko remet le pli à Giulio Litta, avec un léger sourire : car il n'a jamais pris très au sérieux, lui, le rêve maltais du tsar son maître. Incrédule, Giulio lit et relit. La dépêche vient du brave O'Hara, ambassadeur de Russie à La Valette, présentement réfugié à Naples.

« Mon cher chancelier, suggère Litta, ne serait-ce pas un faux ?

— Il contient trop de péchés contre l'orthographe, dit le ministre, pour n'être point authentique. »

Ah, ce Bezborodko, qui, l'an dernier encore, prétendait ignorer le français ! D'ailleurs, une autre particularité de la lettre l'authentifie mieux encore : cette manie d'appeler tous les républicains *régicides*.

Malte a été trahie, explique O'Hara. Le grand maître Rohan avait commis l'imprudence de confier la plupart des commandements militaires à des chevaliers français. Le grand maître Hompesch n'avait pas osé les leur ôter. Conséquence : l'ennemi a eu beau jeu d'acheter certains d'entre eux, d'amollir les autres par l'espérance d'un retour au pays. Sans parler des effets subversifs de la franc-maçonnerie. Dans son ensemble, l'Ordre n'a pas démérité ; ce sont quelques brebis galeuses qui l'ont livré.

Mais les lettres se suivent et ne se ressemblent point. Après celle d'O'Hara, on en reçoit d'autres, adressées à Litta lui-même. Le bailli de Loras écrit de Sicile. Le grand prieur de Champagne, conscience de l'Ordre, écrit depuis Malte, et un confrère expulsé a posté l'envoi sur le continent. De même pour celui du petit Doublet, secrétaire du grand maître. La nullité, l'aveuglement de Hompesch et de ses conseillers sont mis en évidence à chaque ligne.

On voudrait s'arracher les cheveux. L'Ordre était sauvé. La générosité du tsar, le savoir-faire de Litta venaient de le tirer d'un des plus mauvais pas de son histoire. Et, au lieu de se montrer digne de ses sauveteurs, ce corps vénérable s'est laissé abattre par le premier ruffian venu. Il a baissé la tête, et n'a pas voulu vivre.

Le beau Giulio cache sa honte à la campagne, chez Mme Skavronskaïa. Jamais plus il n'osera paraître devant Paul Ier. Alors, mon cher bailli, où sont donc vos lions, où sont vos preux de la croisade ? Ce n'étaient que des femmelettes.

Inlassablement, Giulio cherche des raisons, des excuses. Le manque d'argent ? Dure épreuve, c'est vrai, il l'a vécue lui aussi ; mais, depuis qu'existe la chevalerie, on a toujours vu de pauvres gentilshommes, qui ont su garder l'honneur. La désuétude, la décrépitude ? Maladies bourgeoises.

Par moments, Giulio ne peut s'empêcher de penser que, si ses confrères se sont rendus, c'était uniquement pour lui causer de la peine, à lui, l'ambassadeur Litta.

« L'Ordre a perdu Malte ? s'étonne la belle Catiche, de sa voix flûtée. Il se trouvera bien une autre île. »

Depuis l'enfance, elle est habituée aux grâces et aux disgrâces.

Quant à Mgr Litta, archevêque de Thèbes *in partibus infidelium,* lui aussi en villégiature chez Catiche, cet effondrement ne l'étonne guère. Il connaît le cœur humain, et la fragilité des très vieilles choses.

Giulio marche le long de la rivière en mâchonnant des feuilles de saule. Chaque jour, lui écrit-on, des chevaliers rescapés arrivent en Russie. Jusque-là, le grand prieuré russe n'était qu'une aimable bergerie. Deux anciens seulement y représentaient la tradition : le commandeur de La Tourrette, rescapé de Constantinople, et lui-même, bailli Litta. L'on aura bientôt d'autres recrues sérieuses. Une petite joie, quand même, sur fond de détresse, pour Sa Majesté Paul Ier.

L'on boit du thé russe, assis sur des coussins russes. Giulio provoque aux échecs son archevêque de frère, et le bat à plate couture. Mais sa vraie pensée est ailleurs. Du grand malheur qui vient d'arriver, un bien plus grand ne pourrait-il sortir ?

« A quoi penses-tu ? demande M. de Thèbes. A qui souris-tu donc ?

— Mon âme est triste, et je ne souris à personne. »

Il sourit à un nouveau soleil, qu'il croit voir se lever du fond de l'abîme.

Ignorant les conseils de prudence, Giulio fait atteler, se rend à Gatchina, où le tsar estive avec ses familiers. On le reçoit tout de suite. Sans doute s'étonnait-on de son long silence.

« Sire, dit Giulio sans ambages, le grand maître Hompesch s'est conduit de manière indigne. Il conviendrait de le déposer.

— J'en conviens, dit Paul Ier. Mais par qui le remplacer ? Je ne vois guère que vous. Et vous êtes trop jeune. »

Sans compter que Giulio va se marier, s'il obtient du pape la dispense demandée. Il regarde son hôte bien en face.

« Dans les circonstances présentes, Sire, je n'aperçois qu'un candidat digne de nos suffrages. »

Paul rougit, pâlit. Au tréfonds de son être, assurément, c'est l'offre qu'il attendait. Offre inouïe, offre incroyable. De lui-même, il n'aurait jamais osé. Mais puisqu'un bailli de l'Ordre ose à sa place...

« Êtes-vous sûr au moins, dit-il d'une voix de petit garçon, que les chevaliers voteraient pour moi ? »

Un tsar de Russie ne peut se permettre d'être blackboulé aux élections.

« Sire, ils seraient trop honorés d'être admis à vous élire. »

Certes, Paul Ier est marié. Mais pour un empereur, cela ne tire guère à conséquence.

« Et le pape ? gémit-il. Le pape n'acceptera jamais. »

Le pape, qui déjà répugnait à introduire des orthodoxes dans le plus catholique des Ordres de chevalerie, ne voudra sûrement point placer l'un d'eux à sa tête.

« Sa Sainteté, dit Giulio, est en trop mauvaise position pour faire la difficile. Elle a gardé le meilleur souvenir de votre rencontre à Rome, lors de votre grand voyage. En outre, elle prête une oreille attentive aux conseils de mon frère l'archevêque. »

Sans attendre la fin de l'été, l'on réunit les chevaliers disponibles. D'un ton acide, Maisonneuve lit un rapport étalant les faiblesses du chef de l'Ordre et de son entourage. Personne ne se lève pour les défendre. Giulio, qui administre le prieuré russe en l'absence de Condé, présente la première résolution.

« *Nous regardons Ferdinand de Hompesch comme déchu du rang où nous l'avions élevé.* »

Les assistants applaudissent à tout rompre.

Seconde résolution : « *Nous nous jetons dans les bras de notre auguste et souverain protecteur Paul Ier.* » En droit, cela n'a aucun sens. Mais les gens avisés comprendront où l'on veut en venir. Mêmes applaudissements.

Quelques jours plus tard, Paul Ier, « *par la grâce de Dieu empereur et autocrateur de toutes les Russies* », approuve ce manifeste. Il daigne faire de Pétersbourg le chef-lieu de l'Ordre, en attendant la prochaine reprise de Malte.

Bien sûr, tout cela n'est pas très régulier. En temps normal, un grand maître ne saurait être déposé par un seul grand prieuré, alors qu'il en existe une bonne vingtaine d'autres. Mais ceux de France et d'Italie du Nord sont quasiment morts. Et ceux d'Espagne, disqualifiés par l'alliance de leur pays avec les carmagnols. A temps d'exception, procédures d'exception.

Pour parfaire la chose, le fidèle Raczynski est envoyé en Pologne ; il recueillera les voix des quelques chevaliers polonais subsistants. Condé, en Volhynie, est prié de faire souscrire au manifeste les chevaliers de Malte qui se trouvent dans son armée : les vieux briscards de l'ancien régiment de Fargues, et une ribambelle de novices français. Déchaîné, Maisonneuve écrit à toutes ses connaissances afin d'obtenir des adhésions individuelles.

D'un point de vue de politique étrangère, tout cela tombe assez bien. L'Europe est grosse d'une nouvelle guerre. Jusqu'à présent, la Russie se contentait d'hostilités verbales envers la France. De plus en plus, l'Angleterre et l'Autriche la sollicitent ; profitons de l'absence de la meilleure armée française, retenue en Orient ! Pour décider le tsar, il fallait une dernière provocation jacobine. La voici : la conquête de Malte.

« Que ma flotte de la mer Noire, ordonne Paul, passe en Méditerranée.

— Et les Turcs ? chuchotent les vieux diplomates épouvantés. Jamais les Turcs ne la laisseront passer. »

Furieux de la perte de leur riche province d'Égypte, les Turcs accueillent avec enthousiasme la flotte russienne. Les vaisseaux de Paul Ier franchissent le Bosphore sous les acclamations. C'est le monde renversé.

Souvent, Giulio pense à l'étrange expédition française qui a produit ce résultat. Par Raczynski, expulsé de Malte, il sait les noms des chevaliers partis vers l'Égypte : ses anciens élèves, les frères La Panouse, les frères Beauregard, le jeune Bonvouloir, le jeune Saint-Exupéry... Quand le ciel se traîne sur Pétersbourg, quand le brouillard monte des canaux, il ne peut s'empêcher de leur envier leur grande équipée solaire.

« Attention à ces petits gars, dit-il à Mgr de Thèbes, sur le mode plaisant. Ils sont en train de conquérir ton archidiocèse. »

La dispense papale arrive enfin. A Florence, où réside le pontife en exil, on s'est un peu étonné de ce projet d'épousailles. A une autre époque, on aurait sûrement refusé. Mais ce Giulio est un garçon méritant, il jouit de la confiance d'un puissant personnage. Le voilà relevé de ses vœux. Mariez-vous, mon cher, puisque vous y tenez tant.

A l'heure où le destin de l'Ordre va se jouer, où sa restauration va être décidée, Giulio aurait besoin de tout son crédit, de tout son prestige. Cette affaire matrimoniale lui vaudra quelques critiques, ouvertes ou cachées. Tant pis. On ne manque pas de parole à une jolie femme.

Très réservé, d'ailleurs, au début de cette aventure, Mgr Lorenzo Litta s'est laissé séduire à son tour par cette enjôleuse. Et pourtant elle n'a usé d'aucune manœuvre. Non, elle s'est contentée d'être elle-même, la créole du nord, la fée des saules.

« Elle te rendra heureux, dit l'archevêque. C'est le principal.

— Et elle aidera au salut de l'Ordre », assure Giulio.

Fin octobre, alors que tombent les dernières feuilles, Mgr Litta célèbre les noces catholiques en la chapelle de l'hôtel Vorontzoff. Quant au mariage orthodoxe, il a lieu devant la Cour. Paul Ier montre tous les signes de la bonne humeur. C'est vrai qu'elle fait plaisir à voir, Iékatérina Vassilievna, *alias* Catiche, avec sa couronne de feuilles d'oranger.

« J'ai le sentiment, explique-t-elle, d'effacer ma vie et de recommencer. »

Il a trente-cinq ans. Elle, trente-sept. Un peu tard, hélas, pour engendrer de petits chevaliers.

Seul Maisonneuve se permet une pique. Pourtant, si quelqu'un a le droit de se taire, c'est bien cet autre homme marié, parvenu grâce aux femmes.

Et le plan littien continue de s'accomplir. Le 27 octobre (vieux style), par un froid déjà sensible, l'assemblée des chevaliers élit Paul Romanoff soixante-douzième grand maître de l'Ordre de Saint-Jean. Paul est grand, et Giulio est son prophète.

Certes, maintenant que Giulio porte l'alliance au doigt, il se trouve ravalé au rang de bailli honoraire. Mais cela ne l'empêchera nullement de représenter l'Ordre à Pétersbourg. Ni de gérer le grand prieuré catholique au nom de Condé.

C'est alors que survient un léger contretemps : une dépêche d'Odescalchi, le cardinal qui tient la correspondance du pape. Il observe que la déposition de Hompesch n'a pas été décidée selon les règles.

On le savait bien, vieille bête ! Mais comment faire autrement ? En droit strict, il faudrait une assemblée de toutes les Langues. Comment le pourrait-on, en temps de guerre ? Ah ces juristes !

« Dois-je montrer cette lettre à l'empereur ? demande Mgr Litta, fort embarrassé.

— Mon Dieu non, répond Giulio. Il est trop tard pour reculer.

— Mon cher frère, il n'est pas trop tard. Sa Majesté pourrait encore décliner la dignité à laquelle elle vient d'être élue, inviter les chevaliers à porter leur choix sur quelqu'un d'autre... »

Puis le pape écrit lui-même, et, cette fois, on s'empresse de mettre le papier sous les yeux du tsar : car la conduite de Hompesch s'y trouve sévèrement blâmée. Ce n'est pas un bref de destitution, le pape n'en aurait pas le pouvoir. Mais ça y ressemble, et Sa Majesté ne voit pas la nuance. Elle est ravie.

Bien entendu, quand il a signé ce papier, le pauvre Pie VI ignorait encore ce qui vient de se passer à Pétersbourg. Un schismatique proclamé grand maître de Saint-Jean de Jérusalem ! Comment pourrait-il ratifier cela ? Mgr Litta nourrit de vives appréhensions.

« Pie VI est vieux et malade, réplique Giulio. Bientôt, c'est toi qui seras élu à sa place, grâce à l'appui du tsar.

— Mais je n'ai aucune envie d'être pape !

— Il le faudra bien. »

De grandioses perspectives se dessinent dans le ciel.

Comme pour donner raison à Giulio, le grand prieuré d'Allemagne, cette institution si sourcilleuse et si consciente de sa noblesse, l'assemblée des chevaliers germaniques elle-même fait allégeance à Paul Ier. C'est l'effet d'un ordre de la cour de Vienne, qui veut être agréable à son nouvel allié russe.

Dès lors, pourquoi se gênerait-on ? En place pour la cérémonie ! Le 29 novembre, vieux style[1], le tsar reçoit ses chers

1. 10 décembre 1798, en langage grégorien.

chevaliers au palais d'Hiver. Le vice-chancelier Kotchoubey lit une déclaration exauçant leur souhait d'avoir Paul pour grand maître. Puis ces guerriers catholiques, un par un, ploient le genou devant leur nouveau chef orthodoxe, et lui baisent la main. Il s'est fait faire un uniforme de fantaisie, avec robe courte et bottes !

Giulio le regarde à la dérobée. Ses deux années de règne ne l'ont pas embelli : le teint blême, les grandes dents jaunies, les cheveux reculant vers le haut du crâne. De plus en plus, on dirait une tête de mort.

Séance tenante, le grand prieuré orthodoxe est constitué. Il avait donné lieu à négociation avec Hompesch. Aujourd'hui que l'Ordre et la Russie ont un même souverain, pas de chichis, une proclamation suffira. En additionnant les pensions créées sur le Trésor russe, les pensions créées sur les Postes russes et celles que certaines familles russes créeront sur leurs propres biens, le nouveau grand prieuré devrait compter cent trente-cinq commanderies : chiffre sans précédent. Généraux et amiraux russes se partagent cette manne. Puis viennent des dignités qui ne coûtent rien : croix d'honneur pour six grandes-duchesses et pour la toute récente Mme Litta, croix d'honneur pour le barbier du tsar... Celui-là, quand même, on s'en serait bien passé.

Giulio est nommé lieutenant du grand maître. Il va donc administrer, non seulement le grand prieuré catholique, mais l'ensemble de l'Ordre, au nom de Paul Romanoff. Espérons que les prieurés lointains se laisseront faire.

Le jour même, la bannière de l'Ordre est hissée sur l'Amirauté de Pétersbourg. Elle y flottera en permanence.

Une seule ombre à ce tableau magnifique : par l'une de ces sautes d'humeur dont Paul est coutumier, l'ami Kourakine a été disgracié. On regrettera sa grosse bonté, sa franc-maçonnerie souriante. Maintenant, l'homme qui compte, aux Affaires étrangères, derrière la façade d'un Bezborodko vieillissant, c'est Fiodor Rostoptchine, l'Asiate aux yeux bleus.

« Méfie-toi de lui, recommande Catiche. Il te jalouse. Il te hait.

— Bah ! dit Giulio. Il est un peu fou. »

Coup de génie de Rostoptchine : avoir mis une beauté dans les bras de Paul Ier, une certaine Mlle Lapoukhine. Elle est bête comme une oie, mais le ministre a de l'esprit pour deux. Accroché à sa robe, il gravit les degrés du pouvoir. Tandis que l'ancienne favorite, Mlle Nélidoff, l'alliée de Litta, est allée cacher son chagrin jusqu'en Esthonie. Rien de cela ne doit être pris au tragique. Giulio bénéficie encore d'un important soutien, celui de l'impératrice elle-même. Et si Paul aime bien Mlle Lapoukhine, il aime encore plus l'Ordre de Malte.

Giulio ouvre la fenêtre, cueille des stalactites de glace, en pique les bras de Catiche qui pousse de petits cris.

Programme : d'abord consolider le grand maître Paul, et donc achever le lamentable Hompesch. Toute l'énergie qu'il avait oublié de manifester devant Bonaparte, ce vieil homme la déploie maintenant pour garder sa couronne. A peine arrivé à Trieste, il a répandu une déclaration suivant laquelle Malte lui avait été arrachée par dol et trahison. La cour de Vienne continue de lui témoigner une certaine indulgence ; pensez donc, il a été si longtemps son serviteur ! Il conserve aussi l'appui de la Bavière, où son frère est ministre. De ses griffes tremblantes, il se cramponne à l'ombre de sa grandeur.

Parfois, au détour d'une dépêche diplomatique, Giulio revoit la haute silhouette un peu raide, la longue figure pâle. Il réentend son élocution lente. Ma foi, par temps calme, Hompesch aurait pu faire un chef acceptable.

Non, pas de pitié pour celui qui a été couard. Pas de pitié pour celui qui a été inférieur aux circonstances. *Via* la chancellerie russe, Giulio exerce une pression croissante. Si la cour de Vienne tient vraiment à l'alliance de Paul Ier, qu'elle force Hompesch à se démettre. C'est presque un ultimatum.

Du côté de la noblesse française émigrée, en revanche, tout se passe le mieux du monde. Ces messieurs sont allés demander au prétendant Louis XVIII la conduite à tenir. Or Louis sans Terre est hébergé depuis peu par le tsar dans un château balte. Ce gros homme a la reconnaissance du ventre. « Prêtez serment au nouveau grand maître », répond-il sans hésiter.

Une armée russe se prépare pour l'Italie. Bientôt, l'on pourra passer à la suite du plan : récupérer Malte. Les Anglais en font le siège, mais, quand ils l'auront conquise, ils n'oseront la garder. Comment courraient-ils le risque de fâcher un souverain qui prend une si grande part de l'effort de guerre ?

Giulio a emménagé à l'hôtel Skavronski — pardon, hôtel Litta, désormais. Dans ces maisons bien chauffées, avec de gros poêles, le froid de l'hiver se sent moins qu'à Milan. Il laisse à son frère le nonce les spacieux appartements de l'ambassade de Malte. De plus, le tsar vient de le faire comte. Peu de chose pour le descendant des Visconti et des Borromée ; mais en Russie, ce titre n'a pas encore eu le temps de se déprécier. On le prononce à l'allemande : Graf Litta. Et cela vous pose un homme.

Certains s'amusent aussi à l'appeler Jules Pompeievitch — du nom de son père Pompéo.

La portraitiste à la mode, Mme Vigée-Lebrun, réfugiée en Russie, est chargée de fixer sur la toile le bonheur des époux Litta. Giulio place la nouvelle image de sa femme en face de celle que l'autre portraitiste à la mode, Angelika Kauffmann, avait peinte à Naples dix ans plus tôt. Les visiteurs s'accordent à reconnaître que Catiche a encore embelli.

« Mon cher frère, tout te réussit, observe Mgr de Thèbes. Tu devrais jeter une bague dans la Néva. »

En effet, c'est presque trop. Pour sa part, Mgr Litta a moins de veine. Il doit se démener contre son adversaire, l'imprononçable archevêque S… Et, à la chancellerie russe, on commence à s'étonner de n'avoir reçu aucun message de félicitations du pape, à la suite de l'élection du nouveau grand maître.

« Pauvre Saint-Père, explique Mgr Litta en se tordant les mains. Il est si malade. Il a tant de soucis. »

En plus, c'est vrai. Derrière son bureau, M. de Rostoptchine ne peut cependant retenir un petit sourire. De ces entretiens, le nonce revient profondément abattu. L'aventure se terminera mal, il l'aura bien dit.

« J'ai demandé mon rappel au pape, confie-t-il un jour.

— Tu ne vas pas m'abandonner en plein succès, proteste Giulio. Jamais d'ailleurs les conseillers de Pie VI ne rappelleront quelqu'un qui fait un si bon travail. »

Et les Litta s'en vont dîner chez les Iélaguine, dans l'île de la Néva qui porte leur nom. Mais cette nuit même, Giulio reçoit la visite du pape. Un vieillard accablé, chargé de chaînes, qui trottine entre deux grenadiers français, et lève un regard vitreux :

« L'Ordre de Malte est infidèle à l'Église ! »

Giulio saute à bas de son lit, s'éponge le front. Est-ce bien le même Pie VI, le pontife affable et mondain qui lui avait accordé une audience privée de cinq minutes, quand il était petit garçon ? En tout cas, Pie VI n'a rien compris. Loin de se livrer aux orthodoxes, l'Ordre se sert des orthodoxes. Et ce qui est bon pour l'Ordre ne saurait être mauvais pour la catholicité.

« Catiche, j'ai trop festoyé hier chez les Iélaguine. Interroge les cartes. »

Docile, Catiche tente la réussite de la grande roue. Les cartes n'annoncent que de bonnes choses. A ses pieds, la petite Clorinde — Mlle de Rohan, comme on aime à l'appeler, en souvenir du donateur — jappe gentiment après sa poupée de chiffon. Le poêle ronronne. Le lendemain, les Litta donnent une réception où l'on marche sur les princes.

Mais voilà Giulio convoqué au Collège des affaires étrangères. Sa voiture traverse une nouvelle fois la Néva encore gelée. Un Kotchoubey fort gêné l'accueille à contrecœur :

« Monsieur, vous avez ordre de vous retirer dès demain sur les terres de votre épouse. Je le regrette vivement. »

Litta croit d'abord à une machination. Kotchoubey accepte alors de lui montrer l'ordre reçu : un billet en russe, malheureusement, mais où la victime peut reconnaître les caractères de son nom. La plume impériale a troué le papier en deux endroits.

M. l'ambassadeur-bailli-comte-lieutenant magistral Litta est démis de toutes ses fonctions. Pourquoi ? Mystère.

Kotchoubey, commandeur dans l'Ordre de Malte, aurait préféré être bailli. Si on lui avait fait cette politesse, il se serait montré plus coopératif. Trop tard.

Giulio se retourne vers le chancelier Bezborodko. Hélas, le malheureux est mourant, suite à une colère de Paul Ier. Alors, demander audience à Rostoptchine ? Ce scélérat en tirerait trop de jouissance.

En repassant le fleuve, en voyant le palais d'Hiver, l'envie vient à Giulio de se précipiter aux pieds du tsar, d'implorer sa clémence. Sire, il y a malentendu. De grâce, ne ruinez pas votre œuvre.

Mais ce serait s'exposer à une rebuffade certaine. Dans sa folie, Paul Ier porte un coup mortel à l'Ordre, après l'avoir presque sauvé. Faites donc, Majesté, je vous en prie. Donnez libre cours à votre fantaisie.

L'arbre Litta était trop grand. La foudre est tombée dessus.

Giulio pénètre en souriant dans le boudoir de Catiche, marraine et cantinière de l'Ordre :

« Ma chère, tes cartes ne valent pas un haricot. Allons nous reposer à la campagne. »

⁂

« *La gloire est fade à vingt-neuf ans. J'ai tout épuisé.* »

Bonaparte à son frère Joseph,
Le Caire, 7 thermidor an VI

⁂

Depuis l'écrasement de la flotte française, la cour de Naples n'avait d'yeux que pour ce Nelson. Installé à l'ambassade d'Angleterre, il filait le parfait amour avec l'ambassadrice, lady Hamilton, une ancienne grue. Le vieux mari n'osait rien dire. La reine des Deux-Siciles encourageait cette liaison, ce qui ne l'empêchait pas de prendre des bains dans la même baignoire que ladite ambassadrice. Les deux femmes faisaient l'éloge de l'amiral, en un français vacillant, dans les tendres lettres qu'elles s'écrivaient à tout propos.

Bref, le plébéien Nelson gouvernait lady Hamilton, qui gouvernait la reine, qui gouvernait le roi, qui était censé gouverner Naples.

A l'arrière du théâtre, l'amiral Caracciolo, chevalier de Malte, se drapait dans sa dignité blessée. Lui, il incarnait la marine napolitaine, seul élément solide en ce royaume branlant. On venait d'ailleurs de la rénover à grands frais. Mais la mode Nelson faisait oublier son existence.

Malte aussi était presque oubliée. Une fois l'Ordre disqualifié, elle aurait dû revenir à la Couronne napolitaine. Leurs Majestés paresseuses laissaient l'escadre anglo-portugaise bloquer l'île pour leur compte. Foi de Caracciolo, elles se préparaient des déboires. C'est à lui, le marin légitime, que l'on aurait dû recourir.

Petite consolation, il venait d'hériter d'un titre de duc qui traînait dans sa famille. Duc napolitain, certes, mais il faisait ce qu'il pouvait.

« Mariez-vous donc, lui conseillait-on. Il est encore temps. Jetez votre croix de Malte aux poissons.

— Je suis marié à la mer », répondait-il avec noblesse.

Au lieu de considérer la mer — elles ne la regardaient que pour y voir Nelson — Leurs Majestés tournaient leurs ambitions vers la terre. Elles avaient commis la folie d'attaquer les Français. La contre-offensive fut foudroyante. A l'approche de l'ennemi, la population se déchaîna en ville.

« Ils s'en vont.

— Mais non, ils restent.

— Ils décampent, vous dis-je. »

Qui cela ? La famille royale. Caracciolo l'attendait à son bord, comme de juste. Déception : le roi, la reine et les petits princes préférèrent le *Foudroyant* de Nelson. Caracciolo dut se contenter de recevoir les statues du musée.

Quant aux autres bâtiments de la flotte napolitaine, dans cette panique, on n'avait pas eu le temps de les réarmer. L'ennemi allait s'en saisir.

« Brûlez tout », ordonnèrent Leurs Majestés, encore essoufflées d'avoir couru.

Au feu, la marine des Deux-Siciles. La rage au cœur, Caracciolo alluma l'incendie lui-même, puis s'éloigna dans la nuit sur la mer houleuse.

Même la mer, même l'épouse de Caracciolo se faisait l'alliée des Français. Les bateaux fugitifs en prirent plein les voiles. Habilement, Caracciolo menait son *Samnite* le long des vagues. On n'en pouvait dire autant de Nelson, à qui la gloire semblait avoir ôté le jugement. Nelson tangua, roula et cassa un mât. Pris de convulsions, l'un des petits princes mourut le jour de Noël.

Enfin parut le môle de Palerme, symbole de sécurité. N'ayant plus de flotte en Méditerranée, les Français ne prendraient point la Sicile. Le couple royal débarqua, encore livide. Et le couple Hamilton. Et le corps du petit prince. Et les bijoux de la Couronne. Et les statues du musée.

Caracciolo mit pied à terre le dernier, enfila ses gants, se rendit au palais. Alléguant des affaires à régler sur le continent, il sollicita un congé, qu'on lui accorda non sans dédain. On ne l'aimait plus : il avait le tort de n'être point Nelson.

L'amiral, duc et chevalier Caracciolo allait prendre du service chez les républicains.

Décidément, l'Orient n'est qu'un os, pense Dolomieu en déambulant autour d'Alexandrie. Il déterre quelques pierres écrites, envoie des gerboises à un camarade zoologue, parcourt des plages encore couvertes des épaves du désastre d'Aboukir.

« Rejoignez-nous à Rosette », demandent ses amis.

Si Alexandrie est un os, Rosette est un rêve. Un Nil en robe de saison rouge brique lèche des jardins débordant de palmes, où sommeillent des tombes de saints. La lune s'emmêle dans des arbres pleins de fruits. Des beautés voilées de noir traversent les ruelles de terre d'un pas furtif.

« Ne touchez point aux mahométanes, recommandent les mêmes amis. Vous heurteriez les sentiments religieux de ces gens. Mieux vaut fréquenter les chrétiennes ou les juives. »

Le grand Déodat sourit. Il se sent encore assez vert pour en courtiser plusieurs, comme au bon temps où il courait l'Europe, sous le signe de la croix de Malte.

Mais ce joli décor cache bien des traîtrises. Alors que Dolomieu se promenait à cheval avec le général Menou et quelques familiers, des villageois leur tirent dessus. La monture du naturaliste s'emballe, le jette dans un trou d'eau fort profond. Il ne doit son salut qu'à sa haute taille.

« Comment ces gens peuvent-ils être assez fourbes, s'exclame le général, pour ne point aimer les Français ! »

Et il fait incendier le village.

Cependant, au Caire, le petit Bonaparte s'impatiente. Il réclame ses savants. Ces messieurs se laissent glisser sur une gabarre, au fil du fleuve. Tout est prêt pour les accueillir. Créé sur le modèle de l'Institut de France, l'Institut d'Égypte a surgi dans une zone de jardins, entre le Nil et l'enceinte de la capitale. On l'a installé dans un palais mamelouk, près d'un étang et d'un fortin. Comme toujours, Dolomieu fait bande à part : s'étant trouvé une villa indépendante, il y attire son disciple Cordier, l'ancien chevalier de Saint-Simon, et Vivant Denon, ex-de Non, un complice de ses folles années. Un cinquième larron complète l'équipe à l'occasion : le médecin-chef Desgenettes, ex-Des Genettes, autre complice des mêmes années. On a beau servir la République, on ne se sent bien qu'entre aristocrates.

Durant les premiers mois, les savants étaient vilipendés par la troupe, qui voyait en eux les responsables de cette folle expédition. A présent, le terrible été d'Égypte s'est changé en douceur. Les soldats découvrent les charmes du pays, et cessent de déblatérer contre les hommes de science.

Untel collectionne les momies d'ibis. Tel autre implante des moulins à vent — inconnus en Égypte jusqu'à l'arrivée de l'Institut. Pour sa part, Dolomieu s'occupe de panification, comme naguère à Malte, et fait punir les fournisseurs de farines impures.

Non loin de là, mais de l'autre côté de l'enceinte, l'indispensable Étienne Poussielgue, l'ancien espion de Bonaparte, vend l'argenterie prise à Malte, met en loterie les diamants du grand maître, lève un impôt sur le café...

Alors que tout allait bien, ou à peu près, Le Caire s'offre une émeute. En un clin d'œil, la population s'est soulevée, a barré les rues étroites. Du quartier populeux de Saïda Zeinab, un groupe de rebelles vient attaquer les bâtiments de l'Institut. Dolomieu et ses amis font le coup de feu, retranchés dans leur villa. L'assaillant se replie, reste à distance.

Qu'ont-ils donc à se révolter, ces indigènes ? Ils devraient chérir la France, qui les a débarrassés des mamelouks, et leur apporte les bienfaits de la science. Mais ils n'ont guère apprécié, semble-t-il, certaines innovations fiscales. Et ils ne veulent pas porter la cocarde tricolore, qu'ils jugent contraire aux prescriptions du Coran.

A leurs yeux, il n'y a ni Francais, ni républicains. Mais des zélateurs de Jésus. « Je ne me doutais vraiment pas, en me joignant à cette armée, que je me ferais canarder comme chrétien », plaisante le citoyen Dolomieu.

Les assaillants ont coupé le ravitaillement. Compatissants, les propriétaires des jardins voisins font passer des légumes et des fruits. En un tournemain, Bonaparte reprend la ville, fusille les excités. Les soldats tricolores attachent leurs chevaux dans la mosquée El-Azhar.

Hélas, le chef de brigade Sulkowski a été tué au combat. L'armée vient de perdre une de ses vedettes. Déjà très affecté par la mort de Dupetit-Thouars à Aboukir, Dolomieu ajoute mélancoliquement ce nouveau nom à la liste des victimes de l'ambition de Bonaparte.

« Allez recenser les possibilités agricoles de la basse Égypte », ordonne le général en chef. A l'en croire, elles sont immenses. Grâce à lui, les Français sont entrés en possession d'un des greniers du monde.

Avec quelques collègues, Dolomieu redescend le Nil, pousse jusqu'à Damiette, ausculte les rizières et les plantations de sésame. Mais gare à qui s'éloigne des zones habitées : le Bédouin pillard est toujours aux aguets; il lui arrive même d'attaquer au fusil les felouques dérivant sur les bras du fleuve.

Autre ennemi, la lumière excessive. Beaucoup de soldats souffrent de maux d'yeux. On les soigne à la couperose blanche.

Lecture du mémoire Dolomieu à l'Institut d'Égypte. Non, ce pays n'est pas la corne d'abondance que certains croient. Les surfaces cultivables représentent peu de chose. Pour les étendre, il faudrait des travaux colossaux, ou des progrès techniques difficiles à imaginer.

Furieux, Bonaparte quitte la séance. Ce qui l'a surtout irrité, c'est l'épigraphe choisie par l'auteur : *Tempus edax rerum,* le temps mange toutes choses. Bien entendu, Dolomieu ne visait que l'œuvre des pharaons, les canaux comblés, les écluses détruites, le nilomètre à l'abandon. Sottement, Bonaparte prend cela pour sa conquête, pour lui-même.

Et tant pis, passons aux aveux, citoyen Dolomieu. Ce mémoire n'est rien d'autre qu'un règlement de comptes. Vous gardez rancune à Bonaparte, qui le sait fort bien, de vous avoir fait contribuer malgré vous à la prise de Malte. Au surplus, vous ne goûtez guère l'atmosphère de cour que le petit Corse fait régner autour de sa personne. Sous des couleurs différentes, cela vous rappelle trop l'entourage du grand maître Rohan. Chacun se pousse, chacun veut plaire, et un sourire du général en chef vaut la plus haute des récompenses. Non merci.

Force est de le constater, citoyen Dolomieu : où que vous

soyez, vous ne tardez pas à fronder les autorités. Par votre faute, vous voilà indésirable en Égypte.

Le grand Déodat demande son congé. On ne se fait pas prier pour le lui accorder. Finies les aventures. A son âge, il est temps de se ranger. Jennie Thyrion l'attend là-bas, en France. Au diable les préjugés, et les susceptibilités familiales. Cette fois, c'est juré, il épouse cette charmante petite roturière, qui l'a bien mérité. Tout chevalier de Malte qu'il a été, il revendique la douceur du foyer conjugal.

En compagnie de son fidèle Cordier, de Dumas le général mulâtre[1] et d'une bande de rapatriés sanitaires, Dolomieu s'embarque sur un rafiot de commerce, à Alexandrie. Ô gaieté du sort, ce bateau s'appelle la *Belle Maltaise.*

« Jolie passoire, se disent les passagers. Il va falloir traverser la Méditerranée avec cela !

— Et dans le sens de la longueur, encore. »

Sans compter qu'on est au fort de l'hiver. A peine en haute mer, la belle créature commence à faire eau. On colmate avec des sacs de lentilles. Un matelot plonge pour repérer l'avarie. Une lame le plaque contre la coque, le blesse. Il meurt le lendemain.

Un cas de peste se déclare à bord : vieille plaie d'Égypte, à laquelle le corps expéditionnaire paie tribut. Pour que le bonheur soit complet, il ne manque plus que l'Anglais. Trop occupé, sans doute, à assiéger Malte.

« Justement, s'écrie Dolomieu, j'ai laissé mes collections de minéraux à La Valette.

— Moi je vais au plus près, répond le capitaine. A Tarente. »

En terre neutre, c'est du moins ce qu'on croyait encore. Une *Belle Maltaise* à bout de souffle vient s'échouer dans ce port des Pouilles. Bientôt, le quai grouille d'une populace furieuse, armée de couteaux et de gourdins. La France a établi à Naples une république impie. Et voici qu'elle ose accoster à Tarente. *Morte ai Francesi !*

« Nous avons un pestiféré à bord », laisse tomber Dolomieu, du haut de sa taille. La foule recule.

La milice vient désarmer les passagers, confisquer leurs

1. Père d'Alexandre Dumas.

bagages. Elle a pour chef un curieux prélat botté, le cardinal Ruffo. Dolomieu connaît : au temps de ses fredaines italiennes, Ruffo figurait dans le camp opposé au sien ; mais c'est dans ce genre de circonstances, n'est-ce pas, que l'on apprend à s'estimer. A présent, le même Ruffo commande l'*armata cristiana,* une bande de paysans, de brigands et de moines, soulevée contre les idées françaises. Dolomieu lui écrit, demande à être reçu. En vain.

Les prisonniers, moins le pestiféré, passent sur un autre navire. Direction Messine. Là, brusquement, les chevaliers de Malte locaux s'agitent. Ils étaient à La Valette au moment de la capitulation.

« Tiens, voilà le traître », s'écrient-ils.

L'apostat Dolomieu, dont les manœuvres ont livré Malte à Bonaparte. Qu'on nous le remette, cet infâme, qu'on le juge.

Les anciens passagers de la *Belle Maltaise* repartent pour Rome, d'où ils gagneront la France. Dolomieu reste seul à Messine. On le transfère en un lieu qu'il connaît déjà, en tant que savant, car aucun autre bâtiment n'avait résisté au dernier tremblement de terre : la prison.

Debout devant la croisée ouverte, Pie VI respirait le printemps de Toscane : cette douceur inexorable, ces buis taillés aux formes fantasques, qui semblaient parfois bondir...

Depuis dix ans, rien ne réussissait plus au pape. Même l'Ordre de Malte, enfant turbulent mais fidèle, lui causait soudain de graves soucis. L'Ordre de Saint-Jean s'était donné à un empereur schismatique !

« Fermez les yeux, Très Saint Père », susurraient les conseillers. Un souverain aussi généreux, cela ne se trouvait pas tous les jours. Le sauvetage d'un ordre de chevalerie valait bien une petite compromission.

Depuis Pétersbourg, les frères Litta — ces garçons au demeurant remarquables — lui traçaient du nouveau grand maître un portrait enchanteur. Le tsar, écrivaient-ils à peu près, est votre seul ami. Qu'ont fait les autres rois pour vous protéger de l'ogre jacobin ? Paul, lui, est prêt à vous recevoir sur les bords de la Néva. Paul a envoyé une armée à votre secours...

Le vieillard se détourna, fit quelques pas. On l'avait logé en la chartreuse de Saint-Cassien, l'une de ces solitudes où les moines se retiraient autrefois pour y faire oraison. Quelques pièces démeublées, qu'il partageait avec un secrétaire et des domestiques peu sûrs. Les cardinaux avaient été dispersés, *manu militari.* Odescalchi, l'archevêque de Florence, s'efforçait de remplacer tous les ministres, mais il demeurait dans son archevêché, à quelque distance. Une navette apportait le courrier. Parfois, au mépris de toutes convenances, les agents français y jetaient un coup d'œil.

Le sommeil de Dieu s'appesantissait sur la terre. Accablé par cet abandon, le pape ne disait plus la messe.

« Il n'a pas communié depuis six mois », se lamentaient les familiers. Peut-être Sa Sainteté priait-elle encore en secret. Mais ce secret était bien gardé.

Au lieu d'envoyer un ange à son secours, le ciel envoya un officier français, plumet au vent :

« Monsieur, dit-il au pape après avoir poliment ôté son chapeau, j'ai le regret de vous déranger. Veuillez faire vos paquets. Nous partons. »

L'on pouvait s'y attendre. L'armée austro-russe progressait vers le sud. Craignant d'être faits comme des rats, les Français évacuaient l'Italie. Et, au lieu de relâcher le pape, ils avaient choisi de l'emmener en otage.

Pie VI toussa, soupira. Depuis son attaque de janvier, il se traînait. Ses vieux genoux le portaient à peine. Jamais il n'aurait la force de supporter ce voyage. Lorsqu'il avait été élu pape, voici un quart de siècle, c'était encore un fort bel emploi. Nul ne se doutait que cela pouvait conduire au martyre.

Alors que l'on chargeait la voiture, l'affaire de Malte lui revint en mémoire. Longtemps, il avait tenté d'être agréable aux hommes, de leur montrer une belle apparence. Longtemps, il avait joué au chef d'État. Mais ces petitesses n'étaient plus de saison. Désormais, et pour le peu qui lui restait à vivre, il voulait être le vicaire du Christ, tout simplement.

Pas question d'attaquer cet empereur Paul. Mais pas question non plus de le reconnaître pour grand maître. Et ceux qui avaient poussé cet homme à l'aventure sauraient, dans le secret de leur conscience, que le pape les désavouait.

***

Deux frégates filent sur la mer des Syrtes. Elles portent la fortune de la France. Bonaparte a fui son royaume oriental, qui ne le sait pas encore. Il amuse ses compagnons de traversée en leur contant des histoires de revenants.

Un officier vient l'interrompre.

« Qu'est-ce à dire ? La flotte anglaise ?

— Non pas, citoyen général. Île de Malte en vue. »

Cette Malte qu'il a libérée de l'obscurantisme. On lui rappelle qu'elle est assiégée par l'ennemi.

« Laissez-moi le temps de prendre les commandes à Paris, réplique-t-il. Et j'affranchirai Malte une seconde fois. »

Il est né, le petit Antoine, au début de l'hiver. Selon les consignes paternelles, le curé l'a baptisé sous d'autres prénoms. Mais personne n'empêchera sa mère de l'appeler comme il doit l'être.

« Ce n'était vraiment pas un temps pour naître », grince le menuisier Carbott.

Car déjà, la nourriture se fait rare à La Valette. Seuls le pain et l'huile se trouvent encore en suffisance. Les oranges des jardins ont été mangées encore vertes, de crainte des maraudeurs. Le grand ennemi des assiégés n'est pas le campagnard — encore novice dans l'art de la guerre — ni l'Anglais, dont on n'a pas vu encore le bout du nez, mais Sa Majesté le scorbut. Chaque fois qu'elle passe devant l'ancienne Auberge de Bavière, transformée en hôpital militaire, Lucija y voit des loques de soldats français. On évacue les cadavres dans les charrettes à bras, au petit matin, de crainte d'affoler la population.

Ordre du général Vaubois : plantez des salades et des courgettes à l'intérieur des remparts, sur toute surface qui s'y prêtera. Le grand glacis de la Floriane y passe, ainsi que le fossé profond qui sépare ce glacis de La Valette. L'on ensemence même le dessus des bastions, quand la couche de terre n'est pas trop mince.

Entre le rempart de la Cotonère et celui de Sainte-Marguerite, des masures avaient poussé au cours des ans. Rasons-les, elles gêneraient les tirs de défense. A tour de rôle, tous les hommes valides sont astreints à cette corvée, même les riches, même les anciens nobles, qui doivent se payer des remplaçants. Carbott courbe le dos, peste à mi-voix. Sitôt les maisons par terre, on y laboure et on y sème.

Lucija reçoit sa part de légumes ; et même une part et demie, en tant que mère d'une petite âme. Mais c'est du poisson qu'elle voudrait. En effet, profitant d'un morceau de mer libre entre l'escadre assiégeante et la côte, les pêcheurs de La Valette continuent d'y jeter leurs filets. L'intendance française leur achète de force leurs maigres prises.

Lucija nourrit son gosse au sein. Et il n'est jamais las de téter, ce bébé vorace. Elle doit rester forte, et vaillante, sinon son lait se tarira. La voilà qui se présente à l'intendance française, son mouflet sur les bras.

« C'est le fils d'un officier parti avec Bonaparte, explique-t-elle.

— Vous dites toutes la même chose, objecte le sergent, un ancien du régiment de Malte.

— Et ça ? » dit Lucija en caressant le duvet doré, sur la tête du môme.

Cet or-là, ce n'est pas un Maltais qui a pu le lui léguer. Le sous-off se laisse convaincre, alloue des rations de rougets. Dans le quartier du Mandragg, dans toute la ville, les jeunes enfants meurent comme des mouches. Grâce au bon poisson mangé par sa mère, Antoine junior vivra. Il sera vigoureux. On pourra le présenter avec fierté à son vrai père, quand celui-ci reviendra d'Égypte, blessé peut-être, mais couvert de décorations.

« Tu as encore fait la coquette avec les soldats, proteste Carbott.

— Si tu m'empêches de trouver ma nourriture, réplique-t-elle, j'irai répéter aux Français toutes les gentillesses que tu dis sur leur compte. »

Carbott prend les devants : il se fait admettre dans la garde nationale.

Les rues de la ville sont d'un triste ! Interdiction de circuler, dès le coucher du soleil. Rien à acheter, rien à vendre, sauf sous les comptoirs, et encore. Les ânes et les mulets ont été dévorés, hormis ceux que les Français conservent pour leurs transports, et qu'ils surveillent baïonnette au canon.

Depuis une tentative de soulèvement, limitée à quelques fous, les occupants ont interdit les sonneries de cloches, qui pourraient faire office de signaux. Ils ont ramassé les grands couteaux de cuisine ; chaque ménagère a dû en livrer au moins un. Ils ont interdit les groupes de plus de trois personnes. Les hommes doivent présenter, à toute demande, une carte d'identité : innovation qui empêchera, du moins on l'espère, les rebelles de s'infiltrer dans la ville. Les femmes échappent à cette servitude ; on ne leur fait pas l'honneur de les croire dangereuses.

Les Français gèrent les provisions en bonnes ménagères. Déjà, ils ont expulsé les suspects et les mendiants. A présent, ils se débarrassent des femmes seules, sauf quand le mari a eu le mérite de partir avec Bonaparte. Maman Buhagiar ne doit de rester qu'à l'existence de son fils Pinu, mousse de la République.

C'est en vain que certains militaires intercèdent pour les prostituées. Elles ont fait assez de mal. Le couvent de Sainte-Scolastique, horreur, a même dû être transformé en hôpital vénérien pour soldats français. Dehors, mesdames, allez contaminer les assiégeants.

Mais malgré cet afflux de femmes galantes, l'ennemi se fait plus mordant. Il a enfin été renforcé par des soldats anglais, des vrais. Depuis les hauteurs du Corradin, au fond du grand port, il bombarde les quartiers de l'est. Souvent, de La Valette, on entend des coups sourds. De nombreuses maisons sont devenues inhabitables, entre autres celle des cousins Carbott, à Bormla. Un beau jour, lesdits cousins débarquent chez le menuisier, avec bagages et marmaille. On se serre pour les accueillir. Lucija n'aime pas trop cette famille, mais elle ne dit rien. A Malte, les liens du sang sont sacrés.

Alors, parfois, pour échapper à la promiscuité, elle monte sur le rempart avec son gosse au sein. Les canonniers la croient un peu folle, ils la laissent passer. Du côté du ponant, tout est encore tranquille. Les trois couleurs flottent sur l'île Manoël, au milieu du bassin, et sur le fort Tigné qui en ferme l'entrée, et sur le vaisseau *Guillaume-Tell* échappé au désastre d'Égypte, et sur les deux frégates qui l'accompagnaient. Mais à l'arrière-plan, les villages vivent sous drapeau anglais et napolitain.

Il pousse bien, le petit luron. Il sera le plus fort, et le plus beau. Elle lui raconte des histoires maltaises. Elle lui serine quelques mots de français, pour le jour où il saura parler. Quand Antoine le père reviendra, par le Christ, son fils le saluera dans sa langue.

Bon époux à ses heures, Carbott rentre un soir avec du chat frais.

« Mais c'est Afrit ! » s'exclame Lucija.

Afrit ou l'esprit familier, dont tous les gamins du quartier tiraient les moustaches.

« Afrit est mort pour que nous vivions », dit Carbott.

Lucija n'en mangera point. Et si, elle en mangera, pour avoir du bon lait. Les cousins se pourlèchent. Quant aux rats, autre friandise, on n'en trouve plus à moins de vingt-quatre sous pièce.

Derechef, les Français célèbrent leur 14 Juillet. Treize mois d'occupation, déjà. Tambours, trompettes et défilé — à défaut de mât de cocagne ou de feux d'artifice. Lucija se rend à la cérémonie, son bébé dans les bras. Le général Vaubois explique que l'adversaire se cassera les dents sur la ville. L'ex-baron Dorell lui répond que Malte est française à jamais. Que penser de ces beaux discours ? La jeune mère ne peut s'empêcher d'admirer ces soldats coupés de leurs bases, qui s'accrochent si vaillamment à un rocher.

Et quand la foule, à l'invite des organisateurs, s'écrie « Vive la France », Lucija joint sa voix au chœur.

Le petit bonhomme fait ses dents presque sans pleurer, comme s'il comprenait que ce n'est pas le moment de fatiguer son entourage. Il tète, il tète, et elle sent ses quenottes pointues.

A tout hasard, l'ennemi se fend d'une proclamation : s'ils acceptent de capituler, les Français seront ramenés dans leur pays sur les vaisseaux britanniques, avec les honneurs de la guerre. Quant aux Maltais compromis, on leur pardonnera leurs erreurs. Vaubois renvoie les tentateurs à leurs bivouacs. Le menuisier Carbott commence à trouver cet héroïsme vraiment excessif.

Les bombardements reprennent, et avec eux les expulsions de bouches inutiles. Dehors les orphelins, dehors les vieux des hospices (le général Vaubois s'en est excusé auprès de l'évêque). Dehors les cousins Carbott (ouf !). Dehors maman Buhagiar et les petites sœurs. Cette fois, la protection lointaine de Pinu n'a pas suffi.

« Vous serez mieux nourries, plaide Lucija. A la campagne, il y a toujours de quoi manger.

— Viens donc avec nous ! réplique la mère. Ce n'est quand même pas l'amour de ton homme qui te retient. »

Non cet amour-là, certes, mais le souvenir d'Antoine, officier français. Maman Buhagiar ferme à clef son méchant logis, dont l'intendance française n'a même pas voulu pour les malades. Lucija l'accompagne à pied jusqu'à la porte des Bombes. Puis, du rempart, elle regarde s'éloigner la longue file des vieillards, des femmes en noir et des enfants en pleurs.

Sitôt la famille partie, Carbott renouvelle ses tendres assauts. La maigre chère n'a pas éteint ses ardeurs. Elle retourne ses déclarations contre lui :

« Ce n'est vraiment pas le moment d'avoir un deuxième enfant.

— Mauvaise épouse ! Je me plaindrai à not' curé. »

Elle quitte la chambre commune pour coucher dans la cuisine. Un soir, Carbott parvient à s'introduire. Elle se débat, elle le frappe. Le petit bonhomme s'éveille en hurlant. Pauvre Carbott ! Il contribue à élever un fils qui n'est pas le sien, et on l'empêche de goûter les plaisirs du mariage. Mais elle l'avait prévenu, non ?

Premier anniversaire du jeune Antoine. Selon la coutume, Lucija réunit les parents et amis qui restent. On ne leur servira ni vin ni pâtisseries, mais ils viennent quand même, par la force de l'habitude. Dun Rokku est là aussi, le vicaire de Saint-Augustin, moins suffisant que naguère. Il s'attendrit devant le petit être.

« Vous n'êtes pas pour les Français, vous, lui dit Carbott à voix basse.

— Les Français ont eu le mérite de nous débarrasser des chevaliers.

— Ils sont contre la religion, insiste le menuisier.

— Ils s'entendent bien avec Mgr l'évêque », répond prudemment Dun Rokku.

En observance de la coutume, Carbott dispose quelques

objets sur le carrelage : une truelle de maçon, son propre rabot, le bréviaire de Dun Rokku et un pistolet de bois qu'il a fabriqué pour l'enfant (comme s'il n'y avait pas assez d'armes à feu, dans cette malheureuse île). Le jeune Antoine fait son entrée, pomponné, enrubanné. On le laisse se promener à quatre pattes.

« Le bréviaire, mon petit ! souffle Dun Rokku. Regarde le bréviaire. Curé, c'est le meilleur métier. »

Les assistants rient. Mais le moutard, imperturbable, s'est emparé du pistolet. Il sera donc soldat. Pas étonnant, avec un père militaire.

« Graine de soudard ! » s'exclame Carbott, affreusement vexé.

Dehors, c'est l'hiver, un hiver aigre et traîneur de maladies. A La Valette, même les riches n'auront pas de quoi se chauffer. Pour alimenter les fours des boulangeries, les Français ont dépecé une vieille galère de l'Ordre.

Mais un vent d'espoir vient de France. Un aviso a forcé le blocus, porteur de la bonne nouvelle. Rentré d'Égypte comme un voleur, Bonaparte a pris le pouvoir à Paris. C'est maintenant lui le grand maître du pays. Il va secourir Malte, sa conquête, sa chose.

A La Valette, les écus d'autrefois servent encore de monnaie. On n'a pas assez de bois pour les refondre. Le général Vaubois les fait rajeunir en y pressant l'effigie de Bonaparte. Avec stupeur, Lucija voit le profil du général corse, son menton volontaire, ses cheveux courts à la nouvelle mode se découper en médaillon dans la joue de Hompesch ou dans la perruque de Rohan.

Déjà une flotte immense, paraît-il, se rassemble à son appel. Pris de peur, les vaisseaux anglais lèvent le blocus. Des barcasses en profitent pour entrer dans le port, avec du blé de Tunis ou d'Alger.

Après quelques jours, hélas, voilà les bloqueurs de retour. Le printemps s'avance — le second printemps du siège. Antoine grandit, ne manque de rien. Ses parents sont amaigris, affaiblis. Les Français se résolvent à une expulsion massive. Cette fois, on parle de deux mille cinq cents personnes. Lucija serre les dents. Elle a compris que son tour était arrivé.

D'après ce qu'on peut savoir, la situation n'est guère meilleure à la campagne. Appauvrie, la Sicile garde ses récoltes pour elle-même.

Lucija fait ses paquets en chantonnant, pour se donner du courage. Carbott maudit les Français à voix basse. Mais il reste en ville, lui, car il est de la garde nationale, et un colonel apprécie sa menuiserie.

Son baluchon sur l'épaule, et son enfant sur le bras, Lucija s'achemine vers le point de rendez-vous. Elle a mis ses souliers, elle qui va d'ordinaire pieds nus. Le petit Antoine rit. Bientôt il saura chanter, lui aussi.

Elle franchit la porte Royale. Une foule exténuée s'avance sur les glacis : des femmes muettes, des enfants pâles, des vieux qui toussent en plein soleil ; et même des hommes valides, beaucoup d'hommes.

Les soldats français ont abaissé le pont-levis de la porte des Bombes. Les proscrits se répandent à l'extérieur, approchent des lignes rebelles. Un officier britannique se détache, accompagné d'un interprète maltais :

« Rentrez en ville. Nous n'avons pas de vivres pour vous.

— Vous avez bien accepté d'autres réfugiés le mois dernier, fait observer un grand-père.

— Notre patience est à bout, dit l'officier. Les Français sont vraiment extraordinaires. Ils ont pris cette île, et ils se déchargent sur nous du soin de la nourrir. »

Le gros des expulsés s'est arrêté, quelques audacieux continuent. Soudain, des coups de feu claquent. Deux ou trois femmes s'effondrent. Ils ont osé !

Les fugitifs refluent vers la porte des Bombes. Mais les soldats français ont relevé le pont. Que va-t-on devenir ? Un malin trouve un chemin pour descendre au fond. Là au moins, on ne risquera pas d'être tirés comme des lapins, ou de mourir d'insolation. Seuls les plus affaiblis restent en haut. Le fond est encore frais. Lucija y cueille un coquelicot, le pique à son corsage.

« Chantons », dit un abbé. Les Français n'ont pas hésité à expulser cet homme d'Église. Faut-il qu'ils soient tombés bas !

La foule entonne le vieux cantique maltais, *Ikun imbierek Allah,* Dieu soit béni. Puis d'autres encore, répétés et moulinés jusqu'au soir, dans une ferveur mêlée de détresse.

Y a-t-il encore une vie possible, entre deux armées sans cœur ?

Le petit Antoine se met à pleurer. Il a faim. Sa mère lui a déjà donné tout le pain mis en réserve. Sainte Vierge, vous avez permis que cet enfant soit nourri pendant dix-huit mois, malgré la guerre. N'arrêtez pas un si bon ouvrage.

La nuit règne, à présent. On ne chante plus. Les gens ont fait leurs besoins, le fossé sent mauvais. Lucija se serre contre une autre femme. Elles ont froid. Du côté anglais perce la lueur de plusieurs feux ; la brise apporte l'odeur des galettes qui cuisent. Sur le rempart, les sentinelles françaises échangent des propos que Lucija ne peut comprendre.

Enfin, le soleil se lève sur les corps engourdis. Une humanité sale se dresse péniblement.

« Chantons à nouveau », propose le curé.

Mais le curé ne fait plus recette. Ses hymnes n'ont rien donné, la nuit dernière. Passons donc à *la Marseillaise.* On chante faux, on écorche les paroles. Qu'importe, les Français reconnaîtront leur bien. Timidement, Lucija participe, et même le jeune Antoine. Vaste cacophonie. En vérité, Malte est plus douée pour les cantiques.

A la douzième *Marseillaise,* ému de compassion, le général Vaubois fait ouvrir les portes. Et les proscrits épuisés rentrent en bénissant la France, au grand soulagement des Anglais.

Des épreuves pour la sœur, la fête pour le petit frère. Enfin sorti de ce cul-de-sac de Malte. Enfin, la vraie vie. Merci Bonaparte.

Pinu Buhagiar, Maltais, orphelin de père, mousse de la République française.

Malheureusement, le navire de Pinu doit se rendre à l'ennemi, durant la grande bataille. Au matin, ses camarades et lui sont jetés à la côte. L'armée française les récupère pour grossir la Légion maltaise. Vous êtes habitués à la chaleur, n'est-ce pas ? Allez donc travailler aux fortifications d'Alexandrie.

Les officiers sont d'anciens chevaliers de Saint-Jean : le capitaine Dulac, le capitaine Cheffontaines. A l'un d'eux, Pinu demande d'écrire une lettre pour sa mère et ses sœurs, restées à

Malte. Et le capitaine se fend d'une belle lettre en français. Mais il faudra en envoyer beaucoup, pour qu'il en arrive une seule. Car les Anglais attrapent tout ce qui passe.

L'unité de Pinu traverse un désert, s'installe à Suez. Un sale coin, si vous voulez m'en croire : même l'eau douce vient de loin, à dos de chameau, et elle coûte fort cher. La maigre solde y passe tout entière.

Le lendemain de Noël, arrivée de Bonaparte soi-même. Pinu le dévore des yeux. Bonaparte se fait présenter les patrons des bateaux mouillés devant Suez — des Arabes venus vendre du café à l'Égypte. Bonaparte caracole à gauche et à droite, manque se faire surprendre par l'étrange chose appelée marée. Il repart après avoir décidé le lancement d'une flottille sur la mer Rouge.

Bientôt, des caravanes apportent des morceaux de chaloupes. On les assemble, on les met à l'eau. Quatre canonnières, qui s'aventurent en mer Rouge. Pinu sert sous le capitaine Cheffontaines. Les rameurs sont ceux de la grande galère de Malte. Objectif : un petit port défendu par un château. Des navires arabes y mouillent. Ils ont des canons, ils tirent. Déveine, l'une des chaloupes chavire, des hommes se noient. Retour à Suez.

On entreprend alors la construction d'une goélette, mais le bois vient à manquer. Les Français recrutent pour un corps de dromadaires. Pinu rage, on l'a trouvé trop petit. La chaleur monte. Des Bédouins rôdent autour des points d'eau, attaquent les hommes de corvée. Pinu et ses camarades ayant refusé de faire des patrouilles, les Français arrêtent le meneur, lui collent dans le dos un écriteau flétrissant sa lâcheté.

Un jour, alors que Pinu et ses amis pêchent à marée basse, ils ont la surprise de voir des marins blonds et roses dans un canot. Des Britanniques, pilotés par des Yéménites ! La conversation s'engage. En prêtant l'oreille, les Maltais parviennent à comprendre ces lointains cousins.

Un brick anglais, expliquent ceux-ci, est arrivé des Indes. D'ailleurs, on le voit là-bas. Vous êtes de Malte ? Cette île vient justement de tomber au pouvoir des Inglizz. Si vous voulez revoir vos familles, venez avec nous. Deux hommes se laissent tenter. Pinu rentre au quartier, fort troublé.

La nuit suivante, des inconnus lancent des appels au pied du fortin, à l'aide d'un porte-voix. Ma parole, ils parlent maltais ! Pinu n'en croit pas ses oreilles.

« Bête que tu es, lui dit son voisin. Ce sont nos deux camarades. »

Une vraie litanie : Malte est en notre pouvoir ; fils de Malte, venez avec nous ; fils de Malte, ne mourez pas pour les Français.

Un coup de feu claque dans l'obscurité. Le refrain s'interrompt, reprend un peu plus loin.

Le lendemain, Pinu n'y tient plus. Il se sauve à la nage, monte sur le canot anglais, qui le conduit au brick anglais. Adieu Bonaparte.

***

« Rejoignez ma flotte devant Corfou, ordonna l'empereur Paul. De là, il vous sera aisé de reprendre Malte. »

Claquant des talons, Alphonse de La Tourrette prit la route de la mer Noire.

Corfou, autre conquête française, était assiégé de conserve par les Russes et les Turcs : ennemis jurés, réconciliés pour la circonstance. La folie de Bonaparte avait opéré ce prodige.

L'amiral Ouchakoff avait planté sa marque sur un vaisseau nommé comme par hasard le *Saint-Paul.* La Tourrette lui présenta ses civilités et, au nom de l'empereur et grand maître, épingla une croix de Malte sur sa vaste poitrine.

Déjà, les îles voisines s'étaient rendues. Corfou en fit autant. Parmi les réjouissances russo-turques, l'ensemble devint la république des Sept-Îles, sous protection du tsar. Première base russe en Méditerranée, qui allait bientôt être suivie d'une seconde : Malte. La Tourrette nageait dans la griserie.

L'amiral Ouchakoff, lui, n'était pas gris du tout. Il se plaisait dans le port de Corfou, d'autant que ses vaisseaux avaient pris de l'âge, et commençaient à pourrir. Les vents d'automne avaient cassé quelques vergues. Bonne occasion pour radouber.

Depuis Palerme, son collègue l'amiral Nelson lui envoyait lettre sur lettre. Il craignait que les Français, maîtres de la botte italienne, n'en profitassent pour débloquer Malte ou, tout au moins, pour la ravitailler. Ainsi, la proie risquait d'échapper. Sa Seigneurie Ouchakoff était priée de se porter sur cette île, séance tenante.

Ne pouvant se dispenser d'un geste de bonne volonté, Ouchakoff fit débarquer une petite troupe russe sur la côte des Pouilles. Commandée par un major irlandais, elle allait balayer les municipalités jacobines constituées par les Français.

« Nos amis russes arrivent ! »

La rumeur se propagea comme un feu de poudre parmi les chevaliers de Malte dispersés en Italie. Hier encore, ce n'étaient plus que des épaves. L'événement leur rendait une raison de vivre — du moins aux plus jeunes. Ils rejoignirent l'escadre d'Ouchakoff à bord de barques de pêche. La Tourrette vit avec plaisir arriver Des Isnards, un brave garçon de la Langue de Provence. Enfin quelqu'un qui allait expliquer les circonstances de la capitulation !

« Alors, vous étiez devenus aveugles ? Vous étiez devenus sourds ?

— Le péril a fondu sur nous, répondit le pauvre Des Isnards. En moins de deux, nous étions cuits.

— Moi présent, s'écria La Tourrette, Malte aurait résisté jusqu'à la déroute ennemie. »

L'année 1799 s'avançait, fertile en péripéties. L'amiral Nelson écrivit à nouveau. La flotte française de l'Atlantique avait osé pénétrer en Méditerranée, avec l'intention probable de secourir Malte et l'Égypte.

« Fort bien, dit l'amiral Ouchakoff. Battons le rappel. »

En réalité, il ne se souciait guère d'exposer ses précieux navires aux aléas d'une bataille.

Les charpentiers avaient planté les derniers clous dans les coques. Les marins avaient ravaudé la dernière voile. Les quelques chevaliers de Malte présents à Corfou baguenaudaient avec les Ottomans. La Tourrette se rongeait les sangs.

Quand il fut bien certain que la flotte française avait disparu de l'horizon, l'amiral Ouchakoff aspira une grande goulée d'air et lissa ses moustaches (comme tous les hommes du monde, il avait la face soigneusement rasée, mais portait des moustaches morales).

« J'envoie les Turcs en échelon précurseur, annonça-t-il. Accompagnez-les, monsieur de La Tourrette, puisque vous êtes si pressé.

— Vous envoyez des Turcs au siège de Malte ?

— Non certes. Pour l'heure, nous allons reprendre Naples. »

Ainsi l'exigeaient, assurait-il, les derniers courriers reçus de son impérial maître. Bloquée par les Anglais, Malte n'était guère dangereuse. On pourrait s'occuper d'elle en temps voulu. Ce qui importait, dans l'immédiat, c'était de bouter les Français hors d'Italie.

Le temps d'arriver devant Naples, l'*armata cristiana* du cardinal Ruffo y était déjà entrée par voie de terre, avec l'appui de la colonne russe venue des Pouilles. Pendant quelques mois, la ville avait été la capitale d'un État étrange appelé République parthénopéenne. Elle allait le payer. On la pillait, on la brûlait, on tuait ses habitants jusque dans les égouts. Soupçonnées d'intelligence avec l'ennemi, des dames de la meilleure société étaient exposées au pilori.

Le drapeau tricolore flottait encore sur trois forts. Le premier était français. Secrètement, La Tourrette en fut fier. Les deux autres étaient tenus par des républicains locaux — des traîtres promis à d'effroyables supplices.

Bon prince, le cardinal Ruffo obtint leur reddition, moyennant promesse de les conduire en France. Le chef de la colonne russe contresigna cet arrangement. De même que le chef des forces ottomanes. Et que le chef d'un escadron anglais qui venait d'accoster.

Le lendemain, patatras : l'amiral Nelson arrive de Sicile, avec à son bord la belle Hamilton sa maîtresse, et le pauvre vieux sir William Hamilton, qui ne sait plus que hocher la tête. Nelson est porteur des instructions du roi Ferdinand, resté à Palerme. Comment, vous avez osé promettre la liberté à ces gibiers de potence ?

Désavoué, le cardinal Ruffo se retire sous sa tente. Les officiers russes s'indignent. La Tourrette veut provoquer en combat singulier l'un des lieutenants de Nelson.

Parmi tous ces traîtres, le plus en vue, le plus passionnant est un confrère de l'Ordre : l'amiral Francesco Caracciolo. Lui, il a commis l'erreur de s'enfuir quelques jours avant la reddition. Il a été repris dans les montagnes. Il n'est même pas couvert par la promesse de Ruffo.

« Me reconnaissez-vous ? Je suis le commandeur de La Tourrette.

— Bien sûr. Les Turcs vous ont relâché. Puissent le roi et la reine de Malte me traiter de pareille manière. »

Petit, olivâtre, assis sur sa paillasse.

« J'ai joué et j'ai perdu », ajoute-t-il en levant un regard effrayant.

Il croyait à la Révolution française. Alors qu'elle agonise.

« L'amiral est chevalier de Malte, explique La Tourrette aux autorités. Seul un tribunal de l'Ordre peut le juger. »

Raisonnement tiré par les cheveux. En quittant le prisonnier, il lui a laissé sa croix de Malte, comme un talisman. Sans s'arrêter à ces détails, les autorités transfèrent Caracciolo sur le vaisseau de Nelson. Un Napolitain, pris à Naples, va être jugé sur un bâtiment britannique !

« Que l'amiral, propose La Tourrette, rachète sa faute en servant dans la marine russe. »

Autour de la rade, chacun retient son souffle. La belle Hamilton, paraît-il, s'est roulée par terre pour obtenir la tête du rebelle.

Entendu à dix heures du matin, condamné à midi, Caracciolo est pendu à cinq heures du soir. Sur une frégate napolitaine, pour la bonne forme ; il aura au moins eu cette satisfaction.

Mais le félon n'a pas fini de faire parler de lui. Quelques jours plus tard, le roi Ferdinand arrive de Palerme et, au lieu de descendre à terre, s'établit sur le vaisseau de Nelson. Le roi se rase devant un hublot. Et qu'aperçoit-il ? Horreur, le cadavre de Caracciolo qui vient lui dire bonjour, encore paré de sa croix de Malte, et bercé par les flots.

« Il a perdu son lest, expliquent les esprits forts. Les gaz l'ont fait remonter à la surface. »

Une crainte révérentielle a néanmoins saisi toute la région. On repêche Caracciolo, on le dépose en terre chrétienne. La Tourrette lit un peu de latin sur sa tombe.

Désireux d'effacer cette impression fâcheuse, les souverains commandent une fête. Elle sera donnée en l'honneur de Nelson, comme si c'était lui qui avait repris la ville, alors qu'il n'y est pour rien. Nelson a écrasé la flotte française, gloire à lui ; mais cet exploit remonte maintenant à un an, et depuis lors le vaillant guerrier n'a rien fait d'autre que roucouler dans les robes de lady Hamilton. N'importe, une galère napolitaine parcourt la baie, présentant un immense portrait de Nelson à l'admiration des foules.

M. de La Tourrette boude, imité de ses amis russes.

Le lendemain, le héros repart pour Palerme avec les souverains. Son *Foudroyant* favori est envoyé à Malte, pour renforcer ce blocus qui se prolonge de manière ridicule.

La Tourrette et compagnie voudraient suivre. On leur fait savoir que leur présence n'est point désirée. Si pressés naguère de recevoir des renforts, les Anglais n'ont plus besoin de personne. Ils réduiront la place tout seuls.

Odieuse prétention. Attendons plutôt le reste de la flotte russe. Justement, trois vaisseaux et une frégate entrent dans la baie de Naples, battant le pavillon à double croix (Saint-André plus Malte). Ils viennent de la Baltique, ils ont fait le grand tour ! Hélas, cinq cents malades se trouvent à leur bord (dysenterie, scorbut, etc.).

De son côté, le prudentissime Ouchakoff s'est enfin résolu à quitter son Corfou. Contournant le dangereux rocher appelé Malte, il s'est embossé à Messine. Les Russes présents à Naples font mouvement vers lui. L'on réunit ainsi onze vaisseaux, plus divers navires de moindre importance. Assez pour surclasser Nelson, qui a dispersé ses forces aux quatre coins de la Méditerranée.

« Vous êtes le maître de la situation, mon cher amiral », observe Alphonse de La Tourrette.

Ouchakoff répond d'un sourire mouillé. Le blocus de Malte dure depuis un an, maintenant. Braves Français, résistez encore quelques semaines, et l'Ordre de Saint-Jean aura, grâce aux Russes, le privilège de recueillir votre capitulation.

Mais deux mille soldats anglais attendent à Messine, eux aussi, le moment de débarquer dans cette île si convoitée. Anglais n'est d'ailleurs qu'une appellation de courtoisie : ce sont surtout des mercenaires de la basse Allemagne, des Irlandais, des bergers corses... Pendant des mois, cette cohorte a été retenue en Sicile par des difficultés d'intendance. Étonnante Albion, toujours à l'aise sur les eaux, toujours empêtrée dès qu'il s'agit de faire manœuvrer une armée de terre.

Confit dans sa dignité, l'amiral Ouchakoff attend que le général Graham vienne le saluer à bord. Réciproquement, le général Graham attend que l'amiral russe se présente à ses quartiers. On s'observe en lions de faïence. Le gouverneur sicilien finit par organiser une rencontre.

« Ces messieurs les Anglais, explique Ouchakoff au sortir de l'entrevue, pensent recevoir dans quelques jours leurs bâtiments de transport.

— J'espère que vous vous opposerez à cela », s'écrie La Tourrette.

L'amiral fait la grimace. Jusqu'à preuve du contraire, les Anglais demeurent des alliés, et l'idée d'en découdre avec eux ne l'enchante nullement.

Autre conflit, avec le gouverneur sicilien celui-là : l'amiral Ouchakoff a été chargé par le tsar de prendre livraison du prisonnier Dolomieu, qui moisit dans la prison de Messine — cette forteresse dominant la ville. Traître à l'Ordre, Dolomieu va comparaître à Pétersbourg devant le Conseil de l'Ordre.

« Pas du tout, dit le gouverneur. Cet individu a été pris sur les terres du roi mon maître. C'est le grand prieuré de Sicile qui décidera de son sort. »

La Tourrette suggère de ne pas insister. Il n'a aucune raison de ménager Dolomieu, ce républicain, qui a joué un rôle trouble dans la chute de Malte. Mais depuis toujours, il admire en lui le bretteur, l'aventurier. Et surtout Dolomieu est captif. Une solidarité obscure l'unit à l'ancien prisonnier du Bosphore. Six mois sous les verrous, pour un homme qui approche la cinquantaine, n'est-ce pas un châtiment suffisant ?

A Palerme, La Tourrette demande audience au roi Ferdinand. Impossible, Sa Majesté pêche la sardine.

La reine exige que les forces russes se portent vers le centre de l'Italie, pour appuyer l'avance des troupes napolitaines, et parachever la défaite française.

« Ruse grossière, commente La Tourrette. Elle cherche à nous éloigner de Malte. »

Quant à Nelson... Mais qui est-ce donc, Horace Nelson ? Un homme de toute petite naissance, rogue, rougeaud, sans distinction. Et pourtant, cette collection de cicatrices force le respect. La manche vide, l'œil mort. Les cheveux blancs cachent mal la dernière blessure, reçue à Aboukir.

Le puritain Nelson goûte les délices de Capoue. Au lieu de

réduire Malte, il se laisse dorloter par la famille royale. On l'a nommé duc sicilien. Il passe ses nuits dans les salons, à jouer gros jeu pour les beaux yeux de lady Hamilton. Il y perd des sommes folles.

« N'ayez crainte pour Malte, dit-il avec l'aide d'un interprète francophone. Elle sera remise à l'empereur de Russie, qui la rendra à l'Ordre s'il le juge bon. Mais nous avons entrepris cette conquête tout seuls. Nous demandons l'honneur de la terminer seuls. »

Pas un mot de gratitude pour la marine portugaise, ni pour les insurgés maltais, qui ont fait l'essentiel du boulot.

Cependant, un grave incident éclate sur le port. Le peuple de Palerme, peu habitué à voir des soldats turcs, leur a fait un mauvais parti. On relève des blessés, voire des morts. L'amiral ottoman plie bagages. La grande entente russo-turque n'aura duré qu'un an.

Dégoûtés, La Tourrette et compagnie s'en retournent à Naples. Charmante cité, la répression judiciaire y bat son plein. Par haine de la monarchie bourbonienne — la moins éclairée d'Europe — toute la bonne société avait collaboré avec les Français. Ce qui permet aux exécuteurs de dresser un assez joli tableau de chasse : deux princes, un duc, un comte, quatre marquis, un évêque, six généraux, douze professeurs d'université, trois chevaliers de Malte... Faute de place, des chapelles ont été converties en prisons.

Malgré ses terribles foucades, le tsar Paul a de la suite dans les idées. Il envoie à Naples le général-prince Volkonski avec ses grenadiers. Détaché de l'armée Souvaroff, ce corps a traversé l'Europe à pied. Des braves ! Le général-prince sera gouverneur de Malte, en attendant le rétablissement complet de l'Ordre.

« Que devient l'armée Souvaroff ? s'enquiert La Tourrette. A-t-elle nettoyé l'Italie du Nord ?

— Elle est passée en Suisse.

— A-t-elle débarrassé la Suisse des tricolores ?

— Sans quelques ennuis imprévus, elle y serait certainement parvenue. »

Bref, l'armée Souvaroff a pris une fameuse raclée. La Tourrette sent les officiers russes peu soucieux de se lancer dans de nouvelles aventures. Ils préfèrent visiter la grotte bleue de Capri.

Comme s'il devinait cet état d'esprit, Nelson réclame à nouveau l'intervention des hommes du tsar à Malte. Sus aux Français ! Enlevez-moi cette citadelle ! Facile à dire, quand on se prélasse dans les palais de Palerme.

« C'est un piège, déclare Ouchakoff. Il espère que les tempêtes démoliront mes bateaux.

— Malte ne manque pas de ports, objecte La Tourrette.

— Parlons-en ! Je me suis renseigné, mon cher. Les deux bassins de La Valette sont contrôlés par les Français. La baie de Saint-Paul, grande ouverte aux vents du nord. Et celle de Marsa-Sirocco, grande ouverte aux vents d'est.

— Vous craignez les tempêtes, enchaîne le général Volkonski. Moi, je redoute encore plus les difficultés de ravitaillement. A Malte, c'est la famine. Mes soldats mangent trois fois par jour, monsieur. »

En réalité, si Nelson revient à la charge, c'est que Bonaparte a pris le pouvoir à Paris. Il craint de sa part on ne sait quelle diablerie. Au surplus, les Portugais sont las de ce siège, ils menacent de s'en retourner dans leur patrie. Un relais russe serait le bienvenu.

Insensibles à ces risques et à ces prières, Ouchakoff et Volkonski jouent aux échecs dans la cabine amirale. La Tourrette tue le temps dans les rues de Naples. Mais il doit bientôt y renoncer : la foule a failli l'écharper, à cause de son accent. Pauvres Français, honnis, vomis ! Il paraît que Nelson, au cours d'une nuit de jeu, a déclaré qu'il les haïssait tous, les royalistes aussi bien que les républicains.

Bon gré mal gré, les grenadiers de Volkonski embarquent à bord des bâtiments russes. Qu'attend-on encore ? Chaque matin, la brume se fait un peu plus épaisse, sur la baie de Naples.

1er janvier 1800. Hourra ! L'on commençait à en avoir assez des années 17, qui n'ont apporté que des malheurs. Comme s'il était sensible au symbole, l'amiral Ouchakoff choisit ce premier jour de l'*ottocento* pour lever l'ancre.

L'on fête la Noël russe à Messine, et l'on continue. Malte apparaît, environnée d'embarcations.

« Amiral, dit La Tourrette, vous avez une dernière occasion de vous conduire en homme d'honneur.

— Monsieur, répond Ouchakoff, mes navires ne sont pas en état de tenir la mer en plein hiver. »

Et naturellement, il file vers Corfou, après avoir envoyé à Sa Majesté Impériale une liste de ses avaries. Elle s'entend aux choses de la mer, elle comprendra.

Furieux, La Tourrette poursuit vers la mer Noire. Il va demander au tsar Paul la tête de son amiral.

Lamentable cohorte, les chevaliers expulsés de Malte arrivaient sur les côtes de France. Ils exhibaient des passeports à l'en-tête de l'armée d'Angleterre, délivrés par l'état-major de Bonaparte. La République y était figurée, distribuant ses bienfaits au pied d'un arbre où poussaient des pièces de monnaie. Eux aussi, ils attendaient que la République les prît en charge.

« Je me rends chez des parents dans le Berry, expliqua le chevalier Oreste.

— Ne savez-vous point lire ? Votre passeport vaut pour Antibes seulement. »

Ils étaient déjà quatre-vingts, la larme à l'œil, et le chagrin au corps. Prise au dépourvu, la municipalité les logea au fort d'Antibes, ou même chez l'habitant.

Le ci-devant Gabriel de La Guérivière rejoignit la troupe en clopinant ; un corsaire avait arraisonné son bateau, le dépouillant de tous ses effets. Et qu'était devenu le prince Camille, parti de Malte avec deux domestiques ? Apparemment, le prince s'était ravisé, préférant rester en Italie. Oreste commençait à lui donner raison. Plutôt crever de faim à l'étranger, que d'être traité en France comme un gueux.

« Nous sommes libres, protestaient les chevaliers.

— Point de liberté pour les émigrés.

— Le texte de la capitulation reconnaît que nous n'avons pas émigré.

— Quelle capitulation ? »

La municipalité en référa au chef-lieu, qui se retourna vers Paris. Réponse : le Directoire n'a pas ratifié la capitulation de Malte. Elle est donc sans valeur.

Quelle affreuse farce ! Bonaparte avait conclu un traité apportant à la France, sur un plateau, la plus forte place de la Méditerranée. Le Directoire empochait l'offrande, sans acquitter la contrepartie.

« La gloire de Bonaparte, observa Oreste, doit empêcher certains de dormir. On aura voulu lui jouer un bon tour. »

Comble de veine, les Anglais avaient saisi la liste des chevaliers renvoyés, établie à Malte par le même Bonarparte. Comment vérifier, dès lors, qu'il n'y avait pas d'espions ennemis infiltrés parmi eux ? La police française refusait de se fier aux passeports, trop faciles à falsifier.

Jugeant sans doute Antibes trop peu sûre, elle décida de transporter ses pensionnaires en Roussillon. Pour y échapper, les chevaliers multipliaient les excuses de santé. Ils demandaient à se soigner dans leurs familles, qui en Touraine, qui en Bourgogne... Oreste haussa les épaules ; ces simagrées étaient indignes de lui. Comme disait l'autre, malheur aux vaincus. Après la faute, l'expiation.

Perpignan, énorme citadelle, bâtie pour tenir en respect toutes les Espagnes. Les vents d'hiver ululaient dans les galeries. Au prix de soins quotidiens, Oreste fit pousser une plante dans un pot.

Mais ce n'était encore qu'une étape. Le commandant de la place souhaitait se débarrasser de ces hôtes encombrants. Puissance amie de la France, et catholique, l'Espagne serait doublement charmée de les recevoir.

Un premier convoi de vingt-quatre chevaliers se mit en mouvement vers le sud. Sans cérémonie, les Espagnols les internèrent au fort de Figuères.

Oreste ne disait rien. Il était un peu timide, à cause d'un cheveu sur la langue. Selon les camarades, leur sort allait s'améliorer. En Espagne, la puissance de l'Ordre demeurait intacte. Le grand prieur de Catalogne ne pouvait manquer d'intervenir.

Mais rien ne se passait. Sans doute les chevaliers espagnols étaient-ils peu fiers d'avoir contribué à la reddition de Malte. Ils préféraient oublier cette page sans gloire.

« Et le bailli de Saint-Quentin ? N'est-il point à Barcelone ? »

Le bailli de Saint-Quentin, ancien général des galères, et le chevalier de Damas, partis de Malte pour l'Espagne, avaient été capturés par des Barbaresques. Pauvre bailli, qui menait naguère la grande vie dans son château de Picardie, avec une dame de la meilleure société. Désormais, il cassait des cailloux au bagne d'Alger.

La cour de Madrid attendit le mois de mai pour faire savoir qu'elle n'avait aucune raison de se charger de chevaliers français. Vingt-trois d'entre eux repassèrent la frontière (le vingt-quatrième étant malade). A Perpignan, Oreste retrouva son frère bien-aimé (de vous à moi, un faible) et leur ami l'abbé Boyer, ancien aumônier du grand maître Rohan.

Dans le désordre où se trouvait la religion, il faisait bon fréquenter un homme d'une piété si profonde. Jeune encore, il maniait le latin, le grec, le syriaque, et savait l'Écriture par cœur. On l'avait surnommé Saint Boyer, pour le distinguer d'un homonyme de triste mémoire. Saint Boyer accablait les autorités de lettres caractéristiques : « Délivrez-nous ! Exaucez-nous ! » Les bureaux devaient bien rire.

Envers et contre tout, la plante poussait. Il allait falloir changer le pot. C'était le seul sujet de contentement, par les temps qui couraient. Mal nourris, les chevaliers s'alitaient l'un après l'autre.

« Je ne serai pas malade », jura Oreste. Et il commença d'écrire un livre, un paquet de lettres adressées à un confident imaginaire, où se déversaient son cœur et sa bile : la mauvaise gestion de l'Ordre, l'incroyable incompétence de Hompesch, l'abdication générale. Mais qui pourrait le publier ?

Sur le lit voisin, René de la Guérivière lisait et relisait la lettre, réelle celle-là, reçue de son frère Jean-François. Celui-ci, le plus brillant de la famille, avait échappé au sort piteux du troupeau. Mais au prix d'autres aventures : le général français commandant Malte l'ayant envoyé en Sicile négocier le maintien des relations commerciales, la population l'avait reçu à coups de pierres. A présent, il s'activait pour se faire radier de la liste des émigrés — formalité sans laquelle nul ne pouvait rien faire en France.

Dans son coin, Ange de La Panouse soupirait. Ses frères à lui étaient en Égypte, où ils administraient des provinces entières. Que ne les avait-il suivis ?

Brumaire. Maître de la France, Bonaparte allait-il se souvenir de ce traité signé avec l'Ordre ? Oui, il se le rappelait. L'assemblée des Cinq-Cents reçut l'instruction de le ratifier, après un an et demi d'inertie.

« Un texte, enfin ! s'exclamèrent les fonctionnaires de police. Voyons cela. Les séjours à Malte sont assimilés aux séjours en France. Citoyens, montrez vos preuves. »

Et Pierre, Paul ou Oreste de brandir leurs certificats de résidence, vrais ou faux. Mais certains n'avaient plus rien. Les pièces produites furent expédiées au ministère.

Nivôse, pluviôse. Malgré ces noms moroses, un début de soleil brillait sur le Roussillon. L'administration décida de relâcher les chevaliers valides. En pleurant, l'on se sépara de Saint Boyer, qui faisait route vers Marseille, sa ville natale.

Dans la voiture publique, Oreste et son frère sentaient peser sur eux les regards des autres voyageurs. Leur mise n'avait rien qui appelât l'attention : des vêtements fatigués, élimés par endroits... Malgré cela, l'assistance avait flairé en eux je ne sais quel relent d'aristocratie vaincue. Ils étaient à jamais différents, marqués par l'exil et par la perte de Malte.

Le printemps verdissait les bosquets du Berry. Oreste reconnut le chant du loriot, celui de la mésange charbonnière. Mais de quoi vivrait-on, grands dieux ? La Justice avait saisi les Finances, lesquelles invoquaient toujours le même prétexte pour ne rien payer. Eh, les listes de bénéficiaires ont disparu en mer !

Oreste en avait assez. Il monta à Paris, prit pension chez un teinturier de la rue de Cléry, et déposa trois demandes de passeports : pour son frère, lui-même et l'abbé Boyer.

Destination Rome. Dès lors que la France se réconciliait avec la papauté, Rome était une destination permise.

Et de là, dès que les circonstances s'y prêteraient, les trois compères rejoindraient leur vraie patrie : Malte.

« Citoyen Simon..., commence l'officier.

— Saint-Simon », corrige l'intéressé.

Comme les autres chevaliers de Malte embauchés par Bonaparte, André de Saint-Simon a laissé tomber la particule. Mais il tient encore à son saint.

« Citoyen, le général en chef vous mande auprès de lui. Il a du travail à vous confier. »

Bonaparte assiège Saint-Jean-d'Acre, en Syrie. Un rude morceau. Quel besoin a-t-il de s'occuper aussi d'archéologie ?

Secrétaire de la Commission des sciences et des arts, Saint-Simon se trouvait assez bien en Égypte, et s'y gorgeait d'antiquités. Non sans ronchonnements intérieurs, il se met en route vers un nord dangereux. Aime-t-il encore Bonaparte ? Pourquoi Bonaparte a-t-il disgracié Dolomieu, qui était son protecteur, son vrai maître, à lui André ?

Et à quoi rime-t-elle, cette expédition de Syrie ? Certains assurent que l'armée va pousser encore plus loin, rentrer en Europe par les Dardanelles. Quand on a perdu sa flotte, il faut savoir marcher !

A Damiette, le jeune homme s'arrête chez Guillaume de Chanaleilles, autre ci-devant chevalier.

« Notre général en chef, prédit son hôte, ira jusqu'à Damas, et s'en tiendra là. Il prend des gages. En échange de quoi, la flotte anglo-turque le ramènera en France. »

Lui-même, Chanaleilles, ne tient nullement à être rapatrié. Il gère une province. Il est aimé de ses sujets. Grâce à lui, le bonheur est une idée neuve à Damiette.

« En échange de la Syrie, dit Saint-Simon, j'espère que la France gardera au moins Malte. »

Malte qui, aux dernières nouvelles, résistait toujours à l'ennemi, et surtout à la famine. Avant-hier, fouillant une poche, le jeune homme a retrouvé un sou à l'effigie de Rohan, avec une devise : *non aes, sed fides*. Non pas la richesse, mais la fidélité.

L'étape suivante se nomme Gaza. Il n'y trouve ni Samson, ni Dalila, mais le chef de bataillon Tousard, commandant de la place : un ancien de Malte, lui aussi. On plaisante un peu devant deux verres d'arak. Esprit fort, et républicain de toujours, Tousard se moque des simagrées de Bonaparte :

« Au Caire, il était musulman. A Nazareth, il a fait le parrain à un baptême. »

Le même jour, le soldat X, qui avait eu l'auriculaire arraché au combat, et le portait toujours sur lui dans un sachet, a enfoui ce petit morceau de son corps en disant : « Comme cela, j'aurai toujours un doigt en Terre sainte. »

Chassez la religion, elle revient au galop.

« Malte, c'était le bon temps », répète encore Tousard, à tout propos. Mais ce n'est pas l'Ordre qu'il regrette. C'est sa jeunesse.

« N'avez-vous point des cas de peste, à Gaza ? demande Saint-Simon, pour faire diversion.

— Quelques cas. On se lave au vinaigre. »

Un médecin militaire ayant refusé de soigner les malades, on l'a hissé sur un âne et on l'a promené en ville, habillé en femme, avec un écriteau : *Indigne d'être citoyen français, il craint de mourir.*

Saint-Simon n'est pas arrivé à finir son verre.

« Restez donc un peu, dit Tousard. On n'est pas si mal ici.

— Je suis attendu par Bonaparte ! »

Dernière halte avant le quartier général : Jaffa, charmante bourgade sur une colline, au milieu de jardins qui embaument. Mais sous un air de paradis, c'est l'enfer. Irrité d'une trop longue résistance, Bonaparte a fait massacrer la garnison turque, qui s'était pourtant rendue. En manière de vengeance, Dieu a lâché la peste sur la ville.

Saint-Simon se met à la recherche de son collègue Malus, un physicien de son âge, à qui il apporte des lettres du Caire. Il le trouve seul dans une chambre, et l'air mal en point.

« Qu'as-tu donc ?

— Rien, morbleu. »

Saint-Simon rabat le drap, découvre un bubon à l'aine.

« Reste tranquille, Malus. Je vais chercher le barbier. »

Le barbier, un chrétien, incise le bubon au rasoir. Puis il essuie la lame et la remet dans son turban. On dit qu'il a sauvé de nombreuses personnes.

Malus geint doucement sur sa couche. Son camarade lui tient la main en racontant des histoires :

« Pour l'amour du ciel, Saint-Simon, va-t'en ! »

Saint-Simon n'a pas peur. La peste, lui a-t-on expliqué, n'a de prise que sur les corps affaiblis. Voyez Bonaparte : il a aidé à porter un cadavre. Voyez Desgenettes, le médecin-chef de l'armée : il s'est inoculé du pus de pestiféré, afin de rassurer les troupes ; et il se porte aussi bien que les pyramides !

Le soir, Saint-Simon boit de l'alcool de figue avec des officiers :

« A la République !

— A nos amours. »

Le lendemain, au réveil, curieusement, il ne se sent pas bien. Un café brûlant le ranime. Ayant rejoint le convoi de Saint-Jean-d'Acre, après cent pas, la tête lui tourne.

« Il faudrait trouver le barbier », disent les copains.

Introuvable, le barbier. Peut-être, comme beaucoup d'autres, a-t-il quitté cette cité maudite.

On conduit Saint-Simon à l'hôpital, installé au couvent des Pères de Terre sainte. Écartant les infirmiers, il demande à voir les religieux eux-mêmes. Mais les pères se sont barricadés, les pères ne répondent plus. Le jeune homme finit par s'abattre sur une paillasse pas fraîche, contre un pilier. Des râles s'élèvent sous les voûtes. Les fumigations n'ont pu chasser l'odeur infecte.

Saint-Simon s'est assoupi. Une palpation indiscrète le tire de son sommeil. Il découvre une face patibulaire, penchée sur lui. Serait-ce déjà l'ange de la mort ? Les infirmiers militaires proviennent des bagnes de Gênes et de Malte. La moitié ont déserté, les autres ne restent que pour détrousser les agonisants.

« Je n'ai plus un sou ! » crie Saint-Simon.

Des bubons, de gros bubons noirâtres ont poussé dans chaque aine. Un cadeau de ce pauvre Malus. Avec un nom pareil, il aurait fallu se méfier davantage.

Au coucher du soleil, Saint-Simon se traîne sur une terrasse. C'est là qu'il veut dormir, à l'air libre, enveloppé dans son manteau. D'un bout du ciel à l'autre, les étoiles échangent des messages qu'il voudrait comprendre. Et cette nuit lui en rappelle une autre, passée sur la Tour Rouge de Malte, face au détroit de Goze. La nuit où il avait refusé la mort, où il avait échappé en fraude. Depuis lors, à l'évidence, il n'aura été qu'un sursitaire. Il aura beau eu changer d'uniforme, changer de peau, et quasiment d'identité ; son destin le rattrape quand même.

Malte perdue, par sa faute et celle de quelques autres : voilà la tare inexpiable. Voilà le reproche qui lui remonte au cœur.

Il songe à tout ce qu'aurait pu contenir sa vie, aux rois et aux reines qu'il aurait tirés de leurs tombes antiques, aux alphabets dont il aurait percé les secrets. Il songe à la Femme, absente de son existence, à part la brève rencontre d'une ou deux ribaudes. La Femme, que l'Ordre tenait autrefois pour ennemie, plus que les Sarrasins eux-mêmes.

Et il ouvre les mains vers les cieux, pour signifier qu'il laisse échapper tout cela.

La fraîcheur de l'aube le chasse à nouveau vers la grande salle méphitique. Un malade jure, un autre appelle sa mère. Tout est vermine, tout est charogne.

Sauf peut-être un petit homme qui trottine avec un falot. Encore un détrousseur de cadavres ? S'arrêtant devant Saint-Simon, il lui sourit, lui parle. L'accent dénonce son origine : Dieu a voulu que ce fût un Maltais.

« Es-tu de Zejtun ? demande André, du fond de son brouillard. Ou de Birkirkara ?

— Je suis de Zebbug, corrige le petit homme. Le plus joli bourg de l'île. »

Rohan y avait bâti un arc de triomphe, tandis que les gens de Zebbug chantaient et dansaient. Les amoureux s'étaient embrassés sous un feu d'artifice.

Le petit bonhomme se penche :

« Voulez-vous de l'opium ? »

Oui, oui, de l'opium, et plus rien.

⁂

Le printemps russe éclate de toutes parts. Hier, il n'y avait rien encore ; aujourd'hui, l'arbre est couvert de bourgeons. Un oiseau sans nom s'égosille sur la branche basse. Fête d'autant plus capiteuse qu'elle a été plus retardée.

La disgrâce de Giulio Litta a plongé son fidèle Raczynski dans le désespoir. Le destin s'acharne ! Sauvé une première fois, l'Ordre a capitulé devant Bonaparte. Sauvé une seconde fois, reconstitué à Pétersbourg, le voilà privé de son chef véritable. Si au moins on pouvait en connaître la cause ?

Vincent Raczynski tourmente son violon jusqu'à faire pleurer les chiens. Un ami russe bien placé finit par l'éclairer :

« Tout cela, mon pauvre, est dû à une imprudence de votre patron suprême : le pape. »

Dans sa chartreuse des environs de Florence, le pape a dicté un mémoire où il refuse de tenir pour régulière la déposition de Hompesch par l'assemblée des chevaliers de Pétersbourg. Ledit Hompesch s'était fort mal conduit, on l'admet bien volontiers. Mais l'assemblée ne représentait qu'une fraction de l'Ordre.

Et, du même coup, Sa Sainteté désavoue l'élection de Paul le schismatique à la tête du très catholique Ordre de Saint-Jean.

Bien entendu, ce document fatal n'était pas destiné à Paul. Simplement à éclairer Mgr Litta, nonce en Russie. Mais dans la détresse où il se trouve, Pie VI néglige de le faire chiffrer. Devinez la suite. L'enveloppe est ouverte par le cabinet noir, son contenu mis sous les yeux du tsar. Tonnerre ! Ce pontife que les frères Litta décrivaient comme docile, cet ingrat de pape met des bâtons dans les roues du carrosse impérial.

Giulio a payé le premier. Son archevêque de frère ne perd rien pour attendre. Convoqué au Collège des affaires étrangères, il se voit remettre la fatale dépêche. On ne s'est même pas donné la peine de refermer l'enveloppe. Lui aussi, le voilà prié de faire ses malles.

Ayant vendu son mobilier, Mgr Litta annonce comme il se doit son départ dans la gazette, afin que les créanciers éventuels puissent se manifester. Puis, avec un soulagement visible, il file vers Vienne — vers la civilisation.

« Je continuerai de suivre les affaires de l'Ordre », a-t-il promis à Raczynski.

Suit tout un déménagement. A la place de Giulio, le grand maître Paul se donne comme adjoint le maréchal Saltykoff, ancien gouverneur de ses fils. La force de ce Saltykoff est d'avoir participé au voyage européen de 1782. Orthodoxe, et fort dévot, il n'oublie pas pour autant ses intérêts matériels : le tsar lui a offert une terre de quatre mille paysans, prise à un prince polonais. Bref, un avare mystique.

Les dignités occupées par des Français sont réputées vacantes. D'ailleurs, on ne sait trop ce que sont devenus leurs titulaires. Loras, exilé en Sicile, ne donne plus de nouvelles. Les autres semblent se trouver au pouvoir de l'armée française, dans La Valette assiégée... Un prince Gagarine est donc nommé grand hospitalier. Le prince Lapoukhine, père de la maîtresse du tsar, devient grand commandeur. Quant au maréchal de l'Ordre, ce sera le tsarévitch Alexandre.

Les dignités espagnoles sont confisquées de la même manière, puisque l'Espagne n'a pas eu le bon goût de reconnaître le grand maître Paul. Un général balte se voit bombardé grand conservateur. L'ineffable Rostoptchine, lui, se réserve l'emploi de chancelier de l'Ordre. Mais comme la diplomatie russe l'occupe à plein temps, il lui faut un vice-chancelier. Pauvre émigré, le chevalier Hyacinthe de La Houssaye lisait des journaux dans un café, sa croix de Malte à la boutonnière. Des agents de Rostoptchine le repèrent. On l'emmène en carrosse, on le présente à Sa Majesté. La Houssaye a perdu une jambe devant Gibraltar et connaît passablement les statuts de l'Ordre. Sur-le-champ, le voilà agréé.

Quant à la charge d'aumônier de Saint-Jean, enlevée à Mgr Litta, elle est dévolue à son rival, l'ancien calviniste, le redoutable cardinal S...

Un Raczynski atterré écrit ces nouvelles à Litta, dans son exil champêtre. Le Conseil de l'Ordre n'est plus qu'une assemblée de militaires russes. Les plâtriers tracent des moulures en forme de croix de Malte aux plafonds des palais impériaux. Sur instruction du tsar, les chevaliers se coiffent de chapeaux à plumes.

Mais de quoi vous plaignez-vous, mon cher Vincent ? Ne jouissez-vous point d'une bonne rente, appelée commanderie ?

Il reste quand même un membre de l'ancienne équipe : Maisonneuve, le fils de l'aubergiste, devenu maître des cérémonies de l'Ordre. Maisonneuve compose un pamphlet contre Hompesch et son entourage, intitulé *Annales de Saint-Jean.* L'Imprimerie impériale russe publiera cela en français, sans nom d'auteur.

Raczynski étouffe. Pour changer un peu d'air, il s'en va représenter l'Ordre à une noce, au château de Mittau. Souvent, ses pérégrinations l'ont conduit devant ce Versailles balte, qui se mire dans de grands bassins tristes. Mittau était naguère la capitale d'un duché autonome. Puis le duché de Courlande a connu le même sort que le royaume de Pologne. Et comme si cela ne suffisait pas, une aile du château a brûlé.

A présent, Paul Ier prête cette bâtisse au prétendant Louis XVIII, lequel marie aujourd'hui son neveu. Dans les galeries démeublées, Raczynski croise des écuyers claudiquants et des chambellans valétudinaires. Tout ce qui compte moins de cinquante ans est parti à l'armée de Condé. Gourmé, revêche, le duc d'Angoulême montre peu d'enthousiasme à l'idée de prendre femme. Il était grand prieur de France dans l'Ordre de Malte et possédait donc, sur le papier, tout un quartier de Paris. En se mariant, il va devoir rétrocéder cet apanage fantôme à son frère Berry.

« Le duc d'Angoulême n'a jamais rien fait pour notre Ordre, chuchote Maisonneuve. Il s'est contenté de naître.

— C'est un abus que nous supprimerons, répond Raczynski. Dans l'Ordre rénové, les princes du sang n'auront plus de privilèges. »

Mais le tsar Paul a sans doute une autre manière de voir. Les délégués de l'Ordre saluent l'énorme prétendant, l'énorme prétendante. Seule figure agréable : la mariée, madame Royale. Encore est-ce la fille d'un roi guillotiné, et elle ne va nulle part sans son confesseur — celui même qui recueillit le dernier soupir de Louis XVI. Brr...

Rentré à Pétersbourg, Raczynski trouve une Cour assez rassérénée au sujet de l'Ordre de Malte. Peu de gens ont deviné le vrai motif de la disgrâce des frères Litta. On a cru que Giulio était tombé victime de la jalousie du nommé Rostoptchine, et Lorenzo, victime d'une obscure querelle concernant un évêque. A l'étranger, la vérité n'a pas percé davantage ; le pape a été assez convenable pour ne point parler. Désapprouvé par Pie VI, le grand maître Paul continue de se conduire comme s'il avait son accord, et nul ne lui donne le démenti. En somme, il s'est fâché pour rien.

« Sire, disent humblement Raczynski et ses camarades, ne vous occupez plus du pape, et réglez plutôt son compte à Hompesch. »

Ce nullard, qui a osé envoyé à Malte, tout récemment, des hommes de son entourage. Hompesch revendique l'île ! Risible prétention. Heureusement, il se trouve dans la main de l'empereur germanique, son ancien employeur, qui l'héberge en un château, au milieu des bois. Paul Ier écrit donc à Vienne. Et Vienne a besoin de lui pour continuer la guerre. Le Hompesch se raidit, le Hompesch se cramponne. On lui brise les reins. Il doit rédiger une lettre où il reconnaît enfin le tsar comme son successeur légitime.

Autre rebelle brisé, l'Électeur de Bavière, coupable de deux crimes : d'avoir soutenu Hompesch, et de s'être emparé du grand prieuré de Bavière. Paul menace de le laisser sans défense devant les convoitises de l'Autriche. Déjà, l'Autriche ouvre une gueule immense. Affolé, l'Électeur fait sa soumission à Paul.

Les visiteurs affluent vers le nouveau soleil. Le plus marquant est le bailli de Flachslanden, pilier de la Langue anglo-bavaroise, dont les deux prieurés russes continuent de dépendre, du moins en théorie. Flachslanden est le premier haut dignitaire de l'ancienne école à se rendre à Pétersbourg. C'est dire si Paul Ier le fête. Flachslanden devient l'oracle du palais. On le consulte à propos des moindres détails de la vie de l'Ordre. On imite jusqu'à ses tics.

Raczynski assiste à cette ascension foudroyante avec des sentiments mêlés. Le bailli est un homme d'ancienne cour, un pur produit de l'élégant dix-huitième siècle, avec une pointe de mécréance. Le bailli a des manières de vieux beau. A tout moment, dans les salons, il tire de ses poches un flacon de senteur et le porte à ses narines, comme si l'haleine de ses semblables lui devenait intolérable.

Mais son imprudence a tôt fait de le perdre. Il s'est permis de reprendre le vice-chancelier La Houssaye sur des questions de protocole. Et Saltykoff craint que le nouveau venu ne lui fauche sa place. Les deux hommes montent le tsar contre lui.

« Monsieur, dit Paul au sémillant bailli, veuillez rentrer dans votre Germanie. Nous n'avons que faire des intrigants. »

Flachslanden s'efface, remmenant dans ses bagages le jeune et sympathique commandeur de Bray, qui espérait bien devenir ambassadeur de Bavière à Pétersbourg.

Les envoyés du grand prieuré d'Allemagne prennent le relais. Ils sont dirigés par le bailli de Pfürdt-Blumberg (traduction autorisée : Ferrette-Florimont). Protégé par sa lourdeur physique et morale, M. de Pfürdt ne porte ombrage à personne.

Le grand prieuré de Bohême envoie lui aussi une délégation. A contrecœur, probablement, mais la cour de Vienne a dû pousser. Ses députés apportent à Paul les insignes du pouvoir, repris au malheureux Hompesch : le bras de saint Jean-Baptiste, et la Madone de Philerme avec son visage cerclé de pointes, que Raczynski revoit avec une émotion particulière. Fuyant vers

Trieste, le grand Ferdinand avait emporté ces reliques sous son bras, comme un voleur. Une procession les dépose à Gatchina, en traversant la neige craquante du parc.

Pour porter la joie de Paul Ier à son comble, le seul risque qui pesait encore sur sa couronne de grand maître vient de disparaître. Pie VI, le silencieux contradicteur, humilié, ballotté, traîné sur les routes, a fini par s'éteindre en la quatre-vingt-deuxième année de son âge, à Valence-sur-le-Rhône, loin des siens, loin de Dieu, loin de lui-même.

Paul se donne les gants de faire célébrer un office à sa mémoire, en l'église catholique Sainte-Catherine de Pétersbourg, devant toute la Cour. A qui veut l'entendre, il rappelle que Pie VI était un vieil ami, rencontré durant son voyage de 1782.

Et nous lui ferons élire pour successeur, messieurs, un homme plus compréhensif.

***

Qu'il est doux d'être libre ! Kassem le maugrabin n'en revient pas encore. Plus de fers aux pieds, plus de coups de fouet. Le bonheur, quoi.

« Je ne veux pas de prosternations, dit toutefois l'officier. Elles sont interdites par le règlement de l'armée française.

— Ce sont nos prières ! »

Le bataillon est envoyé au Caire, la cité aux mille coupoles. Fier comme Artaban, Kassem se promène en uniforme dans les ruelles. Les habitants se moquent de son accent tunisien ; ce ne sont que des jaloux.

Et les femmes ? Il y en a tant qu'on veut, qui hantent les camps comme de grosses mouches parfumées. Mais, toutes, elles portent la pourriture entre leurs jambes. Les Français en attrapent quelques-unes, et les remettent à l'agha pour qu'il les fasse noyer. Car telle est la peine prévue, pour qui couche avec l'infidèle.

Un jour, Kassem est pris à partie lui aussi, par un vieux marchand :

« Comment n'as-tu pas honte, toi, un musulman, de servir des mécréants ? »

Kassem pourrait lui passer son sabre au travers du corps. Il poursuit son chemin avec mélancolie, car il a le respect des barbes blanches.

Or voici qu'une grande caravane maugrabine vient faire étape aux portes de la ville, comme chaque année, à l'époque du pèlerinage. Ils sont des milliers, tous portant le poignard ou le pistolet à la ceinture. Les Français s'inquiètent, renforcent leurs gardes. Mais comment barrer la route à des gens qui s'en vont vers les lieux saints ?

D'ordinaire, c'est l'Égypte qui fournit la tenture neuve de la Kaaba, que cette caravane portera vers La Mecque. Bonaparte n'a pas voulu faillir à la tradition. La tenture sera plus riche, plus brodée que jamais.

Autour des tentes, Kassem retrouve des gens de Sousse. Des vieillards surtout, car les voyages coûtent cher, et l'on attend la fin de sa vie pour remplir ce pieux devoir. Heureux ceux qui rendront l'âme à La Mecque, dans la sainte cohue.

« Es-tu vraiment le fils de Hussein ? s'étonne l'un de ces ancêtres. L'on te croyait mort depuis longtemps.

— Mais non, répond Kassem, je ramais un peu pour m'occuper. »

Et il exhibe ses biceps. A sa surprise, son capitaine lui accorde sans difficulté un congé pour se joindre à la caravane. Bonaparte protège les croyants, qu'on se le dise. N'est-ce pas lui qui a renversé les deux ennemis de l'islam en Méditerranée, Venise et Malte ?

Ainsi, Kassem le privilégié deviendra hadjï avant d'avoir atteint le terme de son âge. Ayant troqué son uniforme contre des vêtements blancs, il s'embarque sur la mer Rouge. Devant la pierre sainte, il demande pardon d'avoir bu du vin et mangé du lard avec les Français. Et sur son trône de nuages, El Rahman, El Rahim agrée la prière de Kassem.

Au retour, les gens du Caire ne le reconnaissent point, avec son visage amaigri, et sa tunique immaculée. L'administration militaire ne s'enquiert même pas de lui. Il est retourné à la masse, il est redevenu un musulman comme un autre. Un jeune hadji maugrabin, rentrant dans sa patrie, plein d'usage et raison.

Traversant Alexandrie, il demande à voir le chevalier de Saint-Exupéry. C'était aussi un juste, à la manière franque. Mais sa trace s'est perdue, dans tous ces mouvements de troupes.

Alors Kassem grimpe à bord d'un navire qui a hissé pavillon barbaresque, de façon à pouvoir traverser la surveillance anglaise. Dans quelques jours, il arrivera sous les remparts de Sousse. Finie, la jeunesse. Finie, l'aventure. Il est temps de reprendre racine, de se marier, et d'engendrer des enfants pour la gloire du Seigneur.

⁂

Elle souffre, la campagne maltaise. Elle vivait en vendant son coton contre du blé. Mais la guerre a découragé les clients. Et comment transporter la marchandise ? Quant au gros biscuit que l'Ordre faisait fabriquer en Sicile, il est resté là-bas, bloqué dans un entrepôt au nom de raisons mystérieuses. Trop de convoitises, pour trop peu de biscuit.

Alors la faim tenaille les villageois de Malte, et les citadins réfugiés parmi eux. La Sinjura Bettina pressure ses fermiers et, accompagnée d'un prêtre, ravitaille les familles indigentes. Elle rassure la veuve et réconforte l'orphelin. Chaque jour, elle mouille de ses larmes le pain qu'elle apporte.

« Sinjura, dit le prêtre, bénissez quand même le ciel d'être du côté de la campagne. »

Si elle s'était trouvée en ville, le jour de l'insurrection, elle n'aurait pu en ressortir. Par les récits des expulsés, elle sait ce qui s'y passe. Les amis et connaissances de Bettina ont reçu des lettres bien tournées, à l'en-tête de la République : *Informé de vos facultés, je crois agir avec modération en vous priant de souscrire la somme de...* Un emprunt forcé, remboursable à la saint-glinglin. Lors de la capitulation de l'Ordre, les Français s'étaient engagés à ne point lever d'impôt extraordinaire. Ils ont tenu parole. Ils ne lèvent qu'un emprunt !

Le gagnant de cette guerre sera le plus résistant à la disette. Dépenaillés, commandés par un général de fortune et par un chanoine, les paysans maltais sont hors d'état d'enlever La Valette. Et les assiégés français, trop prudents, trop affaiblis pour risquer des contre-offensives.

Mais dans cette torpeur, il y a encore des gens qui complotent, tent, et bâtissent des projets. Un jour de février 1799, le bailli

Merveilleux se fait annoncer à la villa Bettina. Lui aussi, il a eu la chance de se trouver du côté campagne, le jour du soulèvement. Au lieu d'être parqué dans un couvent de La Valette avec ses collègues, et de supplier les Français pour sa pitance quotidienne, il a été recueilli par le comte Theuma. Car certaines familles maltaises, Dieu merci, se souviennent encore de l'Ordre, qui leur a fait la faveur de les anoblir.

« Votre maison, rappelle le bailli à la Sinjura, est aussi l'une de celles-là. »

Il marche avec difficulté, mais a gardé le teint vermeil. La Sinjura lui verse du café. Elle l'aime bien, tout en se défiant de lui. Le bailli n'a-t-il pas conspiré à mort contre Rohan, autrefois, en compagnie de Dolomieu et d'autres agités ?

« Voyez les Anglais, dit le bailli. Ils ont hissé leurs couleurs à côté de celles du roi de Naples.

— C'est provisoire, répond Bettina. C'est pour le temps du siège.

— Provisoire est le mot dont on se sert pour nous endormir. »

La Sinjura attrape son bichon de Malte, le pose sur ses genoux :

« Le roi de Naples a donné son accord à ce drapeau.

— Pauvre dupe ! »

Un certain capitaine Ball fait office de gouverneur de l'île. Il a eu le front de s'installer au palais Saint-Antoine, là même où Rohan élevait ses singes. Ball flatte les notables, cajole les prêtres. Déjà, il fait circuler dans l'île une pétition en faveur de la suzeraineté britannique.

« Il serait temps de nous ressaisir, ajoute le Merveilleux. La plupart des curés sont pour nous. »

L'Église, bien sûr, ne laissera pas l'île tomber aux mains d'une puissance protestante.

« Mon cher bailli, dit Bettina, comment pouvez-vous plaider en faveur d'un Ordre qui n'a plus de tête ? »

Hompesch est déchu, abandonné de tous. En Russie, un fou s'est emparé des insignes de la grande maîtrise.

« Ferdinand de Hompesch, corrige le bailli, n'attend qu'un signe de ses sujets de Malte pour revenir à leur tête.

— Sa conduite n'a pas été des plus brillantes, en juin dernier.

— Que pouvait faire un homme trahi ? »

Trahi par des francs-maçons, des lâches et des gens légers. Trahi par des chevaliers français trop pressés de rentrer chez eux.

« Souvenez-vous comme il était aimé, insiste le bailli. Les Maltais l'acclamaient, aux fêtes de village. Depuis son départ, leur vie n'a été qu'un enfer. »

Mais le retour doit être préparé. Travaillons les cœurs. Envoyons un délégué à Trieste. Tout cela va coûter de l'argent.

La Sinjura s'éclipse, revient avec des rouleaux d'or. Ce qui a échappé à l'emprunt obligatoire, c'est l'Ordre de Malte qui l'aura.

Le bailli remercie, pas plus qu'il ne faut ; car, malgré ses malheurs, il se souvient de sa supériorité sur une marquise de fraîche date. Bettina s'amuse :

« Que dit donc la Kabbale, au sujet de notre île ?

— Elle dit que l'Ordre y régnera encore mille ans. »

On a replanté les champs de coton en blé. Mais le rendement des céréales, à Malte, n'a jamais été bien fameux. Et la récolte précédente est déjà mangée. Pour corser la chose, les navires britanniques lèvent le siège de la ville, à cause d'une nouvelle flotte française qui vient d'entrer en Méditerranée. Les Français de La Valette en profitent pour faire sortir les quelques bâtiments qui leur restent, bloquant les ports de la campagne. Chacun son tour.

Une pensée hante l'esprit de la Sinjura : le sort de Tancrède, son bichon de Malte. Depuis le début du siège, elle l'a nourri en cachette, lui réservant les meilleurs morceaux. En mère coupable, elle l'a favorisé aux dépens de ses autres enfants, les villageois et les réfugiés. Tancrède frétille, il a l'œil vif ; une insulte à la misère du peuple. Mais c'est le seul souvenir qu'on ait ici d'Emmanuel de Rohan. Une parcelle de son esprit survit dans cette petite bête.

« Mon père, demande-t-elle à son chapelain, n'est-ce point pécher, que de garder Tancrède en bonne santé ?

— Sinjura, c'est votre chien, et vous l'aimez.

— Mais tant de gens n'ont rien à se mettre sous la dent !

— Dieu vous a donné les moyens de nourrir Tancrède. »

Elle croise les doigts, soupire.

« Si vous avez des scrupules, Sinjura, ajoute l'abbé en levant les bras d'un air comique, privez-vous davantage. Privez Négresse. Privez-moi. »

Elle finit par se décider. Tancrède de Rohan mourra. Mais son sacrifice ne sera pas inutile. Les pauvres du village se nourriront de son petit corps, macéré dans une sauce au vin. On leur dira que c'est du lièvre.

La Sinjura se couche dans son grand lit, incapable de supporter la mort de l'adorable petite bête. Et Négresse en pleurs vient s'étendre sur une natte, à ses pieds. Soudain, le cuisinier fait son entrée avec une assiette fumante : une cuisse de Tancrède. Horreur !

Pendant plusieurs jours, la maison porte le deuil de Tancrède, mort pour le bien des affamés. Son frère Amadis est parti pour l'Égypte avec l'amiral Brueys, partageant sans doute son funeste sort. Sa sœur Clorinde a été envoyée en Russie, nul ne sait ce qu'elle est devenue. Leurs cousins se sont abâtardis, par suite de la négligence des Maltais. La chevalerie des chiens se meurt comme celle des hommes.

En ville, les Français lèvent, paraît-il, un second emprunt forcé. Cette fois, la Sinjura n'y échappera point, malgré la protection de son frère. Vivant à la campagne, elle est considérée comme rebelle. Sa maison du Bourg a été saisie. Son mobilier va être vendu. Heureusement, les plus belles pièces se trouvent à la villa. Et les bourgeois hésiteront à acheter ses dépouilles.

Dans ce climat morose, une nouvelle éclate comme un coup de tonnerre : l'arrivée des envoyés extraordinaires du grand maître Hompesch. Revenus autour de l'île, les vaisseaux britanniques les ont laissés débarquer. Mieux encore : des navires battant pavillon de l'Ordre sont signalés dans le détroit. La Sinjura fait atteler sa calèche à deux roues. « Vite, ordonne-t-elle, vers la cale Saint-Paul. » Mais le mulet squelettique traîne la jambe.

Par tous les chemins, les gens affluent. Il en est qui apportent des fleurs, et même des fruits, en ce temps de famine. Beau soleil, vent fort, l'Ordre va reprendre possession de sa chère île de Malte. Et les insulaires, enfants prodigues, vont s'agenouiller devant ces suzerains qu'ils n'avaient pas songé à défendre un an plus tôt.

Mais aux entrées de Saint-Paul, des soldats à la solde des

Anglais refoulent les curieux. Détrompez-vous, les prétendus navires de l'Ordre n'étaient que des Danois ; de loin, les couleurs sont les mêmes, rouge et blanc. Quant aux envoyés de Hompesch, ou soi-disant tels, ils ne sont admis à voir personne. Malgré ses titres, la Sinjura est renvoyée comme les autres.

Le lendemain, on apprend que les trois envoyés ont été embarqués de force vers Messine, malgré la grosse mer. Bettina hausse les épaules. Pourquoi le grand Ferdinand n'est-il pas venu en personne ? Lui, on n'aurait pas osé le mettre à la porte.

Beau titre pour une tragi-comédie : les hésitations de M. de Hompesch, ou comment perdre sa couronne une deuxième fois.

Fatiguée, déçue, la Sinjura prend l'habitude de faire la sieste dans son olivette. Un soir, l'on vient lui annoncer une revenante, sa fille Angelina, dont elle était sans nouvelles depuis des mois. Angelina, duchesse Filomarino, grande dame de Naples, a fui cette ville atroce, pour n'y point revenir. Elle veut passer le reste de sa vie sur sa terre natale, auprès de sa maman.

Angelina a les traits tirés, la peau jaune. Elle s'est coiffée en bandeaux bien raides. Angelina, victime-née.

« Tu aurais mieux fait de rester là-bas, dit la Sinjura. A Naples, au moins, on a de quoi manger. »

Et les deux femmes tombent dans les bras l'une de l'autre, en sanglotant.

Qu'a-t-elle donc vu, Angelina, pendant le grand dérangement de Naples ? Qu'a-t-elle subi ? Plus d'une fois, par des questions habiles, la Sinjura tentera de le savoir. En vain. Et son chapelain, qui confesse aussi Angelina, refusera obstinément de livrer le secret.

Folle guerre, qui détruit ou détourne bien des existences. Bettina en a non loin d'elle un autre exemple, celui de Donna Antonia, sa petite cousine, qui avait épousé un ancien chevalier de Malte, le baron Parisio. Alors que le mari se trouve à la campagne, et commande un bataillon d'insurgés, la femme a choisi de rester en ville et, le croiriez-vous, s'est mise en ménage avec un officier français. Donna Antonia a seize ans.

Avec la veuve Fontani, la banquière, ancienne favorite de Rohan, c'est un peu la même histoire. Elle est allée jusqu'à épouser son Français. Mais Bettina lui trouvait davantage d'excuses : seule dans la vie, n'ayant jamais connu que des vieux... Puis l'on a appris, malgré le cordon de troupes qui entoure la ville, qu'elle était morte en couches. Et que ses bijoux, dont certains offerts par Rohan, avaient disparu. Soupçonné, le mari français a été arrêté. Le général Vaubois veut le renvoyer en France.

Par une filière connue d'elle seule, Bettina adresse une lettre à ce général. Elle est prête à recueillir les deux orphelins Fontani — le garçon triste et sa petite sœur — pour peu que l'on veuille les laisser sortir. Aucune réponse ne vient.

« Le général Vaubois ? commente le chapelain. Peuh, c'est un juif. »

Une rumeur que les insurgés font courir pour le discréditer auprès des Maltais.

Le frère de la Sinjura, Gian-Francesco Dorell, déçu et malade, voudrait bien se réfugier chez elle, lui aussi. En reconnaissance des services rendus, les Français l'y autorisent. Mais les insurgés ne l'entendent point de cette oreille. Le traître Dorell ! On lui met la main au collet, on l'envoie méditer quarante jours dans la forteresse du Goze, puis on l'expulse vers la Sicile. Pauvre Gian-Francesco, qui s'était cru chargé par l'Être Suprême de répandre les lumières à Malte.

Cependant, sans bruit, sans hâte, les troupes anglaises commencent à s'installer. Deux régiments ont débarqué de Messine. Le général Graham se pointe au palais Saint-Antoine, y trouve le capitaine Ball qui lui fait grise mine. Battant en retraite, il vient à passer près de la villa Bettina. Comment ne pas la voir d'ailleurs, cette résidence, perchée qu'elle est sur un mouvement de terrain, avec ses arbres dessinés à l'encre de Chine ?

« Charmante demeure, ma foi. »

Le général Graham y élit domicile. Voilà ce qu'il en coûte, madame, de vouloir être remarquée.

« Ma fille, dit la Sinjura, arrêtez donc de pleurer. A quelque chose malheur est bon. Nous allons nous faire de ce militaire un ami. »

Un homme si discret, presque timide, qui a envoyé ses aides de camp loger à Gudja, pour gêner le moins possible. Et puis ces Anglais ont un grand mérite : ils sont ravitaillés. Quand d'ailleurs la Sicile tarde à les fournir, ils n'hésitent pas à saisir les bateaux de vivres en mer. Galamment, Graham en fait bénéficier la table de son hôtesse. Elle et lui échangent des compliments en mauvais français.

Autour de La Valette, canons et mortiers s'étaient assoupis. Les régiments anglais rouvrent le concert. Madame à sa tour monte, pour voir les dégâts. Une sentinelle s'interpose, craignant qu'elle n'adresse des signaux aux assiégés.

« Que madame regarde le spectacle, si cela lui fait plaisir », tranche le général Graham.

Mais il craint toujours que ces sacrés Français, plus nombreux que ses propres hommes, ne tentent une sortie et ne les culbutent en rase campagne. Visiblement, il n'a aucune confiance en l'appui des indigènes.

Le soleil rit, le soleil pleure. Cette année, les récoltes seront meilleures. Jugeant qu'il est temps de faire valoir leurs droits, les Russes dépêchent à Malte leur représentant habituel à Naples, le sieur Italinsky. Lui, quand même, les Anglais le laissent circuler : les envoyés de Paul Ier ne sauraient être traités comme ceux de Hompesch. Juché sur une estrade, Italinsky harangue les Maltais ébaubis dans la langue de Dante.

« Qu'a-t-il dit ? demande la Sinjura à ses informateurs.

— Il a dit que le tsar de Russie était devenu grand maître de l'Ordre. »

On le savait sans trop y croire.

« Il a dit que le tsar viendrait prendre possession de l'île dès la capitulation des Français.

— Les Français tiendront encore cent ans », plaisante Bettina.

Les campagnards s'interrogent. Comment c'est fait, un Russe ? On a vu des marins grecs en uniforme russe, des corsaires dalmates en uniforme russe. Mais de vrais Russes, jamais.

« Les Russes, assure un apothicaire, ont le tronc plus large que haut.

— En tout cas, ce ne sont pas des catholiques », réplique un curé, non sans perfidie.

Peut-être va-t-on avoir une nouvelle espèce de chevaliers, menant leurs sujets à grands coups de knout.

« Madame, énonce le général Graham en se mouchant, je suis un trop vieux soldat pour en penser quoi que ce soit. Ce

M. Italinsky s'est exprimé avec mon plein accord, et celui du capitaine Ball. L'Angleterre n'est venue ici que pour rendre l'île à ses légitimes propriétaires.

— Le roi de Naples ? demande la Sinjura.

— L'Ordre de Malte, madame, dans le respect des droits éminents du roi de Naples. »

Pauvre Graham, obligé de réciter sa leçon.

Les oreilles ont dû lui tinter, justement, au Bourbon de Naples. Il a compris que, s'il restait trop longtemps hors de cette affaire, ses fameux droits éminents allaient rétrécir comme un mauvais linge. Bref, il envoie des troupes, lui aussi. Mais ses soldats ont piètre allure, à côté des Britanniques. C'est là qu'on voit toute la différence entre des gredins à l'état de nature, et des gredins bien tenus.

Comme par l'effet d'une surenchère, l'amiral Nelson s'annonce à son tour, avec des personnes de marque. Le *Foudroyant* les a débarquées en baie de Saint-Paul. Des calèches s'arrêtent devant la villa Bettina. Un homme rougeaud se précipite, aide une belle dame à descendre. Lui, c'est le vainqueur d'Aboukir. Peu bavard, et pour cause : il ne comprend que deux mots d'italien, quatre de français. Avec émotion, la Sinjura contemple son bras mort, son œil mort ; enfin, voici un preux.

Quant à elle, c'est la fameuse lady Hamilton. Que n'a-t-on raconté à son sujet ! Une ancienne fille de mauvaise vie, épousée par un vieux noble. Bettina frissonne à l'idée d'héberger cette créature. Qui plus est, une croix de Malte brille dans l'échancrure de son corsage ! Petite habileté du grand maître Paul.

D'un point de vue artistique, Bettina ne peut dissimuler sa déception. La Vénus de Naples est un peu grande, un peu forte. Elle mange trop, on s'en apercevra le soir même. Mais il lui reste un profil grec, un beau regard bleu. Et, contrairement à toute attente, elle se montre gentille.

Dans le tumulte de cette arrivée, on avait failli oublier le troisième, le mari : sir William Hamilton. Il trottine, il tremblote, il adore.

Les Nelson — c'est ainsi que Bettina ne peut s'empêcher de les appeler — les Nelson vont inspecter les travaux du siège, qui n'avancent guère. Au passage, lady Hamilton admire le travail des dentellières, qui brodent des variations sur le thème de la croix de Malte.

Et déjà le trio repart. Un vaisseau l'attend de l'autre côté de l'île, à Marsaxlokk. Ce n'était qu'un intermède théâtral. Sans façon, lady Hamilton embrasse son hôtesse.

Décidément, les Anglais sont les meilleurs.

Morbleu, viendra-t-elle aujourd'hui ? Le ci-devant commandeur de Dolomieu tourne comme un loup dans sa cage. Douze pieds de long, dix de large. Quatre verrous, quatre serrures. Faut-il qu'on ait peur de lui !

Elle parlait le français avec un délicieux accent, et balançait son ombrelle parmi le grésillement des cigales. L'espace d'une saison, l'on s'était aimé. L'espace de quelques années, l'on s'était écrit.

Depuis, la charmante Cornelia Knight a fait son chemin. La voici dame de compagnie de la reine de Naples ! Et lui, malheureux, est un enterré vivant. Un mot de sa part, il retrouve la liberté. Ce mot, le prononcera-t-elle ?

Une ouverture carrée, au-dessus de la porte, donnant sur un vestibule. Deux chaises bancales, une table grossière, une malle, une paillasse : tel est désormais son univers. L'humidité monte du détroit de Sicile et s'engouffre dans cette tombe. Quand on répand de l'eau sur le sol, elle ne sèche pas. Les draps suintent et la vermine y grouille.

Alors qu'on en finisse ! Qu'on le passe en jugement, le traître Dolomieu. Ah, il a livré Malte à Bonaparte ? Qu'on lui tranche la tête, ainsi qu'il sied à un ancien noble.

Mais le procès tarde à s'ouvrir. Peut-être les chevaliers siciliens manquent-ils de preuves. Car même en Sicile, figurez-vous, il faut un minimum de dossier pour avoir la peau d'un homme

Chaque jour, le captif fait une encoche dans la muraille à l'aide d'un clou. On lui a laissé quelques livres, dont la *Minéralogie des volcans,* œuvre d'un distingué collègue. Avec des esquilles de bois, trempées dans le noir de fumée de sa lampe, il en remplit les marges et les interlignes, d'une fine écriture. Il justifie sa conduite à Malte, dresse la liste de ses amis, trace le portrait des femmes qu'il a aimées, ou qu'il aurait pu aimer s'il les avait rencontrées plus tôt...

Longuement, Dolomieu épie les bruits de la prison. Un jour, il a la surprise d'entendre le *Chant du Départ :* des marins français prisonniers. Mais le message qu'il frappe à leur intention sur le mur ne parvient pas jusqu'à eux. Il y a aussi, dans les couloirs, une petite fille qui parle un peu le français. Jamais encore il n'a pu apercevoir sa frimousse.

L'Europe des savants, il le sait, se mobilise en sa faveur. Le fidèle disciple Cordier a entrepris de l'ameuter dès son retour à Paris. D'un peu partout, lettres et pétitions arrivent à la cour de Palerme. Les physiciens et géographes anglais se donnent l'élégance de mener l'offensive. Peine perdue : la reine Caroline est sourde. La reine Caroline est toute à sa vengeance. Ah, monsieur le commandeur; vous dîtes du mal de moi en 1784 !

Dolomieu obtient enfin, pour une heure, de la vraie encre et du vrai papier. Il écrit à l'ambassadeur sir William Hamilton, un ancien correspondant scientifique à lui. Sir William fait la pluie et le beau temps à Palerme. Mais sa seconde épouse lui a, paraît-il, tourné la tête. Sir William est gâteux.

Il ne reste plus qu'un recours, miss Knight. Cornelia, on vous espère, on vous attend ! Cornelia, on vous aime !

Cornelia, ses boucles blondes nouées de rubans bleu ciel, son teint de rose piqueté de minuscules taches de rousseur... Ce genre de jolies femmes ne vieillit guère, et leur bon cœur ne se racornit point.

Encore faut-il que Cornelia demande quelques jours de liberté à la terrible reine. Ne va-t-elle pas compromettre sa situation ? Après tout, ce n'est qu'une étrangère sans fortune, une orpheline recueillie.

Encore faut-il que Cornelia s'embarque seule, ou avec un valet, sur l'un de ces caboteurs qui desservent Messine.

Au mur de la cellule, des encoches plus grandes figurent les mois. A présent, le prisonnier en compte vingt-quatre. Deux ans déjà, dans ce cul de basse-fosse. Chaque matin, il se rase avec un instrument prêté par la maison — au jugé, mais avec soin, comme s'il allait recevoir la visite d'une maîtresse. Puis il interroge son reflet tremblotant dans le pot à eau. Est-ce vraiment

Déodat de Dolomieu, cette apparition étrange? Ce vieillard?

Ne soyez pas trop prudente, Cornelia, ne soyez pas trop bien élevée. Votre vieil amoureux va mourir.

L'amiral Nelson agrippa la plume de sa main gauche — la seule main que Dieu lui eût laissé — apposa fortement sa signature, et se laissa retomber dans son fauteuil avec un soupir. Une demande de congé. L'amiral Nelson s'en allait en pleine gloire, en pleine guerre. Il désertait pour une dame.

Longtemps, le cabinet britannique avait considéré lady Hamilton comme un atout. Mais, à force de régner sur les Deux-Siciles, elle devenait un peu trop napolitaine. Elle ne voulait pas brusquer la reine Caroline, laquelle désirait follement l'île de Malte. Et ledit cabinet britannique, Nelson le subodorait, nourrissait des ambitions incompatibles avec celles de la reine.

Bref, pour se débarrasser de lady Hamilton, Londres rappelait son vieil époux. N'avait-il pas été ambassadeur beaucoup trop longtemps?

Et, pour punir Londres, Nelson suivait les Hamilton.

La reine Caroline, déçue par l'Angleterre, furieuse contre son royal époux qui laissait faire, décida de se joindre au mouvement.

« Allons donc à Vienne, dit-elle. Nous y serons bien reçus. Ma fille y est impératrice. »

La route la plus commode passait par Livourne. La reine embarqua sur le vaisseau de Nelson, avec les Hamilton et sa demoiselle de compagnie Cornelia Knight. Arrivé à bon port, Nelson se défit de son commandement. Puis la petite compagnie poursuivit par voie de terre, en tâchant d'éviter les troupes françaises qui, comme un cauchemar, se répandaient de nouveau en Italie.

Pendant ce temps, Nelson le savait, d'autres parachevaient son œuvre. D'autres allaient recueillir le fruit mûr de Malte. Lui-même avait renoncé à cet honneur, à cause de deux femmes — Emma Hamilton et son amie la reine.

« Cette île, disait la reine à tout propos, m'est aussi chère que mes yeux. »

Déjà, l'Angleterre tenait Gibraltar et Minorque. Demain, elle tiendrait Malte et Alexandrie. *Mare nostrum !*

⁂

Dans l'armée française d'Égypte, il en est beaucoup qui soupirent après leur épouse laissée au pays, après une petite amie, après les verdures de l'Orléanais. L'ex-chevalier Lascaris, lui, nage dans le bonheur.

L'Orient, il en avait toujours rêvé. L'Orient, vrai berceau de sa famille, au-delà de Byzance. Lascaris ne vient-il pas d'*el askar,* le soldat ? Le même mot dont les Français, dans leur malice, ont fait lascar. Mieux encore : les chroniques du grand siège de Malte rapportent la présence, parmi les assaillants, d'un Lascaris musulman. Apprenant que des cousins provençaux du même nom se trouvaient dans la forteresse, ce garçon quitta le camp des Turcs à la nage et vint se joindre à la garnison.

Pour Théodore Lascaris, Malte n'aura été qu'une pile de pont vers l'Orient. C'est à Malte qu'il a commencé d'en apprendre la langue et les mœurs. A présent, il parle passablement l'arabe. On lui a donné un emploi au service central des Domaines ; en la citadelle du Caire, il partage avec deux collègues une ancienne antichambre de janissaires. Irrigation et remembrement occupent ses pensées. Comme il l'écrit à son ami et mentor le général Menou, gouverneur des provinces du nord : *Certains font des conquêtes, d'autres font des souliers. Moi, citoyen, je fais des projets.*

Autant dire que Lascaris réprouve ceux qui parlent d'abandonner l'Égypte. Il attendait beaucoup de Dolomieu. Il a été déçu par son attitude, et son départ. La généreuse Égypte peut nourrir beaucoup plus d'habitants que Dolomieu et compagnie ne le prétendent.

Une affaire de cœur l'attache encore davantage à cette contrée. Il a rencontré une jeune fille, ancienne captive des mamelouks, qui l'avaient donnée comme suivante à l'une de leurs favorites. Géorgienne de naissance, elle est chrétienne d'obédience grecque, à l'instar des empereurs Lascaris. Effarouchée, ravissante avec ses grands yeux noirs, la fuite des mamelouks l'a laissée sans rien.

« Mon cher Lascaris, disent ses supérieurs, la pire folie que vous puissiez faire serait d'épouser cette mouquère. »

Il n'en faut pas davantage pour le décider. Bague au doigt et couronne de fleurs, devant le pope grec du Vieux-Caire. Afin d'apaiser les scrupules nobiliaires de sa famille, il a inventé qu'elle était princesse. Et si les Anglais interceptent la lettre, ce mensonge leur fera forte impression.

Douce, blanche, un peu dodue, la nouvelle Mme Lascaris passe son temps à égrener des prières dont elle ne connaît même pas le sens, et à manger des graines de melon salées. Elle se laisse faire l'amour en poussant des cris de souris.

« Méfiez-vous de ce genre de femmes, murmurent les mêmes supérieurs bien intentionnés. Ce sont les plus collantes.

— Je n'ai nullement l'intention d'abandonner la citoyenne Lascaris.

— On dit cela ! »

Le voilà maintenant avec trois patries. D'abord ce pays de Nice et de Menton où il est né, et qui dépendait des rois de Sardaigne. N'a-t-il pas encore un cousin ministre à Turin ? Puis la France, liée depuis longtemps à sa famille. Un Lascaris de Vintimille a été archevêque de Paris, un Lascaris d'Urfé est général des armées de la République. Enfin l'Orient, où plonge sans doute la plus forte de ses racines.

Dans cette euphorie, la défection de Bonaparte sonne comme une claque. Soucieux de sa seule carrière, Bonaparte a fui l'Égypte à pas de loup, sans prévenir personne. Et son successeur Kléber, découragé, négocie avec les Anglais et les Turcs. Kléber est prêt à évacuer le pays. Honte sur lui aussi ! Encore a-t-il le mérite de réclamer Corfou et Malte, en contrepartie.

Un instant, Lascaris songe à revêtir une galabieh, à s'enfoncer incognito dans les profondeurs de l'Égypte.

Puis, comprenant enfin qu'on est en train de le rouler, Kléber retire sa mise, balaie les troupes ottomanes d'un grand coup de sabre, reprend la ville du Caire qui avait profité de l'incertitude pour se mutiner une seconde fois.

« Bravo, citoyen général, dit Lascaris. Et maintenant, régnez comme un sultan. »

Mais beaucoup de mines s'allongent, parmi les officiers et les soldats. Ils espéraient bien rentrer à la maison.

« L'Égypte française est condamnée, disent-ils à voix basse. Puisque nous n'avons plus de flotte !

— Faites comme moi, répond Lascaris. Épousez des beautés locales. »

Il a eu de l'avancement, il se balade en haute Égypte. Dans la ville de Siout[1], il est reçu par l'agent français, une sorte de gouverneur civil ou d'intendant : ce n'est autre qu'un camarade de l'Auberge de Provence, ex-chevalier de Malte, Mercure de La Panouse. Et la province voisine, celle de Thèbes, a pour agent son frère. Comme le commandement craignait, pour les anciens chevaliers, un mauvais accueil de la troupe française, il les a employés de préférence dans ce genre de postes, ou à la Légion maltaise.

Bel exemple pour l'Ordre que cette famille de La Panouse, originaire du haut Quercy : cinq frères, tous chevaliers de Saint-Jean. L'un est mort à Malte d'une maladie contractée à Terre-Neuve, au service du roi. Deux autres sont rentrés au pays, l'un avant la capitulation de l'île, l'autre après : on imagine leurs ennuis. Assurément, Mercure et son voisin ont fait un meilleur choix.

« Notre métier n'est pas sans danger, dit Mercure en jouant avec sa sandale. Tout l'impôt passe par notre caisse. On a tôt fait de nous accuser de malversations. »

C'est ce qui est advenu en basse Égypte à deux camarades de Malte : Legroing (ci-devant de Fontnoble) et Pina (ci-devant de Saint-Didier) ont été destitués.

« L'impôt est recouvré par des fermiers coptes, poursuit Mercure. Ils ne sont pas mauvais, mais prélèvent leur dîme au passage. Des employés nous coûteraient moins cher. »

Il a envoyé au Caire un mémoire sur ce sujet. Il écrit aussi sur la récolte de coton, sur les plantations d'indigo. Heureux Mercure ! Les anciens de l'Ordre, d'ailleurs, semblent avoir une propension aux réformes. Celles qu'ils n'ont pu faire à Malte, parce qu'ils étaient trop jeunes, ou que les temps ne s'y prêtaient pas, ils les proposent pour l'Égypte. Le chef de bataillon Tousard, ex-chevalier de grâce, ex-commandeur, a proposé de rendre les paysans égyptiens propriétaires de leurs terres.

1. Assiout.

Derrière Mercure, une petite négresse rigolote se roule sur une natte. C'est une esclave achetée aux marchands du Darfour. Le maître de maison lui apprend le français, la traite comme sa fille. Cette demoiselle a une sœur; par symétrie, elle a été recueillie par le frère.

Quittons donc la triste et populeuse ville de Siout, pour passer à Thèbes, où un ancien chevalier règne sur des dizaines de pharaons et de pharaonnes, emmurés dans la falaise. Cette province est la plus méridionale de la République française. Au-delà commencent les marches, concédées à un mamelouk moyennant tribut.

La chaleur est déjà étouffante. Au centre de la bourgade, un écriteau annonce bravement en arabe et en français : *route de Paris*.

Des guides à la peau sombre, au visage marqué de balafres rituelles, conduisent Théodore Lascaris parmi les hypogées et les nécropoles. Les lanternes font danser des ombres au fond des corridors. « Bonsoir mes cousins ! » s'amuse-t-il à crier dans les galeries. Quand on est soi-même descendant d'empereurs, on peut se permettre quelques familiarités.

Mais cet infini couvert de bandelettes n'est pas celui auquel il aspire vraiment. Souvent, le matin, il s'agenouille face au soleil levant, laissant flotter dans la brise ce qui commence à devenir une barbe de prophète. Foin de ces impies qui se repèrent sur le nord au moyen de boîtiers de cuivre. Lui, il s'oriente vers l'orient, comme le veut une tradition millénaire. Là-bas gît l'Arabie profonde, en théorie vassale des Turcs, en pratique à qui veut la prendre. A droite, le pays de la droite, *el yemen*, et ses montagnes porteuses de café. A gauche, le pays de la gauche, *bilad ech cham*, que les Francs appellent Syrie, vaste désert plein de tribus qu'un homme ardent pourrait aisément embraser.

Si Dieu veut, Théodore Lascaris sera cet homme-là.

J'étais né pour faire le bonheur des Maltais, écrit le ci-devant chevalier de Ransijat. *La guerre m'en a hélas retiré le pouvoir.*

Puis, hochant la tête, il froisse la feuille qu'il vient de noircir, et la jette au panier. Trop personnel, citoyen. Un journal de siège doit ne comporter que des faits.

Ransijat continue de présider le gouvernement civil de Malte. Presque tous les jours, il réunit ses collègues à l'ancienne Auberge de France, organise la délibération et, le lendemain, appose sur les procès-verbaux sa longue signature effilée, sifflante comme un serpent. Mais qu'est-ce qu'un gouvernement civil, en temps de guerre ? Le général Vaubois concentre les pouvoirs à son profit. C'est d'ailleurs lui qui loge au palais des grands maîtres, afin que nul ne s'y trompe.

Ransijat se trouve même pris en tenaille. Car le petit Doublet, ex-sergent du régiment de Malte, ex-factotum de la chancellerie française de Rohan, Doublet le rien-du-tout veut lui aussi jouer un rôle. En récompense d'avoir livré le code secret de l'Ordre, on l'a nommé secrétaire général du gouvernement. Il tente d'attirer à lui les affaires que Vaubois n'a pas daigné régler lui-même. Il a fini par obtenir une rémunération égale à celle de Ransijat lui-même : cent trente-huit francs par mois.

Écœuré, l'ancien commandeur se réfugie dans son ancienne passion : les comptes. Mais désormais, au lieu de compter les recettes et les dépenses de l'Ordre, il tient la statistique des provisions de bouche. Pour lui, périodiquement, l'on ôte les gros bouchons de pierre qui obturent les greniers souterrains, devant le fort Saint-Elme, ou sur l'esplanade de la Floriane. A la lumière d'une lanterne, il y dénombre les charges de froment et les jarres d'huile. Tant de nourriture, à tant par tête, donc tant de jours de résistance.

Et s'il s'était trompé ? Si le manque de vivres allait faucher les défenseurs ? Recommençons. Le boulier se remet en mouvement. Les doigts du statisticien sont restés agiles, malgré les rhumatismes qui commencent à déformer les jointures.

Naguère, le commandeur de Ransijat morigénait les grands maîtres au sujet de leur train de vie. A présent, le citoyen Ransijat en remontre au commandant de la garnison sur des questions de nourriture.

« Mon général, si vous expulsez les bouches inutiles, vous pourrez tenir encore des semaines. La victoire est une question de mathématiques. »

Le bon cœur de Vaubois soupire. Celui de Ransijat aussi, remarquez. Mais la bonté n'est pas permise en temps de guerre.

Malte a déjà connu un siège, où furent défaits les Turcs. Cette fois, on ne verra point de grands coups d'épée. Les insurgés maltais ne sont que des rustauds mal équipés et, depuis la mort de Malbrough-s'en-va-t'en-guerre, leurs alliés les Anglais n'ont guère brillé sur la terre ferme. Mais ce sera quand même un beau combat ; une longue épreuve d'épuisement réciproque, comme deux lutteurs qui se tiennent par le cou, titubants, cherchant à s'étouffer l'un l'autre.

Au début, de petits ravitailleurs venus de Tunis ou de Tripoli parvenaient à forcer le blocus — apportant des dattes noires vieilles de l'année précédente. Mais les régences barbaresques ont fini par comprendre que la France était en guerre contre leur suzerain le Grand Turc. Elles ont coupé les vivres. Leurs corsaires ont même enlevé le Maltais Barbara, le héros de la prise de Mdina, qui était parti chercher du secours en France. A cette heure, le pauvre Barbara pourrit au bagne de Tunis. Voilà ce qui arrive quand on est né dans la plèbe, et qu'on a l'âme un peu haute.

Guerre des ventres creux, guerre des fausses nouvelles. Par tous moyens, l'ennemi sape le courage des assiégés. Il fait remettre au général Vaubois, nouées d'une faveur bleue, des lettres de sa femme, pour lui prouver que les bateaux de Provence ont été interceptés. Au début de l'année 1799 (ancien style), la garnison a quand même su que les Français étaient entrés dans Naples. Bientôt la délivrance ! Puis les nouvellistes ont annoncé que les Français évacuaient l'Italie. On a refusé de les croire ; c'était pourtant vrai. Quant à la flotte de l'amiral Bruix, venue de Brest, et qui devait débloquer Malte, puis l'Égypte, nul ne sait ce qu'il en est advenu. Serait-elle retournée dans l'Atlantique ?

La nuit, les assiégés envoient des embarcations porteuses de dépêches codées. Il en passera bien quelques-unes. En France, l'on saura que la garnison résiste, qu'elle a un moral de fer. *Ven aowbilash fa diol akhuba...*

L'ennemi tire au rouge sur les vaisseaux français ancrés dans le port. Il y en a deux, le *Guillaume-Tell,* rescapé d'Aboukir, et l'*Athénien,* hérité de l'Ordre, toujours en construction. On les couvre de plaques de blindage. Ricochez tant qu'il vous plaira, messieurs les boulets.

Mais l'ennemi se trouve aussi dans les murs, en la personne, notamment, de Guillaume Lorenzi, Corse installé de longue date à Malte, ancien pirate, ancien mercenaire au service de la flotte russe. La bande à Lorenzi s'apprêtait à égorger les sentinelles, à ouvrir les portes aux rebelles, à hisser le drapeau du tsar. Grâce à la ci-devant Providence, des officiers français rentrant du théâtre découvrent les préparatifs du coup de main. Lorenzi est fusillé avec trente-sept complices. Le trente-huitième, l'abbé Xerri, professeur de philosophie, finit par tomber à son tour entre les mains de la police militaire.

« Pas de quartier, s'écrie le général Vaubois.

— Prenez garde, murmure Ransijat. L'abbé est populaire. »

Les bonnes gens l'appellent par son prénom, Dun Mikiel.

« Pas de pitié pour les assassins », s'obstine Vaubois. Plutôt doux d'ordinaire, l'idée qu'on puisse tuer ses soldats par surprise l'a empli de rage. A son tour, Dun Mikiel est passé par les armes — laissant dans le cœur des Maltais une cicatrice durable.

De temps à autre, Ransijat revoit d'anciens confrères de l'Ordre. Les vieux baillis et le frère Lascaris, celui qui est fou : pauvres débris que les Français nourrissent par charité. Chantérac, lui, a obtenu de rester dans l'île parce qu'il avait épousé sa maîtresse maltaise ; il trafique dans les subsistances. L'abbé Belgrand, ancien aumônier de l'hôpital, ancien royaliste à tous crins, est devenu commandant de la garde nationale par la grâce de son frère Vaubois.

« Heureusement que la campagne s'est révoltée contre nous, répète Ransijat. Sinon, nous serions obligés de la nourrir. »

En perdant la campagne, hélas, on a aussi perdu les légumes. Ne pourrait-on négocier un échange avec l'ennemi ? Denrées sèches contre denrées fraîches. Vaubois tourne le projet en dérision. « Cultivons nos jardins », préconise-t-il, comme Candide.

Profitant d'une interruption du blocus, l'amiral Villeneuve a razzié en mer quelques vaisseaux marchands. Noël, on aura du hareng salé.

On pourrait même avoir du vin, grâce à une corvette marchande de Marseille.

« Hep, tout le vin à l'hôpital », ordonne Vaubois. Une partie servira de remontant aux soldats malades. Le reste sera transformé en vinaigre, contre le scorbut.

En revanche, nul n'a trouvé de remède à cette étrange cécité qui saisit parfois les militaires français, après le coucher du soleil. Sortilège ?

Affaiblie par le jeûne, la population citadine ne bouge plus. Mais sa fidélité demeure douteuse. Quand l'autorité militaire relâche deux moines dominicains arrêtés sans preuves, les gens leur baisent les mains dans la rue.

L'adversaire n'est pas mieux loti. Un, deux, trois, quatre soldats irlandais désertent par haine de leur employeur britannique, et rallient la garnison républicaine.

« La guerre civile se déchaîne en France, chuchote la propagande anglaise. Bonaparte et ses rivaux se disputent le pays. »

Vaubois hausse les épaules. Personne n'est de taille à disputer le pouvoir à Bonaparte. Le 21 janvier (ancien style), avec plus de discipline que de conviction, Ransijat et la garnison commémorent la fin du tyran Louis XVI. Eh oui, que cela vous plaise ou non, le 21 janvier est une fête légale.

« Nous voulons rentrer chez nous, disent les comédiens italiens du théâtre de Malte, en plaignant famine.

— Pas question, dit Vaubois. Vos comédies sont nécessaires au moral des troupes. »

Il rouvre le théâtre que l'on avait fermé. Emporté par son élan, il réautorise même les sonneries de cloches. Ransijat plaide pour une action plus sérieuse :

« Faisons partir le *Guillaume-Tell,* après l'avoir chargé de malades. Cela fera mille rationnaires de moins. »

Le vaisseau rescapé d'Aboukir, si fièrement campé dans le port. Il est dur de se séparer d'un symbole. En catimini, l'on ôte les plaques de blindage. Vers minuit, profitant du coucher de la lune, le *Guillaume-Tell* appareille. Les insurgés l'ont quand même repéré ; ils émettent des signaux à l'adresse de la flotte anglaise, au large.

Sur le chemin de ronde, malgré l'obscurité et le vent froid, Ransijat trouve de nombreux Maltais. L'on regarde le vaisseau filer au ras des vagues, avec une bonne avance sur les Britanniques. Il passera. Il est sauvé.

Le surlendemain, les autorités anglaises font état de la capture du *Guillaume-Tell.* L'équipage s'est défendu comme une bande de lions. Deux cents morts. Quelle tristesse ! Pour faire bonne mesure, l'ennemi a aussi annoncé la capitulation de l'armée française d'Égypte.

« Fort bien, dit Vaubois. Cela prouve que nous sommes plus coriaces que nos camarades. »

Un peu plus tard, l'on apprend que cette seconde nouvelle était fausse.

Et l'escadre russe ! Depuis longtemps, un épouvantail. La voici enfin à l'horizon. Elle porte les grenadiers du tsar, les artilleurs du tsar, les cosaques, les moujiks, les Mongols, les éléphants... Qu'elle débarque donc ! Eh bien non, elle passe avec arrogance, comme si Malte n'existait pas.

Inexorablement, les provisions s'épuisent. Faute de vivres à inventorier, Ransijat compte les semaines et les jours. Chaque heure qui passe ajoute à la gloire de la garnison française. Mine de rien, sans prouesses, l'on vit l'un des grands sièges de l'histoire.

Le printemps se traîne, la chaleur monte. Messidor sans moisson. Thermidor dans un gros orage : excellent pour les haricots qui poussent au fond des fossés.

Au début de fructidor, nécessité faisant loi, l'on réédite l'opération *Guillaume-Tell.* Cette fois, ce seront les deux frégates, la *Diane* et la *Justice.* Elles se faufilent hors du port vers onze heures du soir. Le lendemain, les Anglais exhibent la *Diane* capturée. C'est donc que sa jumelle a pu s'échapper. Médiocre consolation.

Bonaparte a, semble-t-il, rétabli la république en Italie du Nord. Mais c'est encore trop loin pour que l'on puisse en recevoir des secours. Les soldats perquisitionnent chez les particuliers, sur dénonciations, ou au petit bonheur, dans l'espoir d'y trouver des victuailles cachées.

« Bientôt, dit noblement Ransijat, nous aurons notre honneur pour seule nourriture. »

« Rendez-vous », proposent régulièrement les Anglais. Toujours, on les a repoussés avec fracas. On a étourdi leurs plénipotentiaires de coups de trompettes et de cris républicains. La liberté ou la mort !

Mais cette fois, on étudie leurs offres. Ils ne veulent point de mal aux soldats français. Tout ce qu'ils souhaitent, c'est en débarrasser Malte. Vaubois réunit un conseil de guerre. Il refuse tout contact avec les insurgés maltais, malgré leur belle conduite. Avec un général anglais, en revanche, il n'est pas interdit de prendre langue.

Vaubois fait visite à l'ennemi, au village de Balzan. Toute cette affaire, malheureusement, se passe entre militaires, et Ransijat en conçoit une certaine amertume.

Les Français capituleront avec les honneurs de la guerre. Ils pourront emmener avec eux les Maltais les plus compromis, et les déserteurs irlandais. La flotte de Sa Gracieuse Majesté se fera un plaisir de conduire tout ce monde à Marseille.

Le tambour bat, les portes s'ouvrent. L'armée assiégeante entre dans La Valette. Derrière elle affluent les citadins que l'on avait expulsés. Ils sont pleins de rancœur envers les paysans, qui les ont si mal nourris, et à prix d'or.

L'armée française s'embarque. Ransijat suit, le cœur gros. Malte, c'était sa vie. Il va retrouver la France, les vertes pâtures de la Combraille. Pâles souvenirs de jeunesse. Malte, c'était son âme. L'île dont il voulait être le Solon, le Lycurgue.

« Messieurs les Anglais, grommelle-t-il alors que le vaisseau franchit le goulet du port, nous ne vous laisserons point cette possession. »

Remparts et clochers se fondent dans la brume d'été. Seules quelques mouettes accompagnent encore le cortège, mues par un vain espoir de pitance.

Là où les chevaliers n'avaient tenu que deux jours, l'armée républicaine aura tenu deux ans.

Dans la maison des saules, Giulio Litta goûte une existence nouvelle. Le printemps russe a semé des fleurs à la volée. Une jolie femme se roule dans l'herbe en riant. Qui plus est, c'est la sienne. Loin des soucis de la ville, loin des bruits de bottes. Il a interrogé la vie : bonheur ou grandeur ? « Bonheur », a répondu la vie.

Les deux filles de la comtesse partagent cette idylle. L'une espiègle, l'autre gracieuse. Jusque-là, leur mère les avait un peu cachées. Quel dommage ! N'ayant guère connu leur fou de père, ces petites manquaient d'affection virile. Elles se jettent au cou de Giulio en l'appelant papa. Giulio pousse la balançoire sous le grand frêne. Giulio, les yeux bandés, joue à colin-maillard dans le parc.

« Jure-moi que tu ne retourneras jamais à Pétersbourg », demande Catiche.

Mais, parfois, une lettre arrive de la capitale, signée de Raczynski ou d'un autre familier. Il la lit attentivement, débusquant ce qui se cache sous un langage codé. Puis la serre dans son coffre, avec un froncement de sourcils.

Il a décidé d'apprendre un peu de russe. La comtesse se montre un fort mauvais professeur :

« Laisse le russe aux cochers, Giulio. »

Elle-même se déguise en fermière, achète des bocaux pour ses confitures d'airelles...

« Raconte », ordonne-t-il le soir, aux chandelles. Il veut connaître la Russie dans toute sa démesure. D'une voix ensommeillée, Catiche évoque son oncle Potemkine, le géant borgne, fils d'un père bigame, qui recevait les courtisans dans une robe de chambre sale (variante : qui les recevait en tripotant à pleines mains les bijoux de sa cassette).

Elle parle aussi de Paul Ier, au temps où il n'était encore que le comte du Nord, et voyageait à l'ouest. Sur instruction de son impériale mère, il distribuait des aumônes fastueuses aux indigents d'Italie et de France, alors qu'en Russie tant de gens crevaient de faim.

Sis sur les bords de la Volga, le domaine de Catiche est un monde : un jardin anglais, des lacs poissonneux, un chemin sur berge d'où l'on voit circuler les gabares. Et cinquante-trois villages, excusez du peu. Malheureusement, loin de toute société. Pas question de rester enfermés là l'hiver.

Sans hésiter, la comtesse acquiert une autre propriété, proche de Moscou, dont l'on pourra goûter les fêtes et les bals.

« Moscou n'est qu'une ville de province, dit-elle, mais tu l'aimeras. Les gens de Pétersbourg ne sont occupés qu'à se pousser. Ceux de Moscou sont restés russes. Ils sont restés bons. »

C'était compter sans le tsar. Un courrier arrive à bride abattue. Giulio Litta, vous nous manquez cruellement. Venez à la Cour, toutes affaires cessantes.

« Juste retour des choses », s'écrie Giulio. On ne lui laisse même pas le temps de fêter le nouvel an russe. Catiche fait la moue. Ce virage de la faveur impériale ne lui dit rien qui vaille.

A Pétersbourg, Litta trouve un Ordre russifié jusqu'aux moelles. Partout des Kouchéleff ou des Dolgorouki. Le vieux maréchal Saltykoff observe son arrivée d'un œil torve. Quel est ce revenant qui va me prendre la lieutenance ?

« N'ayez crainte, lui déclare le revenant. Ce petit voyage aux rives de la Volga m'a ôté le goût des honneurs. Vous remplissez ces fonctions mieux que personne. »

Sans répondre, Saltykoff rajuste sa culotte, qui a toujours tendance à descendre. C'est son tic. Litta, quant à lui, se contentera de jouer les éminences grises, comme l'on disait autrefois, au royaume de France. Il a eu tort, au début, de se mettre en avant, de chercher un succès personnel. Cela ne pouvait que susciter des inimitiés. Le nouveau Giulio sera le serviteur discret d'une idée, et n'attendra point d'autre récompense que le sauvetage de l'Ordre.

Paul a été reconnu comme grand maître par toutes les puissances catholiques, sauf le Saint-Siège (mais il est vacant) et le roi d'Espagne (mais son ambassadeur a été expulsé de Pétersbourg).

Giulio se remet à l'étude de la politique européenne. L'armée russe et l'armée autrichienne ont manœuvré sans cohésion. Les Russes ont dû traverser les montagnes suisses au prix des pires difficultés, avant de se faire battre par les Français devant Zurich. Depuis le tsar ne décolère plus contre Vienne, accusée de mollesse, voire de duplicité.

Les Russes, quand même, ont aidé à libérer Naples. En revanche, ils n'ont pas bougé pour Malte, qui devrait être bien plus chère à leur cœur. L'amiral Ouchakoff fait du lard à Corfou, sous prétexte de radouber ses navires. Le tsar boude. Mais voici le commandeur de La Tourrette qui revient de là-bas. Giulio et lui conjuguent leurs exhortations :

« Les Anglais vont prendre Malte tout seuls.

— Eh, dit le tsar, ils la prendront pour me la rendre.

— Votre Majesté en est-elle si sûre ?

— Ils ne peuvent risquer de perdre mon alliance.

— Pour un Anglais, répond doucement Litta, Malte vaut bien quelques risques. »

L'amiral reçoit l'instruction de faire route vers Malte, toutes affaires cessantes. Sa réponse arrive après quelques semaines : comment se rendre dans une île où les Anglais le considèrent comme indésirable ?

« Indésirable ! tonne le tsar. Il ferait beau voir cela. »

Rostoptchine, ministre des Affaires étrangères, actionne le cabinet de Londres. Celui-ci répond par des protestations d'amitié. Les troupes russes, soyez-en convaincu, sont ardemment souhaitées à Malte.

Une nouvelle péripétie permet à Ouchakoff de se détourner de sa route. Ce démon de Bonaparte, traversant les Alpes dans la neige, a défait les Autrichiens à Marengo. L'Italie du Nord est perdue. Aussitôt, le gouvernement napolitain s'estime en danger, et pousse des appels à l'aide. Ravi, l'amiral russe cingle vers Naples. Il évite ainsi une confrontation délicate avec la flotte britannique. Cela, hélas, on ne l'apprendra à Pétersbourg que bien plus tard.

Autre histoire napolitaine, non moins irritante ; l'affaire Dolomieu. Giulio se souvient avec émotion du grand commandeur qui arpentait les rues de La Valette, entouré de disciples et complotant contre le pouvoir central. Qu'on le veuille ou non, Dolomieu a du panache. Dolomieu, c'est quelqu'un. Il a été imprudent. Coupable ? On a du mal à le croire.

Et pourtant, Paul continue de réclamer ce félon au roi de Naples, pour le juger. On ne le tuera point : car, dans le doux empire de Russie, la peine de mort est abolie. On coupera simplement les oreilles du félon, on lui coupera le nez, et on l'enverra piocher le sol gelé de la toundra.

Giulio n'ose point intervenir auprès du maître ; ce serait compromettre une faveur toujours fragile. Discrètement, il modère le zèle du fonctionnaire chargé du dossier, au Collège des affaires étrangères.

Mais la grande affaire de l'année, c'est le rapprochement avec la France. Oui, sang et damnation, la France ! Informé des déceptions subies par Paul, l'aventurier Bonaparte a saisi l'occasion. Il va renvoyer six mille prisonniers russes dans leurs foyers, explique un courrier venu de Paris. Non sans les avoir habillés de neuf, et leur avoir rendu tous leurs drapeaux.

Le cœur de Paul Ier fond. Bonaparte, le dieu d'Arcole, l'ouragan de Marengo ! Depuis toujours, le petit garçon Paul était à la recherche d'un héros. L'Ordre lui avait fourni des héros morts. Le destin lui apporte enfin un héros vivant.

Au début de l'automne, l'on apprend que Malte a enfin capitulé. Les Russes n'assistaient point à cette fête. Les Anglais sont maîtres de la place. On va voir ce que vaut l'aune de leurs promesses.

Eh bien, les Anglais se comportent à leur manière, en amateurs d'îles. L'*Union Jack* a été hissé sur Malte. Le gouverneur anglais fait signer des pétitions aux notables, pour demander le rattachement à la Couronne britannique. Plus question d'Ordre de Saint-Jean. Plus question d'admettre un représentant de Paul Ier.

Au palais impérial, à Pétersbourg, ce sont des rages folles. Trahi par l'Autriche ! Trahi par l'Angleterre ! Un seul recours : Bonaparte.

Giulio met ses scrupules dans sa poche et appuie le mouvement. Si l'on veut récupérer cette pauvre île, aucune alliance ne doit être négligée, si scandaleuse soit-elle. Rostoptchine, le ministre des Affaires étrangères, est chargé par Paul d'organiser la chose. Ainsi, de curieuse façon, le bailli-comte Litta se trouve amené à coopérer avec son ennemi d'hier. Renversement des alliances en Europe, renversement aussi à Pétersbourg.

« Vous serez gouverneur de Malte », poursuit le tsar.

N'écoutant que son devoir, Giulio prend ses pistolets et son épée. Catiche se traîne à ses pieds pour l'empêcher de partir, et dénoue une longue chevelure. Les deux petites filles sanglotent, se pendent à son cou. Le preux chevalier connaît la défaite. Il se défile en prétextant la santé de sa femme.

Rostoptchine se porte alors candidat. N'est-il pas chancelier de l'Ordre de Malte ? En courtisan accompli, il sait bien qu'une telle mission le consolidera dans la faveur de Paul Ier. Giulio s'inquiète. Par bonheur, l'autocrate de toutes les Russies estime qu'il a encore besoin de Rostoptchine aux Affaires étrangères.

« Eh bien, dit-il, mon envoyé sera M. de Sprengporten. »

Un reître, un Suédois de Finlande, passé au service du tsar. Avant son départ, on le décore de la croix de Malte, et Giulio lui fait un cours sur l'Ordre.

Bientôt, Bonaparte propose une action conjointe à partir du royaume de Naples. Royaume encore en guerre contre la France, mais oublions ce détail ; il suffira que leur protecteur le tsar claque des doigts, et les Napolitains poseront les armes. Leurs ports pourront alors servir de base franco-russe pour la reprise de Malte.

Variante peut-être plus plausible : on occupera le Portugal. Afin d'obtenir la libération de cet allié, Albion devra restituer plusieurs îles, dont celle qui intéresse Giulio. Subsidiairement, la France demandera à l'Espagne de reconnaître Paul comme grand maître. Elle restituera à l'Ordre ses biens d'Italie, et l'indemnisera pour ses domaines de la rive gauche du Rhin.

Dès à présent, Paul Ier a mis l'embargo sur les navires britanniques qui séjournaient dans ses ports. Le commerce anglais de la Baltique est ruiné. L'ambassadeur anglais a dû faire ses bagages. La Russie se trouve pratiquement en guerre avec Albion. Voilà, messieurs de Londres, un lourd prix à payer, pour une bien petite île.

Ce n'était qu'une escale oubliée sur la route du Levant, un avant-poste décrépit face à des Maugrabins qui cessaient tout doucement d'être dangereux. Et soudain, voilà Malte rattrapée par l'histoire. Tout le monde veut Malte. Les Français, mal consolés de l'avoir perdue. Les Anglais, qui n'ont aucune envie de la rendre. La reine de Naples, qui l'a toujours considérée comme son bien. L'Espagne elle-même, qui rêve de redevenir une puissance méditerranéenne, et n'a pas oublié son projet d'échanger cette île contre l'une des Antilles. La Russie enfin, déguisée en Ordre de Malte, et qui cherche depuis longtemps une base permettant de prendre les Turcs à revers.

Peu importe au bailli Litta que les motifs russes soient impurs, du moment que l'Ordre est remis en possession de son fief. Bientôt, Giulio n'en doute pas, le bon sens bien connu des Britanniques triomphera de leurs prétentions. L'Ordre pourra rentrer chez lui, sous la houlette lointaine de Paul Romanoff. La honte de juin 1798 sera effacée.

Encore faut-il, pour tout cela, un minimum de consentement du nouveau pape. Mais l'on est tombé, grâce à Dieu, sur un homme raisonnable. Giulio élabore un compromis.

« Votre Majesté, explique-t-il à Paul Ier, serait grand maître de l'Ordre pour les questions temporelles. Le pape se réserverait la maîtrise des questions spirituelles.

— Cela me chagrine, dit Paul, qui va et vient dans son cabinet, les mains derrière le dos.

— Le pape ne peut demander moins, observe Giulio, dès lors que Votre Majesté Impériale n'est point catholique. »

Le maître de toutes les Russies serre les poings, serre les lèvres. On dirait qu'il va pleurer, comme un enfant boudeur.

« Le pape, se hâte d'ajouter Giulio, a toujours régi les affaires spirituelles des catholiques. Par conséquent, ma solution ne vous retire rien. L'actuel grand maître aura en fait les mêmes pouvoirs que son devancier. »

Le tsar s'apaise, se rassied. Voilà en effet une combinaison intelligente. Un émissaire sera envoyé à Rome. Il y bénéficiera de l'appui de Mgr Litta, ancien nonce à Pétersbourg, et futur cardinal, qui figure parmi les conseillers de Pie VII. Le duo des frères Litta se trouve ainsi reconstitué, pour la bonne cause.

D'ailleurs, Pie VII envisage de se réfugier à Malte, pour le cas où les Français poursuivraient leur route vers le sud.

« Ah non ! grommelle Paul Ier. Ne me brouillez point avec Bonaparte. Que le pape s'occupe plutôt de l'Espagne. Qu'il me fasse reconnaître par Madrid. »

Les chevaliers espagnols veulent donner une leçon de catholicisme à tout le monde. Ils n'ont rien fait pour défendre l'île contre les Français, mais, dès lors qu'il s'agit de défendre des principes, ils ne craignent personne.

« L'enjeu réel, explique Giulio à Catiche, dépasse largement la restauration de l'Ordre. L'enjeu, c'est le retour de la Russie dans le giron du catholicisme. Ton oncle Potemkine avait essayé. Ce qu'il a manqué, Paul le réussira. Tu comprends ? »

La belle indolente secoue la tête. C'est pourtant simple. Par l'Ordre de Malte, Paul a découvert le christianisme romain.

« Je suis catholique de cœur », a-t-il avoué un jour devant Giulio. Cette vérité violente, il la garde encore en lui, car les moujiks et les moines ne sont pas encore prêts à l'entendre. Mais un jour viendra bientôt où le peuple russe apportera toute sa force, sa fraîcheur d'âme à une religion encore convalescente de la Révolution française. Et la vieille Europe vivra une nouvelle aurore.

Cette fusion de deux courants, Giulio la voit déjà dans les monuments de Pétersbourg. Souvent, avec la belle Catiche, il vient méditer au couvent Smolny, près de la Néva, ou en l'église Saint-Nicolas-des-Matelots : œuvres d'un art nouveau qui a su capter le baroque d'Occident, avec ses courbes et ses contre-courbes, son équilibre de forces ; mais qui le fait chanter d'une manière inattendue, chanter par les ors, chanter par les bleus. Dieu s'est retiré en Russie, et il y attend son heure.

Par un effet de sa grâce, le ministre Rostoptchine a cessé de plaire. Il faisait du zèle en faveur de l'alliance française, mais le tsar a découvert ses liens avec les frères Vorontzoff, chefs de file du parti anglais. Et voilà Rostoptchine, après bien d'autres, contraint de s'exiler sur ses terres. Le même mouvement de balancier remet à sa place l'ami Alexandre Kourakine — le banni d'hier, toujours aussi rond, aussi souriant, aussi serviable.

Jamais Giulio ne s'est trouvé si près du but. Sans aucun mandat officiel, il réussit cette reconstruction de l'Ordre qu'il n'avait pu mener à bien comme lieutenant du grand maître.

Cependant, le tsar consacre ses soins à un nouveau joujou. Ayant pris en grippe le palais d'Hiver, qui lui rappelle un peu trop sa détestée mère, il se fait bâtir une autre résidence : le palais Saint-Michel, lourde bâtisse quadrangulaire, entourée de canaux. En hochant la tête, les Pétersbourgeois viennent contempler la chose :

« Les proportions sont étriquées.

— Et regardez cette masse de pierre, là-haut. On dirait un catafalque. »

Giulio sourit, ne dit rien. Il ne veut pas risquer le moindre propos péjoratif, que des courtisans charitables courraient rapporter. Paul est de plus en plus irritable, de moins en moins prévisible, de plus en plus dangereux.

Quelques familiers, dont le comte et la comtesse Litta, ont été invités à visiter le chef-d'œuvre avant la pendaison de la crémaillère. Une écœurante odeur de colle règne dans toutes les pièces.

Sans attendre qu'elle se soit dissipée, le tsar et sa famille emménagent. Sa Majesté, murmure-t-on, change de chambre à coucher toutes les nuits, de crainte d'être assassinée. Bah, une petite phobie familière.

En ce matin de mars 1801, Alexandre Kourakine et son ami Giulio s'apprêtent à se rendre au palais Saint-Michel, pour mettre au point les derniers détails de la négociation avec la France. Un laquais hors d'haleine fait irruption. Sa Majesté Impériale a été foudroyée par une attaque !

Mais bientôt, de chuchotis en parlote, la vérité se fait jour. Paul Ier a été tué à l'arme blanche, victime d'un complot : des ministres inquiets, des valets de l'Angleterre, des favoris disgraciés. Les meurtriers connaissaient les lieux. Dans ce dédale, ils n'ont eu aucune peine à trouver la bonne chambre. Le tsar est mort comme une bête.

Et le grand rêve de Malte gît en miettes à côté de son cercueil.

*
**

De son moucharabieh, le capitaine François Alphéran regardait couler le Nil. Suivant les saisons, le Nil changeait de teinte et de volume, mais toujours il glissait vers la mer proche, entre deux rideaux de palmes.

L'officier manda le chaouch pour tirer ses bottes, qui lui échauffaient les pieds. Après vingt-huit mois d'Égypte, il se sentait fatigué. Sans doute couvait-il quelque maladie.

« Eh, je ne suis plus un jeune homme, disait-il à la ronde, afin de se rassurer. Je vais avoir quarante-huit ans. » Parmi ces jouvenceaux, il commençait à faire figure d'ancêtre.

Rosette était encore le meilleur endroit pour vivre l'Égypte française. Riche en fruits, riche en ombre, oubliée par les campagnes militaires, oubliée même de la peste. Et l'on pouvait y évoquer les joyeuses années de Malte, un verre à la main, avec le directeur des douanes, Isidore de Beauregard, un ancien chevalier.

De génération en génération, la famille Alphéran avait servi l'Ordre. Dès l'âge le plus tendre, l'on y était promis à l'emploi de chapelain. Le seul évêque français de Malte s'était appelé Alphéran. Sans prétendre aussi haut, François avait hérité d'un vieil oncle avare le prieuré d'Aix : une jolie sinécure, où l'on portait la mitre, en commandant à une troupe de prêtres. Et patatras, la Révolution était survenue juste à temps pour l'empêcher d'en jouir.

Pour l'exilé, Dieu merci, Malte avait été une bonne mère, point trop regardante sur le chapitre des mœurs. Les soirs d'ennui, dans sa résidence orientale, Alphéran refaisait la liste des filles qu'il avait eues, et de celles qui lui avaient échappé. Comment s'appellait-elle déjà, cette petite, collée à un jeune chevalier ? Lisa ? Non, Lucija. Pas vraiment belle, mais vive, et piquante. Dommage, le jeune homme s'était montré fort susceptible.

Ici, à Rosette, l'on n'avait guère d'occasions. L'on aurait risqué l'émeute, ou le poignard entre les omoplates.

Lors de la capitulation de Malte, Alphéran s'était accroché aux basques d'un compatriote aixois, reconnu dans l'armée d'invasion : le général Dumuy, un ancien noble, neveu d'un maréchal de Louis XV ; tant qu'à faire, restons dans le beau linge.

« Dumuy, s'était bientôt écrié Bonaparte, je ne veux plus voir de chevaliers de Malte dans les états-majors. »

Alors Alphéran avait troqué le service de Dumuy contre celui du général Menou, autre ancien noble. Et comme c'était un vieux camarade à lui, Bonaparte n'avait plus rien dit.

A la vérité, les épaulettes convenaient mieux à François Alphéran que l'état ecclésiastique. Il but son café turc, s'éventa d'un revers de palme, alla dans le patio taquiner la civette. Cette bestiole grise à bandes noires était un cadeau du roi du Darfour au général Menou. Affectueuse, mais les dents pointues, elle se plaisait à mordiller les orteils des visiteurs qui commettaient l'imprudence de venir en sandales.

Le général Menou fit son entrée. Petit, bedonnant, chauve, avec des cheveux follets sur les tempes, et une moustache : on l'aurait pris pour un paysan, plutôt que pour le généralissime de l'armée d'Orient. Cette place, d'ailleurs, il ne l'avait point désirée. Il ne la devait qu'à son ancienneté, et à l'assassinat de

Kléber par un fanatique. Ayant laissé ses pénates à Rosette, rien ne lui déplaisait plus que de devoir courir au Caire ou à Alexandrie.

Un homme brave ; il l'avait prouvé en recevant une blessure à la tête, lors de la prise d'Alexandrie. Et un brave homme ; personne n'en disconvenait. Stratège ? Hum. Administrateur plutôt, voire économiste. Et amateur de sciences, aussi. C'est lui qui avait fait déterrer d'un jardin de Rosette une grande pierre porteuse d'inscriptions trilingues, dont les savants espéraient des révélations capitales. Dans tous ces domaines, il déployait une activité brouillonne qui le rendait sympathique.

« Or ça, monsieur, plaisanta Menou, quand me ferez-vous l'honneur d'épouser la promise que je vous ai trouvée ? »

Une personne grassouillette, plutôt avenante (pour autant que le voile permît d'en juger), et surtout mahométane. Menou avait prêché d'exemple en épousant la fille du tenancier d'un hammam de la ville, ni jolie ni riche, mais descendante du prophète. Une charifa !

« J'ai fait un mariage po-li-tique », confiait-il à ses intimes, en détachant les syllabes.

En conséquence, il avait embrassé l'islam, était devenu Abdallah Menou. Cette conduite méritoire, au lieu de susciter des émules, lui valait les plaisanteries du corps expéditionnaire :

« Qui va là ?

— Abdallah ! »

Ses nouvelles convictions, d'ailleurs, recouvraient mal un certain scepticisme : « Les uns prient la tête en haut, les autres prient la tête en bas. Tout cela se vaut. »

Mais, s'agissant de son aide de camp, le général Menou mettait une malice particulière à convertir un ancien prêtre, de surcroît chapelain de Malte.

« Vous qui êtes un peu juif sur les bords, le Coran vous irait comme un gant. »

Juif, la vieille injure, à cause de la consonance de son nom. Autrefois, l'abbé Alphéran se serait battu en duel pour moins que cela. La vie avait passé le rabot sur ses points d'honneur. Il flatta la civette et se mit en devoir de lui passer sa muselière d'osier.

« Quelles nouvelles, citoyen général ?

— Mauvaises, dit Menou. L'armée anglaise des Indes se dirige vers nous.

— Une armée bien modeste, dit Alphéran.

— Détrompez-vous, ils ont recruté des mercenaires de toutes les couleurs, et même des tigres apprivoisés.

— A la bonne heure, dit Alphéran.

— Quant à l'armée anglaise de Méditerranée, elle opère sa jonction avec les forces turques.

— Cela fait des mois qu'on nous dit cela, se moqua l'aide de camp.

— Prenez garde aux Anglais. Ils mettent du temps, mais finissent par arriver.

— Et que devient l'amiral Ganteaume ?

— Ah, Ganteaume ! » dit Menou en levant les bras au ciel.

Ganteaume avait été chargé par Bonaparte de secourir l'Égypte. Il devait lui apporter des troupes fraîches et des munitions, mais n'osait s'aventurer si loin, craignant le sort de son devancier l'amiral Brueys. Seuls parvenaient à forcer le blocus des avisos dont on avait teint les voiles en noir, pour mieux les fondre dans la nuit.

Le général Menou s'en fut, laissant son aide de camp veiller sur son épouse enceinte, Sitti Zoubeïda.

L'aide de camp tomba malade. C'était pourtant la saison fraîche. Des bouffées lui gonflaient la poitrine. Et surtout, une voix étrange, tout au fond de lui-même, n'arrêtait pas de lui répéter : *Tu es sacerdos in aeternum.* Tu es prêtre pour l'éternité. Curé, lui ? Allons bon. Son ordination n'avait été qu'une affaire de convenance, qu'un acte de commerce.

Il prit sa croix de Malte, qu'il avait cachée au fond de son paquetage, l'agrafa sur son uniforme républicain, et se promena ainsi dans les rues de Rosette, pour voir ce que l'on dirait. Mais les indigènes le regardaient passer d'un air béat. Sans doute ne comprenaient-ils pas que, avec ces huit pointes, ce pouvait être une croix.

Les camarades murmurèrent que le climat lui avait porté sur le système. Les événements militaires lui parvenaient en une sorte de brouhaha. Conformes, d'ailleurs, à ce que Menou avait laissé prévoir. Les Anglo-Turcs ayant débarqué en baie d'Ahoukir, l'on n'avait pu les repousser. De son côté, la garnison du Caire allait être prise dans une tenaille entre l'armée du grand vizir, venue de Syrie, et l'armée anglaise des Indes, qui descendait le Nil.

Quant à Rosette, on n'avait pas les moyens de la défendre. Sitti Zoubeïda pleurait, refusait de partir. Alphéran la convoya en bateau vers Le Caire avec son fils le bébé Soliman Mourad, que Menou n'avait encore jamais vu. Il était temps : l'épouse du commandant en chef avait failli tomber au pouvoir de l'ennemi.

Et la civette ? Ah non, elle sentait trop mauvais. On la laissait volontiers aux Angliches.

Au Caire, l'on retrouva les amis de Malte : les frères La Panouse, rapatriés du Sud avec leurs deux négrillonnes ; Lascaris, qui continuait de bâtir des projets grandioses ; Tousard, qui inspectait les fortifications comme si elles allaient servir... Ledit Tousard n'avait pas encore pardonné à François Alphéran ses années de royalisme. Pour le faire enrager, il l'appelait monsieur l'abbé. Mais l'interpellé refusait toute querelle. Décidément, il avait bien changé.

La ville se rendit pratiquement sans combat. Accompagnés de quelques protégés indigènes, les Français obtinrent d'être rapatriés par la flotte britannique. La citoyenne Menou, son bébé et François Alphéran refirent vers le nord, toujours par la voie fluviale, le parcours qu'ils venaient d'effectuer en sens inverse.

Cependant, le commandant en chef Menou, enfermé dans Alexandrie, négociait un échange. En rendant quelques prisonniers anglais, il récupéra sa femme, son fils et leur chevalier servant. Ainsi, ces trois personnages passèrent d'une place assiégée à une autre.

En vue de bloquer la ville de Cléopâtre, l'assaillant avait percé les digues. La mer était entrée dans les lagunes, les rendant navigables pour une flottille de canonnières.

Menou voulait épargner des pertes à la science. Il renvoya les savants vers la France. Mais les Anglais leur barraient le passage. Le capitaine de l'*Oiseau* arbora le pavillon britannique, fut repoussé quand même. Et ne sut plus où aller, Menou refusant d'accueillir dans son port un bâtiment qui s'était si mal conduit.

Régulièrement, des patrouilles inspectaient les citernes, pour prévenir d'éventuelles infiltrations ennemies. C'était un dédale de voûtes, datant des temps antiques. Par curiosité, Alphéran se joignit à ces expéditions. Certains réservoirs étaient ruinés, à sec depuis des siècles. D'autres pleins d'eau ; mourir pour mourir, ce ne serait pas de soif. L'on distinguait des portiques, des chapiteaux à feuilles d'acanthe. Dans l'une de ces salles, les guides avaient trouvé des corps d'hommes à cheval, recouverts d'une carapace de concrétions.

Alors, l'idée se fit jour dans l'esprit d'Alphéran. C'est là qu'il allait dire sa messe. A quand donc remontait la dernière ? Durant son séjour de Malte, il n'en disait déjà plus guère. Puis il avait été officier d'une armée républicaine, ennemie de la superstition. A présent que tout s'écroulait, il se devait de remplir un très ancien devoir.

Il pria un pope grec-catholique de l'entendre en confession. Le pauvre homme faisait répéter, tremblait comme une feuille à l'audition de tant de péchés.

Il jeûna deux jours. La nouvelle s'était répandue dans la garnison. Menou se moqua, puis se tut, frappé d'une crainte obscure. Des hommes vinrent, des officiers aussi, en souvenir de leur enfance. Ils n'avaient pas ouï de messe depuis si longtemps ! On n'eut point de peine à trouver parmi eux des enfants de chœur. Alphéran avait emprunté une chasuble au pope. Il s'avança vers une espèce de pierre d'autel, escorté par des porteurs de torches.

Et ce fut là, sous Alexandrie assiégée, en ce mois de messidor an VIII, que François Alphéran, renégat de l'Ordre de Malte et prêtre mille fois indigne, pria le Christ de bien vouloir venir habiter un gobelet de vin.

Voici un an déjà, Ferdinand de Hompesch débarquait à Trieste avec quarante-sept fidèles, protestant haut et fort contre la tromperie dont il avait été victime. Depuis lors, le vent froid n'a cessé de souffler sur la petite colonie. L'avance sur pension consentie par Bonarparte a fondu, le solde n'a toujours pas été payé. Un à un, les compagnons de misère saluent et s'en vont.

Même le petit page Roquefeuil, même *Schätzle* est parti vivre sa vie.

« Que Votre Altesse, disent les survivants, prenne garde de trop user son manteau de cérémonie. »

Mais Hompesch tient à rappeler son rang aux bourgeois de Trieste. Il affirme sa dignité face à l'usurpateur de Pétersbourg. Quel besoin le dénommé Paul avait-il de cette petite couronne, alors qu'il en possédait déjà une grosse ?

Une seule pensée habite désormais la cervelle de Hompesch : « Je suis encore le grand maître, je suis toujours le grand maître. »

Où sont donc ses soutiens, en cette heure difficile ? L'Espagne ? Hum ! Elle affecte de le défendre parce qu'elle ne veut pas d'un grand maître orthodoxe. En réalité, les chevaliers espagnols font bande à part.

L'Autriche ? Ingrate Autriche. Elle devrait se battre pour son vieux serviteur. Mais elle se prostitue aux Russes.

« Cher grand maître, commencent à dire les gens venus de Vienne, votre santé n'est plus si bonne qu'autrefois. L'heure de la retraite n'a-t-elle point sonné ? »

Et, comme Hompesch fait la sourde oreille, brusquement, Vienne lui envoie un bourreau.

« Signez. L'empereur François le veut. »

Le bourreau repart avec la lettre d'abdication. Pendant plusieurs jours, la victime reste enfermée dans ses appartements, à pousser des cris de douleur.

Puis vient la dispersion. Hompesch est expédié dans un château, parmi des villageois qui ne parlent que le slovène. Retraite, ou prison ? Les derniers familiers échouent en Bavière ou en Forêt-Noire, se chamaillent, échangent des lettres de lamentation.

Envoyé à Malte pour y soulever les partisans de la légitimité hompeschienne, le bailli de Neveu y a pris une fièvre dont il est mort. Lui, le meilleur ami, le seul qui pouvait se saouler en cinq langues.

Dernier recours, le vieux pape Pie VI. Mais les Français l'ont brisé. « Que Votre Altesse prenne patience, conseille le bailli Saint-Trop'. Le prochain pape saura reconnaître la vérité. »

Après trois mois de scrutins, le conclave de Venise a élu Pie VII. Sans demander la permission, Hompesch quitte l'ingrate Autriche, se réfugie en terre papale. La nouvelle Sainteté lui promet son concours, mais elle louvoie. Hompesch s'installe à Porto di Fermo, une bourgade de l'Adriatique, triste à mourir. N'ayant plus un vêtement décent à se mettre, il reste claquemuré, passant ses jours et ses nuits en génuflexions et en rosaires pour que le châtiment céleste s'abatte sur l'usurpateur Paul.

Le bailli Saint-Trop' rentre de voyage :

« Votre Altesse est exaucée. Le tsar Paul vient de mourir. »

Aussitôt, Ferdinand de Hompesch rappelle à l'Europe qu'il n'a jamais cessé d'être grand maître. Sans doute a-t-il perdu Malte — provisoirement. Mais il n'a pas perdu la direction de l'Ordre.

Tant que vivait Paul, Bonaparte s'efforçait de lui plaire. Le voici libre, à présent, de manifester sa vraie préférence. Bonaparte règne à Paris. Il a sûrement gardé bon souvenir de Hompesch, de ses flatteries, de sa... lâchons le mot, de sa servilité ! Le grand Westphalien lui envoie deux émissaires : le bailli de Saint-Tropez, devenu pour ainsi dire son premier ministre, et son neveu Charles de Hompesch, lui aussi chevalier de Malte, ancien recruteur de soldats pour l'Angleterre — un jeune homme au demeurant fort convenable.

Premier résultat, Bonaparte alloue un subside, un nouvel acompte sur l'indemnité due. De quoi voir venir. Apparemment, Bonaparte ne sait pas que Hompesch, de Trieste, avait protesté contre la prise de Malte par ses troupes. Ou il l'a oublié, en grand politique. Une erreur de jeunesse, entre nous, cette prise de Malte.

A Londres, Bonaparte et l'Angleterre négocient en sous-main, au sujet de cette malheureuse île. Les Britanniques vont s'en défaire. Ils savent que, s'ils la gardent, ils n'auront jamais la paix sur le continent. Mais pas question de la rendre aux Français, lesquels n'en demandent d'ailleurs pas tant. Alors ils la restitueront à l'Ordre, c'est-à-dire à Hompesch, seule autorité investie par Dieu.

Bien sûr, à Pétersbourg, quelques coquins s'agitent : Litta et sa petite bande. Craignant la vengeance de Hompesch, ils veulent lui barrer la route du pouvoir. Mais n'ont personne à mettre à la place. Et le jeune empereur Alexandre, dont chacun loue le sens de l'équité, ne saurait être la dupe de leurs manigances.

Après force salamalecs, la diplomatie européenne accouche d'un accord : réunis en congrès, les chevaliers devront choisir le chef de leur Ordre. Absurde, puisqu'il y en a déjà un.

« Ne soyez pas trop intransigeant, conseille le bailli Saint-Trop'. Acceptez de vous présenter aux suffrages. Personne n'osera se porter candidat contre vous. »

Bientôt, il apparaît que le congrès ne pourra se tenir. Car jamais les Espagnols ni les Romains n'accepteront de siéger aux côtés des délégués de Russie. Eh, on aurait pu s'en apercevoir plus tôt ! Nullement désemparés, les diplomates inventent une autre combine : chaque prieuré recommandera quelques noms au pape, et le pape choisira parmi eux.

« Infraction à nos statuts ! tempête Hompesch. Depuis quand les grands maîtres sont-ils désignés par Rome ? Les prendrait-on pour des laquais ? »

Il sollicite une audience de Pie VII. Point de réponse. Mais le pontife a certainement compris. La solution s'impose : confirmer Ferdinand de Westphalie, pilote et père de l'Ordre depuis cinq ans.

Les prieurés ont écrit, suggérant un bon nombre de noms. Au bord de la pâle Adriatique, Hompesch attend. Embarrassée de choisir, Sa Sainteté désigne un homme qui n'avait été recommandé par personne : un sujet à elle, un Romain, le bailli-prince Ruspoli.

Hompesch en rit tout seul pendant trois jours. Il rit si fort que ses familiers n'osent plus lui adresser la parole. Ruspoli ! Ce médiocre, ce personnage épris de confort. Un prince du pape ; on sait ce que cela vaut. Et Ruspoli n'est même pas là. Il chasse la grouse en Écosse !

Bonaparte envoie un vaisseau chercher cet individu ; manière d'affirmer qu'il considère l'Ordre comme un protectorat. Flairant les ennuis que cela va lui valoir, Ruspoli décline l'honneur. Ruspoli refuse d'être grand maître. Ha, ha !

Sans s'émouvoir, les diplomates prient le pape de se rabattre sur quelqu'un d'autre.

Pourtant, la leçon aurait dû porter. Point de salut hors de celui qui a été élu régulièrement. Dans le silence de son palais, Pie VII relit ses listes et distingue un bailli toscan qui a recueilli d'assez nombreux suffrages : Jean-Baptiste Tommasi.

Hompesch accueille cette nouvelle sans trop d'amertume. Un homme honorable, nul n'en disconvient ; et qui s'est bien conduit devant les Français. Mais pourquoi diantre vouloir mettre à la tête de l'Ordre un vieillard ?

« Alors que Votre Altesse se trouve encore dans la force de l'âge », observe le bailli Saint-Trop'.

Cette réalité ne saurait échapper à Tommasi lui-même. Comment accepterait-il un fardeau si écrasant pour lui ? Hompesch tend l'oreille. Depuis la capitulation de l'Ordre, le bailli Jean-Baptiste vit en Sicile. Le courrier met longtemps.

Rien ne vient. Hompesch se résout à dicter une lettre pour son rival :

On vous aura tracé un tableau erroné de ma situation. Sachez que je me porte bien, et que je tiens les rênes d'une main ferme. J'ai eu quelques torts. L'exil et le malheur m'ont forgé une dignité nouvelle. Cette charge que l'on vous propose au mépris du droit, l'honneur vous commande de me la rendre...

Comme chaque année, le lac Ladoga secoue sa carapace de glace et la rejette dans la Néva. Pendant des jours, une flotte étincelante défile devant les quais de Pétersbourg, pour l'émerveillement des enfants. C'est là aussi que Giulio Litta, en compagnie de la blonde Catiche, vient méditer sur la fragilité des empires. Les beaux projets de Paul Ier n'auront pas duré plus que cette banquise.

A père chimérique, fils raisonnable. Le jeune tsar Alexandre ne veut plus entendre parler de folies maltaises. Il se montre d'autant plus sage qu'il doit son trône à un assassinat. Certains murmurent qu'il savait, qu'il a laissé faire. Cela ne l'empêche pas d'accepter les condoléances hypocrites de Bonaparte sur la mort de son père.

Blond, l'œil bleu, les joues roses, l'air noble, le jeune tsar entend séduire, et ne se veut point d'ennemi. La belle âme du jeune tsar aspire à la paix. Pas question de rompre des lances avec l'Angleterre, ni d'ailleurs avec les Turcs ou avec les Persans.

« Œuvrez dans toute l'Europe au rétablissement de la concorde », écrit-il à ses ambassadeurs.

Les Français tardent à évacuer l'Égypte ? Eh bien, qu'ils admettent, en contrepartie, le maintien des Britanniques à Malte.

Giulio Litta est consterné. Naturellement, Alexandre a refusé de se laisser élire grand maître. On le supplie de prendre au moins le titre de protecteur.

« A quoi cela m'engagera-t-il ?

— A rien, ma foi, sauf à empêcher le retour du lamentable Hompesch. »

Va donc pour le protecteur. Par respect de la mémoire de son père *(sic)*, Alexandre accepte aussi d'entrer en relation avec le pape ; il ne lui demande pas de reconnaître Paul Ier grand maître *post mortem*, mais simplement de valider les actes de sa gestion.

« Nous validerons tout ce que vous voudrez, répond Rome, sauf la création de votre prieuré orthodoxe. » C'est-à-dire l'essentiel.

L'ami Kourakine a repris sa dignité de chancelier de l'Ordre. Mais le nouveau souverain ne l'écoute guère ; il est d'ailleurs un peu sourd, à cause de son père qui voulait l'habituer au son du canon. Litta reporte ses espoirs sur Adam Czartoryski, jeune homme remarquable, et ami d'enfance du tsar. Chevalier de Malte, cet Adam dirige le prieuré catholique russe. Alexandre ne jure que par lui. Hélas, le jeune Czartoryski, on s'en apercevra vite, s'intéresse beaucoup plus au sort de sa Pologne natale qu'à celui de l'Ordre.

Un ambassadeur russe est nommé à Paris : Markoff, un parvenu, ancien fonctionnaire de Catherine II.

Paul avait amoureusement préparé un traité de paix avec la France. Revu par la nouvelle équipe, le texte ne contient plus un mot sur Malte. De Paris, Talleyrand propose que l'île soit transformée en hôpital général, et ses fortifications rasées. Ainsi, elle cessera d'être un objet de discorde. L'hôpital, après tout, n'était-ce pas la première vocation de l'Ordre ? Le bon apôtre !

Litta refuse une telle mutilation. Le jeune tsar lève son regard bleu :

« On devrait réinstaller les chevaliers en Suisse. »

En tout cas, il ne risquera ni un vaisseau, ni un régiment dans cette affaire. L'Angleterre et la France se sont disputé Malte. Ma foi, laissons-leur le soin de régler son sort.

« Alors je suis tranquille, répond Litta. Aucune de ces deux puissances ne peut occuper durablement l'île. Elles ont donc intérêt à y installer un tiers. »

Et c'est à quoi elle se résolvent. Paix d'Amiens, article dix : l'archipel de Malte sera rendu à l'Ordre. Le roi George l'évacuera dès qu'un grand maître aura été désigné. Sans attendre cette échéance, une garnison sicilienne garantira la neutralité des lieux. Cette clause fait faire la grimace à Litta, mais on le rassure. En présence d'un traité aussi clair, comment la garnison oserait-elle s'incruster ?

Autre anicroche, non moins prévisible : trois Langues sont supprimées. Adieu Provence, adieu Auvergne, adieu France. Les Anglais l'ont exigé. Ils craignaient qu'elles ne devinssent les instruments de Bonaparte. D'ailleurs, ces vieilles gloires n'ont plus de biens. Elles seraient incapables de nourrir leurs chevaliers.

C'est enterrer une seconde fois les grands guerriers de l'Ordre, et ses sages législateurs : les D'Aubusson, les Villiers de l'Isle-Adam, les Rohan. Giulio se console en songeant que la Langue d'Italie, où il a fait ses débuts, devient la première suivant le protocole.

Le traité d'Amiens prévoit qu'il n'y aura pas non plus de Langue anglaise. Qu'est-ce à dire ? Va-t-on dissoudre la Langue anglo-bavaro-russe qui, dans les faits, a cessé d'être anglaise depuis belle lurette ? Non, les négociateurs n'ont pas voulu offenser le tsar. Ils ne cherchaient qu'une symétrie de forme. Russe elle est, cette Langue, russe elle restera. Et par elle, les chevaliers français resteront présents dans l'Ordre.

Enfin, pour compenser quelque peu les pertes, l'on fonde une nouvelle Langue, qui sera maltaise. Incroyable ! Les sujets de toujours vont participer au gouvernement. Les Anglais l'ont voulu ainsi, par égard pour les notables indigènes qui ont soutenu leur cause. Bonaparte aussi l'a voulu, par souci de démocratie, et sur les conseils de quelques spécialistes. A peine rapatrié en France, Ransijat a trouvé le moyen d'influencer le traité d'Amiens !

« Une Langue maltaise ? s'exclament les chevaliers présents à Pétersbourg. Sera-t-elle au moins composée de nobles ? »

De toute façon, ce ne pourraient être que des gentilshommes de fraîche date. Rares sont les îliens capables d'aligner quatre quartiers.

« Détails, tranche Litta. Notre restauration est à ce prix. »

Faute d'un prétendant de son rang, Mlle Clorinde de Rohan a été autorisée à convoler avec un barbet russe. Elle vient de mettre bas sept petits bâtards : symbole des compromissions de ce siècle. Mais n'est-ce pas, aussi, un gage de renouveau ?

Qu'il est doux, qu'il est capiteux, le printemps de 1802 !

Alphonse de La Tourrette a accompagné l'ambassadeur Markoff à Paris. En somme, il sera le représentant officieux de l'Ordre auprès de Bonaparte et de ses ministres. Il entretiendra l'intérêt des Français pour le sort de Malte.

Mais Markoff ne fournit pas le concours désirable. La Tourrette ne s'entend qu'à moitié avec cet homme brutal, au visage vérolé, au mufle de tigre. Et Markoff, lui, ne séduit qu'à demi les Parisiens. Pour leur plaire, il ne suffit point de leur citer du Racine ou du Corneille. Il faudrait aussi leur donner des fêtes, les faire danser. De ce côté, bourse fermée. Pourvu d'un traitement princier, le Markoff économise comme un pignouf.

D'ailleurs, La Tourrette respire mal dans cette France méconnaissable, où les nouveaux riches et les jacobins mal blanchis tiennent le haut du pavé.

« Allons, monsieur le corsaire, plaisante Markoff, ne faites point le délicat. »

La Tourrette figure toujours sur la liste des émigrés. Autant dire qu'il peut être abattu au premier carrefour comme un chien. On lui suggère de se faire radier. Rien de plus simple, quand on a l'appui de Pétersbourg.

« Je ne m'y abaisserai point », répond-il d'un mouvement de menton.

Retrouvailles avec certains chevaliers rentrés d'Égypte. Hélas bien changés, ces garçons ; tout infectés d'idées nouvelles. Théodore Lascaris demeure à l'hôtel de Bretagne, rue du Bac. Afin de financer d'étranges projets orientaux, il ose demander qu'on lui rende des biens que son arrière-arrière-arrière-grand-oncle avait légués à l'Ordre, il y a plus de cent ans.

Quant aux frères La Panouse, ils font baptiser leurs petites négresses par l'archevêque de Paris, en l'église des Quinze-Vingts. « Maintenant, elles pourront faire de bonnes Maltaises », plaisante La Tourrette. Mais il sent les deux parrains plus désireux de devenir pères de famille que de revenir en l'île.

Pendant ce temps, Markoff essaie maladroitement d'influencer des journalistes parisiens. Markoff correspond avec l'un des frères Vorontzoff, ambassadeur de Russie à Londres, anglomane de toujours. En un mot comme en cent, Markoff sabote l'entente franco-russe.

A Pétersbourg, autre déconvenue. Le jeune tsar juge qu'il a fait assez pour la mémoire de son père en conservant quelque temps Kourakine aux Affaires étrangères. Gentiment, il le limoge et donne la place à l'autre frère Vorontzoff. Aïe !

C'est La Tourrette qui, le premier, va payer pour tout cela. Un matin, la porte de sa chambre est ébranlée à grands coups de poing.

« Ouvrez, citoyen. La police. »

Depuis quelque temps, *monsieur* fait sa réapparition dans les bouches. Mais ces butors s'en tiennent à l'appellation révolutionnaire.

« Ignorez-vous que les émigrés n'ont point de droit de cité en France ?

— Je ne suis pas émigré, dit La Tourrette. Je suis un protégé de l'empereur de Russie.

— Vous avez deux heures pour vider les lieux. »

Supplier Markoff d'intervenir ? La Tourrette ne veut rien lui devoir. Il se laisse conduire jusqu'au Rhin.

Peu importent, en somme, ces humeurs et ces péripéties. Toutes les parties ont intérêt à mettre en œuvre le traité d'Amiens. Humilié à Paris, La Tourrette rentrera demain à Malte, le front haut.

« C'est vous qui commanderez la flotte de l'Ordre », lui a promis Litta.

*
**

Le bailli Merveilleux croisa ses jambes malades et huma sa tasse de moka. Seul plaisir qui lui restait, depuis que la Faculté lui avait interdit le vin de Samos. Quant aux femmes, on pouvait les imaginer fort lointaines.

« La raison reprend enfin ses droits, laissa-t-il tomber. Ce Bonaparte n'est pas un si mauvais drôle qu'il en a l'air. »

Bonaparte, grâce à qui Malte était rendue à l'Ordre, sur un plateau d'argent. Bonaparte, dont on espérait qu'il rétablirait bientôt la monarchie légitime en France, comme le général Monk l'avait jadis fait en Angleterre.

Les vieux baillis vivaient dans un couvent de La Valette, à l'aide, honte sur eux, de petites pensions anglaises. Parfois, la Sinjura leur envoyait des poulets rôtis, ou des bouteilles de vin, qui étaient reçus avec empressement.

Parmi eux, seul le Merveilleux voulait encore jouer un rôle. Il voyait l'évêque, voyait les nobles indigènes, préparait les esprits au retour de Hompesch. Pauvre Ferdinand, qui traînait une existence dolente dans je ne sais quelle banlieue papale, et n'hésitait pas à emprunter aux juifs de Rome. Encore heureux qu'un grand maître déchu trouvât du crédit chez les juifs.

Le Merveilleux et ses amis étaient quand même parvenus à le laver de certaines calomnies. Une fausse lettre diffusée sous le nom du grand prieur de Champagne, et qui l'accusait des pires lâchetés. Ces mensonges avaient couru l'Europe, reproduits par certaines gazettes. Le grand prieur avait juste eu le temps de les désavouer, avant de rendre le dernier soupir.

Le Merveilleux entretenait toute une correspondance avec le continent. Sous des prétextes sanitaires, la censure britannique ouvrait les réponses, les plongeait dans diverses fumigations, et les lui remettait pantelantes.

La Sinjura, quant à elle, ne croyait guère au retour de l'ancien chef de l'Ordre. Elle misait plutôt sur Giulio Litta, ce garçon si séduisant, qui jouissait de la confiance du tsar ; malheureusement, il venait de se marier. Ou sur le jeune duc de Berry, neveu de Louis XVI ; mais la France républicaine ne tolérerait jamais un Bourbon à Malte. Ou encore sur le bailli de Flachslanden, Alsacien, charmeur démodé ; trop compromis, lui aussi, avec cette famille royale.

Impatient et inquiet, le Merveilleux déambulait dans les rues de La Valette, sous les yeux inexpressifs des sentinelles anglaises. Ces petites promenades avaient au moins le mérite d'activer son sang. Consultée journellement par lui, la Kabbale se refusait à prédire l'avenir.

Bonaparte avait dépêché un ambassadeur « auprès de l'Ordre et de l'île de Malte » : le général Vial, ancien de l'expédition d'Égypte. La Sinjura fit sa connaissance au cours d'une réception. Cet homme du peuple s'efforçait d'adoucir ses façons plébéiennes.

« Madame, dit-il, je sais les services que vous avez rendus à la cause française. »

La Sinjura fit grise mine à cette déclaration compromettante. Vial se plaignait de la difficulté de trouver une maison décente et des meubles, en cette ville qui avait subi deux ans de siège. Il déplorait aussi de vivre entouré d'espions.

« Et moi donc ! » renchérit le Merveilleux.

Le chef de la police, un Maltais pompeusement qualifié de grand vicomte, allait prendre ses ordres chez le capitaine Ball, et suscitait des tracas aux francophiles du cru.

« Cette situation ne saurait être admise, dit Vial. Le capitaine Ball a cessé d'être le gouverneur de l'île. Ce n'est plus qu'un ambassadeur comme moi. »

Ball, un vulgaire commis que l'amiral Nelson avait laissé là avant de filer avec son égérie.

« Je ne puis croire, ajouta le bailli, que la conduite du capitaine Ball soit en accord avec les vues de son gouvernement. L'Angleterre a été ruinée par la guerre. Elle veut une paix durable.

— Le ciel vous entende », répondit Vial. Le langage de ce démocrate charriait d'étranges pépites.

Un troisième Français se joignit à la conversation. C'était le chevalier de Montferré, naguère l'un de ces jeunes gens turbulents qui s'agitaient en compagnie de Dolomieu. Il portait un uniforme que la Sinjura ne put identifier.

« Je suis lieutenant-colonel d'un régiment albanais.

— Alors, vous vous trouvez au service du Grand Turc ?

— Nullement. Un régiment albanais au service des Deux-Siciles. »

En application du traité d'Amiens, ce royaume avait envoyé deux mille hommes à Malte. Mais les Anglais ne lui laissaient que des forts de seconde importance. Les hommes de Montferré n'avaient même pas de paille pour coucher.

« La reine Caroline est fort pressée de voir les Anglais hors de cette île », confia le lieutenant-colonel.

Elle aurait dû joindre ses efforts à ceux de Bonaparte. Trop fière pour cela, hélas, trop hostile à la République. Afin d'ailleurs de l'apprivoiser, le capitaine Ball lui avait fait l'hommage d'un faucon, comme au temps de l'Ordre.

Peu après, Bettina reçut malgré elle la visite d'un autre Français, le sieur Doublet, ancien secrétaire du grand maître. Ayant laissé sa nombreuse famille à Malte, ce malheureux y était revenu dès la conclusion de la paix, et cherchait un emploi. Vial refusait de prendre chez lui un homme qui avait joué un rôle trop en vue durant l'occupation républicaine ; en l'embauchant, il aurait accrédité les bruits selon lesquels Bonaparte voulait reprendre l'île.

« Sinjura, vous plairait-il que je tienne vos écritures ?

— Cher monsieur, je ne suis qu'une particulière. J'écris fort peu. »

Et elle envoya une corbeille d'oranges aux enfants de Doublet. Le grand vicomte lui fit alors dire de moins fréquenter les Français.

« Je ne fréquente que le bailli Merveilleux, répondit-elle. Un charmant vieux bonhomme.

— C'est un agent de Bonaparte », répliqua le grand vicomte.

Au fond, la Sinjura ne tenait plus guère à ces relations. Les Anglais étaient quand même mieux élevés.

Elle se rendit au théâtre — cette bonbonnière, où de jeunes chevaliers grimés jouaient naguère les ingénues. Depuis lors, la comédie italienne avait pris possession des lieux. Le capitaine Ball se pavanait au premier rang du parterre. En guise d'ouverture, l'orchestre attaqua le *God Save the King*. L'assistance se leva. Le bailli Merveilleux fit mine de se lever. Le général Vial resta assis dans sa loge, attirant tous les regards.

La salle se rassit. Commandé par on ne savait quel esprit malin, l'orchestre récidiva. La salle se remit debout. Le général Vial sortit, en jurant qu'il en référerait à Paris. Selon lui, c'était l'hymne de l'Ordre que les musiciens auraient dû jouer. Mais l'Ordre n'avait que le *Veni Creator*, lequel ne seyait guère à un théâtre.

On ne parlait plus de Hompesch. A sa place, le pape avait désigné un vieil homme appelé Tommasi. Chevalerie du soir...

Au lieu de débarquer lui-même, comme le traité d'Amiens lui en donnait le droit, ce nouveau grand maître envoya timidement un homme de confiance, que les Anglais s'empressèrent de ridiculiser. Nous ne pouvons, disaient-ils, vous rendre tout de suite le palais magistral ; le capitaine Ball y a installé ses bureaux. Le Bosquet vous conviendrait-il ? Tu parles ! Cette ancienne maison de campagne, loin de tout, où l'on ne trouvait même plus une chaise.

Ainsi, Tommasi renouvelait l'erreur commise par Hompesch durant le blocus de l'île. Quand on veut gagner, il faut payer de sa personne. Messieurs, prenez exemple sur Bonaparte !

« Le grand maître n'a qu'à se planter une tente devant le palais, ironisa le bailli Merveilleux. Il aura droit à la compassion du peuple. »

Mais de son côté, le gouvernement de Paris, avec un soin touchant, levait un à un les obstacles qui pouvaient s'opposer à l'exécution du traité. La Sinjura suivait tout cela de son mieux, grâce au bouche-à-oreille.

« Nous ne saurions lâcher Malte, rappelaient les Anglais, tant que la France occupera Ancône et Tarente. »

La France évacua Ancône et Tarente.

« Nous ne saurions abandonner Malte, continuaient les Anglais, tant que les autres puissances n'auront pas garanti sa neutralité. »

Le traité d'Amiens prévoyait la caution de l'Espagne, de l'Autriche, de la Prusse et de la Russie. Déjà, les trois premières l'avaient donnée. Craignant de se trouver impliqué dans des conflits, le jeune tsar se faisait tirer l'oreille.

« Voyons, Majesté, un effort pour la paix ! »

Alexandre finit par consentir, mais les Anglais trouvèrent un nouveau prétexte :

« Si nous quittons Malte, Bonaparte en profitera pour reconquérir l'Égypte. »

Pour parer à ce risque, on leur proposa de s'installer à Lampédouse, un îlot désert, non loin de Malte, que le roi de Naples était prêt à leur concéder.

« Personne n'a pu survivre à Lampédouse, observa la Sinjura, en raison des incursions barbaresques.

— Il suffit de la fortifier. »

Les Anglais étudièrent le projet, firent la moue. Décidément, cette Lampédouse n'était pas digne d'eux.

Le courrier apportait des nouvelles de plus en plus inquiétantes. A Paris, Bonaparte avait convoqué l'ambassadeur du roi George, lui faisant une scène à tout casser :

« Milord, j'aimerais mieux vous donner la butte Montmartre, que de vous laisser Malte. »

Allait-on vraiment recommencer la guerre pour un rocher ? Le bailli Merveilleux le déplorait à haute voix. Mais on le sentait ravi de voir sa Malte chérie devenue le centre du monde.

Restait une petite chance : si la Russie acceptait d'envoyer deux ou trois régiments à Malte, les Anglais pourraient partir rassurés. L'île se trouverait préservée d'un éventuel coup de main français. Là-bas à Pétersbourg, Giulio Litta travaillait en ce sens le jeune souverain, qui avait pourtant fait serment de ne point s'embarquer dans des aventures.

Les nuages du printemps de 1803 se promenaient lourdement sur le détroit de Sicile. Le bailli Merveilleux déplaçait avec précaution son vieux corps perclus de douleurs. La Sinjura soignait ses oliviers.

Soudain, un Vial haletant et radieux fit irruption à la villa Bettina.

« La Russie envoie une garnison. L'île est sauvée. »

Après Antoine junior, une petite fille est arrivée au foyer de Lucija. Déjà, un troisième enfant se forme en son sein. Car c'est ainsi, à Malte. Dieu et les maris veulent que l'on soit féconde. S'il ne reste plus de place sur le rocher, Dieu répandra les Maltais dans le monde entier.

Le menuisier Carbott en éprouve tant de fierté qu'il devient presque gentil. N'allez pas lui dire que ce bambin blond n'est pas de lui, il vous arracherait les yeux.

A tous les vents, à tous les soleils, Lucija bat son linge. Elle frotte les chemises de Carbott et les langes des bébés. Toujours, elle a aimé travailler le linge. Et cette fois, de plus, c'est le sien.

Un beau jour, on a la surprise de revoir Pinu : le petit frère, le vaurien devenu mousse, Filippinu Buhagiar. Parti vers l'Égypte avec les Français, il revient par Gibraltar avec les Anglais. Grandi, forci, bruni, arborant un sourire vainqueur. Il a fait le tour de l'Afrique, oui messieurs dames. Il a vu des tempêtes, des baleines, des perroquets et des négresses. Au sujet des négresses, n'écoutez pas trop ses vantardises.

Mais ce n'est qu'une escale. Pinu participe à une expédition anglo-turque qui va reprendre l'Égypte aux Français.

« Reste ici, supplie Lucija. Il ne faut pas tenter le sort deux fois. »

Déjà, dans ses songes, elle voit Pinu maniant un grand sabre, blessant un malheureux Saint-Ex désarmé.

« Et ma paye ? réplique Pinu.

— Il y a la peste en Égypte.

— Nous mourrons tous un jour », dit Pinu avec un sourire brave.

Après un mois ou deux, on reçoit quelques lignes, écrites pour son compte par un camarade plus lettré. La grande armée anglo-turque n'est encore parvenue qu'à Rhodes. Elle n'en finit pas de se rassembler. Ne serait-ce donc qu'une hâblerie ?

Encore quelques semaines, et un vaisseau britannique ramène à Malte le corps du grand général anglais, Kombi [1]. Il y a donc eu bataille. Les Anglais prétendent l'avoir gagnée. Mais si leur grand chef a été tué, c'est qu'ils l'ont perdue, non ? Damnés menteurs.

Et puis voilà des prisonniers français qui rappliquent, par bateaux entiers. Ainsi, les Anglais avaient raison. Les Français

1. Abercromby.

se sont rendus. Ils ne touchent Malte que le temps de ravitailler les navires.

Sa petiote dans les bras, Lucija leur parle à travers la barrière de quarantaine. Certains comprennent l'italien.

« Exupéry ? Un grand brun, si je me rappelle bien. Il a été promu colonel. Maintenant il est en France. »

Rentré au bercail, sans même s'arrêter pour dire bonjour !

« Saint-Exupéry ? répond un autre. N'est-ce pas celui qui s'est fait mahométan pour épouser une mouquère ? »

La malheureuse Lucija ne sait plus que penser. Un espoir encore : Alexandrie continue de résister. Antoine se trouve sûrement à Alexandrie, faisant le coup de feu, ranimant les courages. S'il n'en reste qu'un, il sera celui-là.

Alexandrie tombe à son tour. De nouvelles cargaisons de prisonniers passent par le port de Malte.

« Prisonniers ? s'indigne l'un d'eux. Pas du tout. On nous a laissés libres à condition de quitter l'Égypte. »

Antoine est inconnu au bataillon.

Bientôt, une heureuse rumeur se répand. Malte est rendue aux chevaliers, les grands rois de l'Europe en ont décidé ainsi. Antoine va quitter ce fou de Bonaparte, remettre son habit rouge et reparaître à l'Auberge de Provence. Alleluia.

« A bas les chevaliers, s'insurge le menuisier Carbott. Ils ont vécu comme des frelons et sont partis comme des lièvres. Les Anglais, au moins, voilà des hommes. Vive le roi George ! »

Il dit cela uniquement pour contrarier son épouse. Mais les chevaliers ne viennent toujours pas. Et les Anglais, eux, sont plus présents que jamais.

Subrepticement, le curé Buhagiar, l'oncle tutélaire de la famille, est passé de leur côté. C'est un signe qui ne trompe pas. Lucija ravale ses pleurs et pouponne ses gosses.

Et alors les années passent, très vite, comme si le sablier était devenu fou. Des années pleines de petites choses, et d'enfants qui grandissent. Des années sans rien qui brille, ni qui fasse battre le cœur.

Quarante officiers français sont détenus au palais du Bosquet, l'ancienne résidence d'été des grands maîtres, abandonnée par Rohan. C'est à plusieurs heures de marche. Lucija s'y rend à dos de mulet, engage la conversation par les trous de la palissade.

L'un des captifs la prend pour une fille de joie. Saint-Exupéry ? Quel est cet animal-là ?

Loin d'ici, Pinu est mort de la fièvre quarte, à bord d'une frégate britannique. On le lui avait bien dit, de ne pas y retourner, en Égypte.

Le menuisier Carbott a cassé sa pipe à son tour. Normal, il avait au moins cinquante ans. Par bonheur, il a laissé un petit magot. Pour le faire durer, l'on se remettra à laver le linge d'autrui. Vivre, faire vivre la marmaille, et tant pis si les souvenirs pleurent le soir au fond du lit.

« Ma fille, conclut Dun Rokku Buhagiar en fronçant ses gros sourcils, nous ne sommes pas sur terre pour nous amuser. »

***

On n'y voyait goutte. Ferdinand de Hompesch referma sans bruit la porte de sa demeure et, d'un pas hésitant, contourna le pâté de maisons. Un chapelain maltais lui montrait les trous du chemin.

La voiture attendait un peu plus loin, de crainte d'éveiller l'attention.

Fuite nocturne, à cause des créanciers. Cela commençait à devenir une habitude.

Hompesch avait le cœur gros. Ses partisans délaissaient sa juste cause. Il s'en allait comme un roi Lear, abandonné de tous, sauf d'un bouffon et de quelques mendiants.

Seul, Bonaparte pouvait lui rendre justice ; le soleil de l'Europe. Bonaparte qui, en janvier 1803, lui avait fait passer mille louis, empochés sans fausse honte (puisque ce n'était jamais qu'un acompte sur les sommes dues). Bonaparte, qui ne voulait point la mort de l'Ordre, mais sa soumission.

A Turin, quand même, le voyageur fut reçu par le gouverneur Menou, ancien sultan d'Égypte. Entre rois détrônés, on se comprend.

« Pensez-vous qu'on me rendra Malte ? s'enquit Hompesch.

— Bien sûr, mon cher grand maître. Cette île papiste ne saurait vivre longtemps sous un joug protestant.

— N'oubliez pas que mon Ordre est bien malade.

— Ces vieilles choses ont la vie dure. Voyez le gouvernement mamelouk du Caire. Il aurait dû périr cent fois. A notre arrivée, il tenait encore debout.

— J'aurais aimé connaître l'Orient, dit Hompesch d'un ton mécanique.

— Que n'êtes-vous venu avec nous ! s'exclama Abdallah Menou. Vous seriez devenu mahométan, comme moi. C'est une religion meilleure qu'on ne le croit. Un grand maître sarrasin, quel prodige ! »

Hompesch voulut rire, mais ne put tirer de sa gorge qu'une sorte de hennissement. Avec avidité, il demanda au général des nouvelles des chevaliers qui l'avaient accompagné en cette terre lointaine. Le petit-neveu du cardinal, par exemple. Ou encore ce bon petit gars nommé Saintupéry.

Mais Menou ne se souvenait point d'eux. Menou, murmurait-on, délaissait son épouse égyptienne et son fils demi-égyptien, pour courir les gueuses.

Perdue, la jeunesse de l'Ordre. Bonaparte était passé comme le joueur de flûte de la vieille légende allemande. Et les enfants de Malte l'avaient suivi sans se retourner.

Alors que la voiture montait les premières pentes des Alpes, le passager aperçut des sapins dont la vue lui fit quelque bien. Ils lui rappelaient les forêts de ses petites années. C'était par cette même route que, cinq ans plus tôt, le défunt pape Pie VI s'en était allé vers son destin — puni par le ciel pour n'avoir pas soutenu le grand maître légitime. Voilà où menaient l'opportunisme et le manque de caractère.

« Toi aussi, tu seras prisonnier des Français, dit le voyageur à l'adresse du lointain Pie VII, qui l'avait trahi plus encore. Toi aussi, tu pleureras des larmes de sang. »

L'on poursuivit d'ornière en cahot, de mauvaise nuit en mauvais repas. Parfois, des contes de nourrice revenaient par bouffées dans la tête malade — ou quelques mesures de la chanson de Trudelise. Les sept nains paraissaient surgir derrière les troncs, sous la pluie.

M. de Hompesch parvint au Rhône bien las. Était-ce encore loin, Paris ? Était-ce encore loin, Bonaparte ?

« Votre Altesse, suggérèrent les familiers, pourrait se reposer durant l'hiver à Montpellier. »

La bourse était vide. L'après-midi, quand le temps le permettait, Son Altesse faisait quelques pas le long de cet aqueduc, dont les arches lui rappelaient celles de Malte.

Une heureuse nouvelle arriva quand même. Les chevaliers de France venaient enfin de recevoir leurs pensions. Avec six ans de retard, et sans les arriérés, mais c'était du bon argent. Ayant honoré ses dettes envers les simples membres de l'Ordre, Bonaparte ne devrait-il pas honorer celles qu'il avait contractées envers le grand maître ?

« On ne dit plus Bonaparte, remarqua M. de Saint-Tropez. On dit Napoléon. »

Le printemps était revenu. En route ! Hompesch se leva, vacilla sur ses jambes. On dut le recoucher.

Le joli mois de mai chantait par la fenêtre. Mais l'exilé suffoquait dans son lit. Ayant aspiré une dernière goulée d'air, il se retourna et mourut. Ferdinand de Hompesch, soixante et onzième grand maître, couvert d'escarres et de misère. Qui voudrait bien de son cadavre ?

Les Pénitents bleus de Montpellier acceptèrent de l'inhumer gratis en leur église Sainte-Eulalie. On l'avait vêtu de drap noir, avec le grand cordon en sautoir. La cérémonie fut brève. Le bailli de Saint-Tropez, premier ministre, dirigeait une poignée de servants d'armes et de prêtres.

On enterra Hompesch sous la chaire. Il n'y aurait pas de plaque, faute de finance. Saint-Trop' donna le signal de la dispersion :

« Heureux ceux qui sont restés fidèles jusqu'au dernier souffle. Et maintenant, chacun pour soi, Dieu pour tous. »

Civitavecchia, port du pape Pie VII — que Dieu lui accorde longue vie. Une barque en partance pour Malte. Des voyageurs français se présentent. Le capitaine s'interpose :

« Inutile de monter à bord. Vous seriez refoulés à l'arrivée.

— Mais je suis chevalier de Saint-Jean, s'écrie Oreste. L'île appartient à mon Ordre. Le traité d'Amiens la lui a rendue.

— Désolé, *signor cavaliere*. Les Anglais ne veulent personne de votre espèce. »

L'abbé Boyer ira donc seul à Malte. Lui, sa qualité d'ecclésiastique le protège. L'évêque de l'île l'a invité, en hommage à son érudition et à sa piété. On déploie les mouchoirs :

« A très bientôt. »

Refoulant son chagrin, Oreste rejoint la petite cour du grand maître Jean-Baptiste Tommasi, en Sicile. Il aurait préféré un chef plus prestigieux, mais on doit faire avec ce qu'on a. Comme Tommasi a soixante et onze ans, certains tablent déjà sur une succession prochaine.

« N'étiez-vous point vaguement homme de lettres, Oreste ? »

On lui confie la correspondance diplomatique en français. Messine, ville blessée, mal remise du tremblement de terre qui l'a jetée bas voici vingt ans. Heureusement, Tommasi y dispose des installations du grand prieuré de Sicile : un palais, une église. Situation bien commode. Au fond, ce Jean-Baptiste, est-il si pressé de remettre le pied à Malte, où tant d'ennuis l'attendent ?

Réunie en l'église de l'Ordre à Messine, une assemblée de chevaliers prononce la dissolution des trois Langues françaises. Il faut bien appliquer la paix d'Amiens ! Par délicatesse, les dignités des piliers français et des grands prieurs français ne sont pas supprimées — simplement réunies à la couronne du grand maître. Oreste sent les larmes lui couler le long des joues.

« Consolez-vous, c'est la condition d'un plus grand bien », lui dit l'abbé Boccadifuoco, compositeur attitré de Son Altesse. L'abbé fignole une cantate avec cymbales et trompettes, pour le retour de l'Ordre en son île.

Oreste correspond avec le général Vial, qui se démène pour éliminer les Anglais. Mais parallèlement, Tommasi écrit aux souverains de Naples, pour leur faire part de sa soumission.

« Soumission ? » gronde Oreste.

Le nouveau chef de l'Ordre veut mettre toutes les chances de son côté.

Calamiteux printemps de 1803. Bientôt arrive le général Vial, chassé de Malte et furieux. L'offre d'une garnison russe n'a pas suffi à arrêter la course à la guerre, déjà trop engagée. Comme il a l'air fatigué, soudain, et découragé, Jean-Baptiste Tommasi ! Pour ranimer sa flamme, le général Vial lui promet un subside de Bonaparte. On le remercie poliment, mais on n'y touchera point. Question d'honneur.

Un réconfort plus sérieux arrive durant l'été, par deux voyageurs venus de Russie : le commandeur de Monclar, un vieux briscard qui a fait tous les métiers, y compris la direction d'un arsenal à Constantinople ; et le commandeur Vincent Raczynski, le Polonais, qu'Oreste connaît de longue date.

Au temps de Paul Ier, Raczynski avait reçu une opulente commanderie russe. Il l'a conservée. C'est un homme arrivé. Il n'a plus son expression tourmentée. Joue-t-il encore de son violon magique ?

Les deux voyageurs apportent l'hommage des grands prieurés russes, et les insignes du pouvoir, ceux-là même que Paul avait extorqués au lamentable Hompesch. Oreste ne nourrit point trop d'illusions. La protection russe n'est plus que de courtoisie.

De leur côté, les Anglais n'apprécient guère ce remue-ménage. Ils font pression sur les souverains de Naples. Fin août, Tommasi et sa suite sont priés de se replier vers Catane, ville moins fréquentée. Un duc leur prêtera son palais, sur une place plantée d'arcades grecques.

« C'est une infamie », dit Oreste.

Mais Son Altesse goûte les charmes du jardin. On noircit du papier, pour faire croire qu'on existe encore. On est de moins en moins nombreux, car le Bourbon de Madrid, obstiné dans sa sécession, a rappelé les chevaliers espagnols.

« Venez donc à Rome, écrit le général Vial.

— Allons plutôt à Corfou, dit Oreste. Auprès du drapeau russe. »

Pour sauver une nouvelle fois l'Ordre de Malte, il faudrait un bienfaiteur, un paladin. Jamais lassée, la Providence accepte d'en susciter encore un. C'est le jeune roi de Suède, l'ardent rouquin, celui même qui avait refusé la main d'une princesse russe. A présent, il ne rêve que de chevalerie. Un autre Paul Ier, en plus gentil. Il a d'ailleurs été à l'école dudit Paul, qui lui a donné le goût de l'Ordre de Saint-Jean, en le conviant à une cérémonie, durant un voyage pétersbourgeois.

A juste titre, le roi de Suède estime que l'époque a besoin des hommes de Saint-Jean. Il dispose précisément d'une grande île, agricole et boisée.

« *Je vous concède Gotland,* écrit-il. *Vous me verserez une redevance, pour compenser le revenu que j'en tire actuellement.*

La bannière suédoise flottera au côté de la vôtre. Pour le reste, vous serez maîtres des lieux. »

Un luthérien, assurément. Pourquoi pas, puisqu'on a déjà eu un orthodoxe ?

« C'est inespéré, dit Oreste.

— Oui, mais c'est bien loin », lui répond-on.

Par la force des choses, l'équipe dirigeante de l'Ordre est à présent italienne. Ces messieurs n'ont guère envie de quitter les vergers et les cyprès de Catane. Venu de Russie, le commandeur de Monclar ajoute un argument politique :

« Regardez la carte. S'il nous confie Gotland, c'est qu'il craint que les Russes ne la lui prennent. Il va nous brouiller avec les Russes !

— Gardons-nous d'accepter cette île des Goths, conclut le bailli Miari, car on en tirera prétexte pour ne jamais nous rendre Malte. »

L'argument ne manque pas de pertinence. Déçu, Oreste écrit à Paris pour bénéficier, comme ses camarades, d'une pension de Bonaparte. Mais pour cela, il faudrait résider en France.

Sur ce, le bon Tommasi passe l'arme à gauche. On vous l'avait bien dit, qu'il ne durerait pas longtemps !

Sa couronne fantomatique éveille autant de convoitises qu'une vraie. En cet été de 1805, trente-six chevaliers se réunissent dans l'église de l'Ordre, à Catane. Ancien chef de la chancellerie italienne des grands maîtres Rohan et Hompesch, le bailli vénitien Miari ramasse neuf voix. Cinq voix seulement se portent sur le Napolitain Guevara, personnage assez pâle, qui exerce l'intérim du grand maître. Tous les autres, soit vingt-deux, votent pour un de ses compatriotes, Caracciolo de Saint-Érasme.

« Caracciolo, dites-vous ? N'est-ce pas un cousin de ce fâcheux amiral ?

— Certes, mais on n'a rien à lui reprocher. D'ailleurs la Russie le soutient. »

Du coup, la France met son veto. Car le temps n'est plus où l'entente franco-russe décidait du destin de l'Ordre. Les Français lancent une petite campagne contre Caracciolo, à l'aide des arguments les plus inattendus. Il n'a que quarante-quatre ans ; sa mère est encore en vie. Or « jamais grand maître n'a eu sa mère ».

« Caracciolo a été élu, protestent Oreste et ses camarades. Si on l'écarte, nous irons avec lui à Pétersbourg, et nous formerons un gouvernement.

— Allez plutôt en Suède ! » se moquent leurs adversaires.

Prudemment, l'Ordre renvoie au pape le soin d'arbitrer entre les trois noms. En attendant, les Anglais tiennent Malte, et plus que jamais. Pour décourager une attaque française éventuelle, ils acheminent des renforts depuis Lisbonne.

Fin 1805, alors que le sort de l'Europe se joue dans les collines de Moravie, le pape rend un bref confirmant le pâle Guevara dans ses fonctions de lieutenant. Il exerçait déjà l'intérim du pouvoir, il continuera. Pour élire un vrai grand maître, attendons un consensus suffisant.

Déjà, l'Ordre n'avait plus de territoire. A présent, la voilà sans chef.

Elle avait bien changé, cette bonne île. Elle devenait l'entrepôt de la contrebande européenne. Napoléon ayant interdit le continent aux marchandises anglaises, cette camelote entrait à La Valette sur de gros navires (au risque, il est vrai, d'être parfois saisie par un corsaire tricolore). Puis, par mille petites embarcations, elle gagnait les criques de la Calabre, les plages des Pouilles, les chenaux de Dalmatie...

A ce régime, inutile de le dire, les Maltais s'enrichissaient. Voilà qui les changeait agréablement des dernières années chevaleresques. Elle avait du bon, la domination britannique ! L'un après l'autre, les nostalgiques de l'Ordre s'éteignaient. Et notamment l'évêque, ce vieil admirateur de Bonaparte. On allait pouvoir le remplacer par un chanoine plus malléable.

Sur les frontons, sur les fontaines où s'étalaient naguère les armoiries de l'Ordre, les Anglais avaient mis le lion et la licorne. Près du Bourg, où la Sinjura prenait ses quartiers d'hiver, ils démolirent la villa Bighi, une bien jolie propriété, pour y édifier un hôpital naval, en observance d'un vœu de Nelson.

« Maman, dit la pauvre veuve Angelina en tamponnant ses yeux larmoyants, je suis pour les Anglais.

— Moi aussi, mon ange, dit la Sinjura Bettina. Tout le monde est pour ceux qui nous ont rendu la tranquillité. »

Certains l'accusaient d'être une girouette. Elle avait soutenu l'Ordre, puis les républicains français à leurs débuts, puis Sa Majesté britannique. Toujours du côté du manche, cette Bettina ! Peu lui importait. Elle restait fidèle à elle-même.

Étrange et nouvelle île de Malte. Autrefois, il n'y avait que deux ou trois juifs, que l'on montrait du doigt. D'autres étaient venus, attirés par le commerce. Mais ils n'osaient se risquer à la campagne, où les paysans leur jetaient des pierres.

Impavide, le capitaine Ball régnait. Longue figure de brique, surmontée de quelques mèches. Il avait forcé l'estime des îliens par son dévouement, sa ténacité, sa ruse. En vérité, c'était lui, le nouveau grand maître.

Un beau parti, saperlotte, pour la malheureuse Angelina, qui se desséchait comme une plante sans eau. Visiblement pauvre, le capitaine Ball aurait été bien avisé d'épouser l'une des plus grosses fortunes de l'île. Sans compter les appuis familiaux qu'il pouvait acquérir ainsi.

« Mon père, est-ce péché, pour une catholique, d'épouser un protestant ?

— Si c'est inévitable, l'Église y consent, à condition que l'épouse conserve sa foi catholique, et la transmette à ses enfants. »

La Sinjura donna une petite fête en sa villa, pour le capitaine Ball. Parlant un italien assez convenable, il eut le bon goût de s'extasier sur les merveilles du lieu. Elle le fit monter à sa tour, la fameuse tour qui scintillait aux derniers rayons du soleil. Le capitaine baisa la main d'Angelina à l'arrivée, et au départ.

« Le capitaine Ball est bel homme, décida la Sinjura.

— Il est bel homme », répéta la geignante Angelina.

Mais quelques jours plus tard, les deux femmes reçurent la visite narquoise de la marquise de Gnien-is-Sultan — une jalouse :

« Ma pauvre Bettina, vous n'y pensez pas ! Le capitaine Ball est marié. Il a laissé une épouse et un fils en Angleterre. Je le tiens de source sûre. »

Non contente de son trafic de marchandises, Malte se trouvait aussi au centre d'un trafic de soldats. Les troupes anglaises arrivaient de Gibraltar, poussaient vers l'Égypte, repartaient vers Minorque ou la Sicile. Malte était leur camp de transit, leur terrain d'instruction, leur lieu de repos. L'on vit ainsi passer le régiment suisse de Watteville (naguère au service du roi de France), les chasseurs britanniques (dont tous les officiers étaient français), le régiment de Dillon (même remarque), les chasseurs corses, le régiment de Sonnenberg. Albion avait le génie de recruter ses guerriers dans les endroits les plus impossibles.

Seul le régiment de Froberg causa des ennuis. Un ramassis d'Esclavons, de Monténégrins, voire de bachi-bouzouks. Un jour, le régiment de Froberg tira le canon, arbora le drapeau russe. Le tsar avait-il encore des visées sur l'île ? Sédition vite matée, heureusement. Les meneurs furent pendus, le colonel dut chercher fortune ailleurs.

Soucieuse de comprendre comment le système avait pu connaître une telle défaillance, la Sinjura mena son enquête. Ce Froberg, que l'on croyait allemand, donc de tout repos, était en réalité français. Alsacien plus précisément ; il traduisait son nom en Montjoie. De surcroît, un ancien chevalier de Saint-Jean. Pour couronner le tout, il avait fait partie de l'entourage du duc d'Orléans, Philippe-Égalité, de détestable mémoire. Les Anglais s'étaient fait avoir. Mais on ne les y reprendrait pas de sitôt.

« Ma fille, conclut l'enquêteuse, ne nous occupons plus de politique. Travaillons au salut de nos âmes. »

Tous les matins, messe à Saint-Laurent-du-Bourg, ou en l'église de Gudja. Tous les soirs, vêpres ou salut. Leurs vies tremblotaient comme deux bougies, dans une obscurité divine.

« Ô Marie, murmurait la Sinjura, vous m'avez laissé vivre trop longtemps. Vous m'avez laissé être une femme ambitieuse, autoritaire, rangée dans ses mœurs mais désordonnée en esprit. »

Scrupuleusement, elle pesait et repesait son passé. Elle avait aimé un grand maître, sans rien demander en retour, ou presque. Peut-être cela serait-il compté à son crédit, là-haut, par-delà les convenances. Elle avait aimé Angelina, cette molle créature ; beaucoup trop aimé. Elle avait aimé le petit bâtard de Rohan...

« Ô Marie, je ne suis devant vous que ce peu d'amour que j'ai eu. »

Et Marie semblait acquiescer, semblait comprendre. Marie, autre victime de la dureté masculine, en l'occurrence celle de son propre fils.

Sans se lasser, les deux femmes visitaient les pauvres de Malte. La Sinjura aurait voulu leur distribuer ses richesses — acquises par l'avidité de plusieurs générations d'hommes d'affaires. Mais c'était à Angelina, héritière de tout cet or, d'en fixer la destinée.

Et soudain la peste, comme pour punir cette Malte trop opulente. La peste, qu'on n'avait pas vue depuis cent trente ans. La sévérité de la quarantaine, croyait-on, rendait l'île invulnérable. Mars 1813 : le brick *San Nicolo* arriva d'Alexandrie. Des symptômes furent identifiés à bord. On renvoya le brick, mais trop tard.

De nombreuses familles s'enfermèrent. La Valette et ses faubourgs furent quadrillés de palissades, et il fallut montrer patte blanche pour passer d'un secteur à l'autre. Les agents de la force publique lavèrent les murs à la chaux, trempèrent les pièces de monnaie dans du vinaigre. Les églises, que Dieu nous pardonne, avaient été fermées. Des affiches invitèrent les habitants bien portants à dénoncer les malades clandestins. Identifié par ce moyen, un cocher pesteux passa devant le peloton d'exécution. Les fonctions d'infirmier et de fossoyeur étaient réservés aux prisonniers de droit commun ; malheur à vous si vous tombiez dans leurs griffes.

La Sinjura et sa fille se sauvèrent à la campagne. Au village du Gudja aussi, la peste avait frappé. Les deux femmes ne voyaient personne, sauf leurs domestiques, et un prêtre qu'elles séquestraient à domicile.

Un matin enfin, entre le credo et la préface, Dieu voulut bien révéler à Mme la marquise de Xrobb-il-Ghagin la vanité de ces petites précautions.

« Ma fille, s'écria-t-elle, allons soigner les pestiférés. »

Elles se dévouèrent jusqu'à la limite de leurs forces, changeant les paillasses infectées, pressant sur les bubons des linges imbibés de vinaigre. Chaque jour, on les vit dans ces cabanes que l'on avait édifiées dans les fossés, pour abriter les sursitaires de ce monde. Les détenus de droit commun avaient été remplacés par des prisonniers de guerre français ou italiens, avec promesse de liberté à la fin de l'épidémie, pour le cas où ils en réchapperaient.

Bientôt imitée par sa fille, la Sinjura baisa les mourants au front.

« Vous êtes folles, toutes les deux !

— Folles, non pas. Nous sommes mortes depuis longtemps. »

Le mal glissait sur elles comme une eau claire. Elles espéraient le martyre chrétien, et n'obtenaient qu'une insolente santé.

Au début de 1814 enfin, le fléau s'apaisa. Malte lécha ses plaies, compta ses morts : il y en avait quatre mille six cents. Là-bas, de l'autre côté du détroit, dans les plaines d'Europe, les armées continuaient de s'entre-tuer, mais une grande lueur annonçait la paix.

Saisie de tremblements, la Sinjura se mit au lit. Allons, ce n'était qu'une petite fièvre.

Incoulable île de Malte. Insubmersible Bettina.

Boitillant dans les rues de Londres, le chevalier Louis de Boisgelin s'en vient visiter son vieil ami le chevalier Louis-Philippe de Sade.

Louis de Boisgelin a bien travaillé pour la cause. Il a écrit trois volumes sur Malte, ses monuments, ses chevaliers. Et en anglais, s'il vous plaît ; pour que les gens d'ici soient saisis d'un remords d'avoir volé cette île.

Sur les événements récents, l'auteur s'est montré discret. Moyennant quoi il a pu être traduit et publié en français par un ami de Marseille. Mais il ne remettra jamais le pied en France, tant que l'ogre corse y fera la loi.

Sa pitance assurée, vaille que vaille, par une méchante pension britannique, il consacre ce qui lui reste de vie à des travaux de plume. Après Malte, il a raconté, toujours en anglais, ses voyages aux pays du Nord. Il prépare un traité sur l'art culinaire des Romains.

« Vous vous dispersez, mon cher, dit le chevalier de Sade. Vous êtes un tiède. Moi, je n'ai jamais rien concédé. »

Si Boisgelin est allé combattre les idées nouvelles en Corse, Sade est allé les combattre jusqu'en Égypte. Lui aussi, il écrit. Un fatras, où s'emmêlent la philosophie, la politique, la science des marées, et le Mississippi qui, à l'en croire, coule plus vite la nuit que le jour.

« Mon bon Boisgelin, tout ce que nous endurons depuis des années est contraire à la logique. La carrière de Bonaparte aurait dû se briser sur le rocher de Malte. Ah, si l'Ordre avait bien voulu résister quelques jours... »

Aucun des deux amis, hélas, ne s'y trouvait à la date fatale.

Lourd de cette vérité, l'ancien capitaine de grenadiers s'en revient en clopinant dans les rues de Londres. Ce fou de Sade a raison. Tout aurait dû se passer autrement. Lui, Boisgelin, a retracé l'histoire réelle. Reste à raconter l'histoire logique.

Il s'assied à sa petite table, taille sa plume :

Galvanisés par les paroles du grand maître, les chevaliers se portèrent aux remparts. La campagne maltaise, difficile à défendre, fut laissée aux troupes de Bonaparte. Mais l'on prit soin, auparavant, de faire entrer dans les murs force têtes de bétail, et le meilleur des milices indigènes.

Débarqué sans coup férir, Bonaparte se rendit vite compte de la fragilité de sa position. Qu'allait-il devenir, si la flotte anglaise surprenait ses navires à l'ancre, sans l'abri d'aucune jetée ?

Bonaparte se fit apporter son artillerie de siège, et ses échelles de siège. Après une préparation rendue trop courte par la hâte, un assaut fut lancé sur la Floriane. Il échoua. Afin de récompenser, au moins moralement, les chevaliers de Bonvouloir et de Saint-Exupéry, qui s'étaient distingués au cours de cette journée, le grand maître créa pour eux de nouvelles dignités in partibus infidelium : *l'un devint commandeur de Dieudamour, et l'autre commandeur de Franchegarde, du nom de deux forteresses de Terre sainte.*

Les jours suivants, le pilonnage reprit. Mais que pouvaient des boulets, que pouvaient même des obus, contre les énormes carapaces de pierre dont la prudence des grands maîtres successifs avait protégé la Cité-Valette ? Il eût fallu des sapes et des mines, pour lesquelles le temps manquait à l'assaillant.

« Mes enfants, s'écriait Ferdinand de Hompesch, tenez encore quarante-huit heures. »

Contre les Turcs, naguère, ils avaient tenu bien davantage.

Bientôt, des voiles parurent à l'horizon. L'on vit alors, dans le camp de Bonaparte, des mouvements contradictoires : les soldats voulaient se rembarquer pendant qu'il était encore temps ; les marins voulaient débarquer pour éviter d'être pris dans leurs bateaux. Une assez jolie confusion en résulta.

La flotte anglaise fit un grand carnage des bâtiments de transport. Quelques vaisseaux de guerre parvinrent à s'échapper, sans honneur et sans gloire.

A terre, l'armée républicaine se voyait condamnée. Elle préféra se rendre à l'Ordre plutôt qu'aux Anglais, espérant un meilleur sort. Quant au vainqueur d'Arcole, ne pouvant survivre à un tel désastre, qui mettait de toute façon un terme à ses ambitions dévorantes, il avala le sachet de poison qu'il portait toujours sur soi, et expira incontinent.

« Toujours à refaire le monde ! » plaisante Giulio Litta.

L'ex-commandeur de Bray se lève, baise galamment la main de la comtesse Litta. Après quelques changements d'employeur, il représente la Bavière à Pétersbourg en qualité de ministre plénipotentiaire. Une auréole est restée sur sa tête : Malte aurait été sauvée, si Hompesch avait pris au sérieux certaine dépêche envoyée par ses soins.

A la même table siègent le ministre de Sardaigne, infatigable pourfendeur de révolutions, et un sénateur russe assez corpulent. Tous les trois, soir après soir, ils édifient une société meilleure, bâtie sur le mode chevaleresque, et placée sous l'autorité du pape. De ces soirées sortira un livre, qui ne manquera pas de faire date.

« Pourquoi les athées remportent-ils tant de victoires ? s'étonne De Bray.

— Parce que leurs adversaires manquent de foi », réplique le Sarde.

Se tenant par le bras, le comte et la comtesse Litta poursuivent le tour de leurs invités. Voici M. de Raczynski et son épouse. D'origine allemande, et peu à l'aise dans le monde, elle rougit, plonge dans une révérence. Lui-même n'est plus le jeune homme pensif qui courait l'Europe à cheval, avec des dépêches serrées sur son cœur ; mais un père de famille respectable. Seule trace du passé : ce titre de commandeur qu'il continue de porter comme un remords.

« Mon cœur, chuchote Giulio Litta à l'oreille de son épouse, il est encore amoureux de vous. »

La belle Catiche sourit sans répondre. Tant d'hommes ont été, sont ou seront amoureux d'elle.

Le comte P... par exemple, qui, comme son compatriote Raczynski, a eu deux chevaux tués sous lui : l'Ordre de Saint-Jean et la Pologne. Devenu sujet russe, il s'en veut de cette défaite, et ricane sans fin au spectacle des fêtes.

« Quelle œuvre nous préparez-vous ? » demande aimablement Giulio.

Le jour, le comte P... étudie les mœurs des habitants du Caucase, et la nuit, toujours dans la langue de Voltaire, il compose des histoires pleines de bandits, de squelettes et de spectres.

Les époux Litta ont gagné les jardins. Une brise insouciante caresse les branchages.

« Iékatérina, dit-il, tu es la plus jolie, et mon cœur ne bat que pour toi. »

Dans la société de Pétersbourg, qui n'est point spécialement vertueuse, ils forment un couple modèle. Jamais l'un n'a trompé l'autre. Oui, malgré les rides naissantes, ou à cause d'elles, ils s'aiment encore.

Et Giulio a bien besoin de cela, car l'Ordre, son autre amour, n'est presque plus rien : quelques commanderies qui végètent en Bohême ou en Sicile. Partout ailleurs, les souverains ont fait main basse sur ses dépouilles. Le tsar Alexandre s'est lassé d'entretenir, à prix d'or, les deux grands prieurés hérités de son père. Mais ces messieurs — généraux russes, amiraux russes, anciens ministres ou princes — continuent de se réunir comme des gosses, et de jouer avec leurs décorations.

Ils s'offrent même le luxe de soutenir le grand maître Caracciolo de Saint-Érasme contre l'usurpateur Guevara. Vains efforts, à cette distance. Profitant de la confusion, l'inénarrable Maisonneuve a vendu quelques croix de Malte à des Russes fortunés. Giulio est invité à clarifier les comptes. Lui qui voulait être le sauveur de l'Ordre, il en sera le liquidateur.

Quant à Notre-Dame de Philerme, l'icône merveilleuse offerte aux chevaliers par le sultan, elle a été enlevée de l'église de l'Ordre, à Gatchina, où Paul Ier l'avait déposée, pour prendre place dans la chapelle du palais impérial. Notre-Dame n'est plus maltaise, mais russe, tout simplement.

Giulio se console en consacrant le meilleur de ses soins à la gestion de la fortune conjugale. Catiche dépensait trop. Pas plus de deux cents domestiques, ma mie. Et changez-moi ces régisseurs ! Les époux Litta montent des tissages, créent des tanneries de cuir de Russie, ouvrent une mine de potasse. En quelques années, ils auront remboursé trois cent mille roubles de dettes.

« Nos terres », commence à dire Giulio.

Il ferraille en justice contre les frères Vorontzoff, et leur reprend un domaine. Jolie revanche sur ces suppôts de l'Angleterre, qui ont tant fait pour la perte de Malte. Les deux petites Skavronski profiteront de tout cela.

Or voici que Napoléon envahit la Russie, avec une armée de vingt nations.

« Qu'allez-vous faire, mon cher De Bray ? s'enquiert Giulio. Rentrer en Bavière ? »

La Bavière est l'une des vingt nations assaillantes. Mais Mme de Bray se trouve être balte, et donc sujette du tsar.

« Je me retire de la diplomatie, dit l'ancien commandeur. J'irai vivre sur les terres de ma femme. »

Écoutez bien. Si Gabriel de Bray, célèbre pour son flair, refuse de rester sous l'étoile de Napoléon, c'est qu'elle n'est pas si brillante que l'on croit.

Et pourtant, Napoléon dévore des centaines de lieues russes, il menace Pétersbourg, il atteint Moscou. L'ancien rival de Giulio, l'imprévisible Fiodor Rostoptchine, incendie la cité dont il avait la garde.

« De tout cela, dit douloureusement Giulio, un nouvel ordre finira bien par naître.

— Toujours des ordres ! » proteste la comtesse Catiche.

***

Adieu to Malta

Adieu, thou damn'dest quarantine
That gave me fever and the spleen[1]*...*

Lord Byron,
de passage à Malte (1810)

*
**

Le prince Camille n'a pas voulu rentrer en France.

Il ne s'est pas rendu davantage à Pétersbourg, où il devait se justifier de sa conduite peu énergique, durant la prise de Malte par les Français. « Quand on porte le nom que je porte, a-t-il simplement répondu, on ne saurait être un lâche. » Et il s'est fixé à Vienne. Car l'Autriche, si dure pour la plupart des émigrés français, s'est montrée généreuse envers les Rohan.

Appuyé au bras de sa nièce, le prince longe les charmilles et les buis taillés. Il porte encore beau, mais il se fait vieux, Camille le magnifique.

Sa nièce, elle, est restée une forte femme : Charlotte de Rohan-Rochefort, épouse secrète d'un Condé fusillé sur ordre de Bonaparte. Une vestale.

« Bientôt la paix, murmure-t-elle. Bientôt vous restaurerez l'Ordre de Malte.

— Les Langues françaises n'existent plus, gémit le prince en se balançant sur ses jambes enflées. Le traité d'Amiens les a supprimées.

— Un traité sans valeur. Il faudra recréer ces Langues. Et qui le pourra mieux que vous ? »

Des gamins jouent au toton dans les allées. L'enfance du monde n'a jamais entendu parler de l'Ordre de Malte.

« Je suis un homme usé, dit Camille.

— Vous avez un nom », réplique l'inflexible Charlotte.

Ralliez-vous à ce panache blanc. Et repartons pour quelques siècles de chevalerie.

1. Adieu, sacré quarantaine
Qui m'as donné mal à l'âme et la fièvre...

Le Congrès s'amuse. De jolies femmes dansent au bras des diplomates, à moins qu'elles ne préfèrent les militaires. L'on sert du punch brûlant, et de l'eau de chicorée glacée. Les meilleurs violons de Vienne bercent les cœurs d'une langueur jamais monotone.

Aux embrasures des fenêtres, des couturiers sans scrupule recousent la carte de l'Europe. Que feront-ils donc de Malte ?

Maître des cérémonies de la cour impériale de Russie, Giulio Litta accompagne à Vienne son maître le tsar Alexandre. Et le comte Vincent Raczynski, sans mandat particulier, accompagne son ami Giulio Litta.

« Qui représente ici notre cher Ordre ? » demandent-ils dès leur arrivée.

Les gens de Catane ont envoyé une petite délégation dirigée par le bailli Miari : un grincheux, qui se console mal de n'être point grand maître.

« Et les chevaliers français ? Où diable se cachent-ils ? »

Rentré à Paris, le prince Camille leur a insufflé une nouvelle ardeur. Son hôtel particulier de la rue du Mont-Blanc est devenu leur quartier général. Il a même trouvé du fric, vous ne devinerez jamais où : la Langue de France ayant jadis prêté des fonds à Louis XVI pour sa fuite vers Varennes, Louis XVIII a bien voulu rembourser la dette.

Camille et ses amis répandent dans toute l'Europe des opuscules énumérant les raisons de rendre Malte à l'Ordre. Tâche assez simple ; il suffisait de démarquer les brochures que l'on avait diffusées vers 1792 afin de sauver les commanderies françaises.

Mais Miari, ô malchance, n'aime point les gens de cette nation. Il se souvient trop de leur ancienne domination, dans les palais de La Valette. Ayant appartenu à deux républiques nobiliaires, celle de Venise et celle de Malte, il les a vues tomber l'une et l'autre sous les coups des Français. On comprend un peu sa hargne.

Bref, Miari a expliqué aux envoyés de Camille que le traité d'Amiens avait supprimé leurs Langues. Miari a pratiquement chassé les Français de Vienne. Ainsi, à l'heure où se joue leur dernière chance, les chevaliers trouvent encore le moyen de se disputer.

Consterné, Giulio Litta laisse échapper le petit animal fétiche qu'il avait rapporté de Russie dans ses bras : Mme Clorinde de Rohan, aujourd'hui grand-mère, et aveugle. Clorinde aime les parfums ; elle se réfugie sous la robe d'une dame.

« Moins nous aurons de Français parmi nous, coupe Miari, plus nous aurons de chances qu'on nous rendre notre île.

— N'y comptez pas, dit Giulio. Les Anglais y ont pris goût.

— Alors, qu'on nous en baille une autre. La Méditerranée n'en manque pas. »

Plus d'une fois, les chevaliers présents à Vienne en ont fait le tour, dans leurs folles pensées. Il y a Rhodes, bien sûr, ancienne patrie de l'Ordre. Mais c'est un gros morceau. Il y a les Cyclades, il y a les Sporades, il y a les douze perles du Dodécanèse. L'ennui, c'est que tout cela appartient aux Ottomans.

« Que les puissances européennes fassent pression, rabâche Miari. Le Grand Turc sera bien contraint de lâcher quelque chose. »

Jusqu'à présent, le Grand Turc n'a dû son salut qu'aux dissensions entre lesdites puissances. Unies, elles sont de force à se faire entendre.

« Nous devrions réclamer Gotland », plaisante quelqu'un.

Giulio se détourne. De crainte d'encourager de faux espoirs, il garde par-devers lui la dernière indication du tsar Alexandre : « Je veux bien intervenir pour l'Ordre, à condition que mon cousin d'Autriche en fasse autant. »

Justement, une porte s'est ouverte. Un personnage chenu, constellé de décorations, avance en trottinant sur le parquet trop ciré. C'est le feld-maréchal von Colloredo-Waldsee, l'homme que l'on a chargé de sonder l'empereur François. Il a été ministre. Il dirige le grand prieuré de Bohême, mais depuis si longtemps qu'il a tendance à y borner son horizon. Pourquoi conquérir des fiefs dans la lune, alors que mon grand prieuré tourne rond ?

Apercevant trop tard le groupe des chevaliers, Colloredo tente de l'éviter. Litta court après lui jusqu'à l'antichambre, le rattrape par sa croix de Malte :

« Quelle est la réponse de l'empereur François ? »

Il doit crier dans l'oreille de son interlocuteur, car ce vieux guerrier est sourd comme un pot.

« L'empereur François, finit par avouer l'interpellé, préfère consacrer ses soins au sort de la Saxe. »

Et voilà, l'irréparable vient de s'accomplir.

Giulio revient vers ses amis sans rien dire. Mais ils se doutent du résultat.

« Pas étonnant, avec ce Colloredo ! s'exclame Raczynski. C'est le frère de feu l'archevêque de Salzbourg, celui qui traitait Mozart comme un domestique. »

Les Italiens regardent leurs souliers.

« Nous avons perdu Malte, enchaîne Giulio, parce que nous ne la méritions plus.

— Dis plutôt, réplique Raczynski, que notre époque a perdu sa chevalerie, parce qu'elle n'en était plus digne. »

Les assistants regardent au plafond.

« Qu'est donc devenu Déodat de Dolomieu ? demande un chapelain-diplomate, pour faire diversion.

— Voyons ! Il est mort voici treize ans, au sortir des geôles de Messine. »

Alors les questions fusent. Chacun veut savoir des nouvelles d'un ami, ou d'un vieil adversaire.

Certains anciens de Malte se sont joliment tirés de toutes ces aventures. Comme Giulio Litta, emmailloté dans des honneurs quelque peu dérisoires. Ou Gabriel de Bray, ambassadeur à répétition. Ou encore Mgr de Chersonèse, ex-franc-maçon de choc, en passe d'obtenir le chapeau rouge.

Mais bien des camarades manquent à l'appel. Tant de sang versé, tant de larmes, qui n'ont pas suffi à sauver l'honneur de l'Ordre !

Casimir de Dolomieu, tombé pour la défense de Lyon.

Le lieutenant de Vallin, égorgé par les Français lors de la prise de Comino.

Jean-Louis d'Andelarre, lynché par ses soldats maltais.

Abel de Loras, maréchal de l'Ordre, pilier d'Auvergne, mort de chagrin sur la côte de Sicile.

Sylvain de Bosredon-Vatange, exécuté par des émeutiers dans son jardin de la Floriane.

L'amiral Caracciolo, pendu haut et court.

Picot le transfuge et Bernis le petit-neveu du cardinal, tombés ensemble devant Saint-Jean-d'Acre, pour les beaux yeux de Bonaparte.

Théodore Lascaris, petit-fils des empereurs de Byzance, mourant de fièvre quelque part en Orient.

Gustave de Froberg-Montjoie, ancien officier français, ancien officier britannique, officier russe, abattu par une patrouille durant la campagne de 1812.

Le jeune Gédéon de Janvre, qui avait de si belles joues rouges, et dont personne n'a plus entendu parler après son départ pour l'Égypte.

Le général baron Tousard, ancien favori de Rohan, ancien jacobin, ancien serviteur de Napoléon, mort à Hambourg dans le désespoir d'avoir perdu sa femme et sa fille.

André de Saint-Simon, enlevé par la peste à Jaffa.

Charles Achard de Bonvouloir, brûlé en mer.

Antoine de Saint-Exupéry, brûlé en mer.

Pieds nus, mollets nus, les Anglais poursuivaient les chevaliers en vociférant. Les Anglais avaient entre huit et douze ans. Les chevaliers, pas davantage. Pour s'injurier de manière plus efficace, ils avaient choisi un langage commun, le maltais.

Lucija héla cette marmaille, moucha deux ou trois nez :

« Défense de jeter des cailloux. En plus, votre jeu est idiot. Jamais les Anglais n'ont combattu les chevaliers.

— Moi je veux être un Anglais, s'écria l'un de ses fils. Les Angliches, ils gagnent toujours.

— Moi, j'aime mieux être un chevalier, répliqua son frère. Les chevaliers sont les plus beaux. Les chevaliers sont les plus braves. »

Lucija s'éloigna en soupirant. Comme la vie avait passé vite ! Hier encore, sa grâce attirait les hommages. Aujourd'hui, elle n'était plus qu'une mère de famille alourdie.

Et le fils aîné, Antoine le chouchou, fils d'un chevalier français, venait de s'engager comme mousse dans la marine britannique ! Le moyen d'empêcher cela ? L'île ne pouvait nourrir tout son monde.

Heureusement, la paix était revenue en Méditerrannée. Mais plus d'un Maltais regrettait la guerre, et sa sœur la contrebande.

La nuit tombait, accompagnée d'une petite pluie. Soudain, le cœur de Lucija se serra. Il lui semblait voir, sur le rempart, des silhouettes familières. D'élégants jeunes gens y conversaient en français :

« Beau temps pour les grenouilles, mon cher.

— Beau temps pour l'ennemi, camarade. Fermez la bouche et ouvrez l'œil. »

Elle voulut escalader les marches. Déjà, les ombres s'éloignaient sur le chemin de ronde. Son sang circulait follement. Elle dut s'appuyer à la muraille. Les chevaliers du soir !

Sans souci des changements de régime, des épidémies, des tribulations du commerce, les chevaliers morts hantaient cette ville qui n'avait cessé d'être la leur. A la faveur de l'ombre, ils venaient caresser les canons abandonnés, les vestiges de leurs armoiries. Et, chaque nuit, conduisaient le navire Malte sur des mers connues d'eux seuls.

Les rois et les princes avaient décidé de se passer de leurs services. Le monde n'avait plus besoin de chevalerie. Mais personne ne parvenait à la tuer, car elle s'était réfugiée au plus profond du cœur des hommes.

Annexes

L'Ordre de Malte au XVIIIᵉ siècle

L'Ordre était une république fédérale de huit Langues. Chacune regroupait, comme le nom l'indique, les chevaliers parlant un même idiome. Cependant les Français, fort nombreux, se trouvaient répartis en trois Langues (Provence, Auvergne, France) et les Espagnols en deux.

Les chevaliers élisaient les chefs de chaque Langue (piliers), et le grand maître.

Le jeune chevalier commençait par faire ses caravanes (quatre ans de navigation entrecoupée de séjours à Malte). Puis il prononçait ses vœux. Après quelques années, il pouvait prétendre à une commanderie (domaine situé sur le continent, dont il percevait les revenus) ; il devenait donc commandeur. Plus tard, si tout allait bien, il était promu bailli, ce qui lui permettait de siéger au Conseil de l'Ordre, tout en conservant sa commanderie.

Pour plus de détails, voir *Dieu est-il gentilhomme ?*

LES NOMS PROPRES

Noms maltais

Je me suis conformé aux orthographes françaises du temps : la Floriane, le Goze... A défaut, j'ai recouru à l'orthographe moderne. Exemple : Xrobb-il-Ghagin.

Noms russes

Là encore, j'ai respecté les orthographes françaises traditionnelles (Potemkine, Rostoptchine). De même pour les finales en ff, courantes à l'époque, affectionnées encore aujourd'hui dans les milieux de l'émigration (Matzneff, Volkoff).

Dans les autres cas, j'ai utilisé une orthographe phonétique.

Pour les curieux

P. 23. *La fuite des grandes familles*

Ce phénomène, sensible à la fin du XVIIIe siècle dans les Langues françaises, ne se retrouve point ailleurs. Les grands noms germaniques (Hohenlohe), tchèques (Kolowrat), italiens (Caracciolo, Ruspoli, Pallavicini) restent présents dans l'Ordre jusqu'à la crise napoléonienne.

P. 26. *Le bailli de L.T.D.P.M.*

Pour soulager la mémoire du lecteur, j'ai remplacé certains noms par des initiales, ou des sobriquets. Ici, le bailli de La Tour-du-Pin Montauban (1751-1807), qui apparaît aussi à la fin de *Dieu est-il gentilhomme ?*, en tant qu'adversaire de Dolomieu.

J'ai emprunté ce sigle aux *Mémoires* du comte de Tilly, récemment réédités.

P. 38. *Le bailli de F...*

Il s'agit de Bruno de Foresta (1735-1817), que le lecteur a déjà pu voir comme homme à tout faire de l'Ordre à Marseille, dans le volume précédent.

P. 65. *Lascaris*

Selon la *Biographie universelle* de Michaud, il se prénommait Paul-Louis. Le romancier Jean Soublin (*Lascaris d'Arabie,* Paris, Éd. du Seuil, 1983) le baptise Jules. L'intéressé lui-même signait Théodore, sans doute pour affirmer ses ascendances byzantines (Quai d'Orsay, Correspondance politique, Malte, t. XXV, lettre de pluviôse an X). Je lui ai laissé ce dernier prénom.

P. 68. *Les démarches anglaises concernant Malte*

1795 : le Royaume-Uni offre une grosse somme pour l'usage d'une base à Malte.

1979 : il refuse de payer plus longtemps pour l'usage de cette même base.

P. 78. *La Madone Litta*

Par une ironie du sort, ce tableau attribué à Léonard de Vinci, et appartenant à la famille Litta, fut acheté en 1865 par le tsar. Il figure aujourd'hui à l'Ermitage.

P. 82. *Le retour de Giulio Litta à Pétersbourg*

A la lecture de son biographe Greppi, l'on pourrait situer cet événement en octobre 1794. Mais un examen attentif des autres sources (en particulier les *Annales* de l'Ordre) montre qu'il s'agit très probablement d'octobre 1795.

P. 101-102. *Les six concurrents pour le poste de négociateur avec la France*

Cette pagaille ne peut s'expliquer que par la baisse des facultés de Rohan. Ces six candidats étaient :

Primus, le bailli de Foresta.
Secundus, le bailli de Saint-Simon (oncle d'André).
Tertius, le fils Cibon.
Quartus, Barras, cousin de l'autre.
Quintus, le commandeur de Maisonneuve.
Sextus, le bailli d'Hannonville.

Sans compter le bailli espagnol Valdez, qui ne put semble-t-il rejoindre son poste d'ambassadeur, ou en tout cas n'y fit rien.

P. 111. *La domestique indiscrète*

Les *Mémoires* de Mme Vigée-Lebrun attestent à plusieurs reprises que certaines grandes dames russes, et notamment Skavronskaïa, faisaient coucher l'une de leurs femmes de chambre sous leur lit.

P. 128. *Le prince Camille et sa chanoinesse*

Abusée par leur apparence de gens mariés, une candide visiteuse anglaise laissa une carte adressée « au prince et à la princesse Camille ». Voir *Life and Letters of Sir Gilbert Elliot,* Londres, 1874 (t. I).

P. 136. *Le bailli Merveilleux*

Il s'agit de Jean-Gabriel des Barres (né en 1724, mort à Malte après 1803), Bourguignon, adepte de la Kabbale et du magnétisme animal, que le lecteur a déjà pu voir à l'œuvre dans *Dieu est-il gentilhomme ?*

P. 144. *Hompesch à Zabbar*

L'un des principaux commerces de cette bourgade maltaise s'appelle encore aujourd'hui le Grand Café Hompesch. On ne sait si le persécuteur des tavernes aurait apprécié un tel hommage.

P. 160. *Le spleen*
Kotchoubey avait visité l'Angleterre. Il emploie ce terme dans ses lettres, en anglais sur fond français (*Archives Vorontzoff,* t. XIV).

P. 161-162. *Les frères de Dolomieu inscrits sur la liste des émigrés*
Casimir : je n'ai aucune preuve à l'encontre de la version officielle, selon laquelle il aurait été tué par un éclat de bombe en traversant innocemment la place Bellecour, à Lyon. Mais, d'après ce qu'on sait de ses convictions et de son caractère, on le voit mal vivre le siège de la ville par les Bleus en simple spectateur.

Alphonse : les pièces attestant de son séjour à Malte de 1791 à juillet 1797 figurent à son dossier de police (Arch. nat., Paris). Mais la correspondance de Dolomieu indique qu'Alphonse, probablement marié, se trouvait en Prusse fin 1795. Force est donc de considérer ces certificats comme des documents de complaisance, obtenus à Malte par les amis de Déodat. L'époque était fertile en faux.

P. 162. *Le mariage d'Alexandrine de Dolomieu*
Dans la correspondance de Dolomieu, publiée par Lacroix, l'on voit la jeune fille se marier deux fois au même homme, et un vieux cheval mourir deux fois. Sans doute est-ce dû à une lettre datée de l'an V et lue comme de l'an III.

P. 168-170. *La dépêche de Rastatt*
Cette dépêche avertissant le grand maître est d'un ton curieusement comminatoire et prophétique : *Si vous cédiez sans vous être défendu, vous seriez déshonoré...* Aussi Hardman (*op. cit.*) en a-t-il mis l'authenticité en doute ; ce serait un faux fabriqué après coup pour souligner l'imprévoyance de Hompesch.

La lettre nous est connue par deux sources indépendantes :
– Doublet (*Mémoires*), qui en fournit le texte et en attribue la paternité au bailli de Schoenau ;
– le bailli de La Tour-du-Pin (B.N. Malte, Lib. 1130), qui parle seulement d'une mise en garde adressée par De Bray (adjoint de Schoenau).

Je tiens donc pour prouvée l'existence d'une dépêche de Rastatt. Mais Doublet, en la reconstituant de mémoire, l'aura enjolivée, suivant son habitude.

D'après La Tour-du-Pin, Hompesch aurait bénéficié d'ailleurs d'un autre avertissement, en provenance de Lomellini, représentant de l'Ordre à Gênes. Il n'en aurait pas tenu compte davantage.

P. 181. *Les ossements découverts par André de Saint-Simon*
Le site décrit est inspiré de celui de Hal Saflieni, mis au jour plus tard. Mais dès l'époque des chevaliers, l'archéologie était florissante à Malte.

P. 201 *sq. Combien de chevaliers se trouvaient à Malte lors de la capitulation ?*

Un manuscrit datant du couronnement de Hompesch et cité par M. Galea indique les effectifs suivants pour l'ensemble des membres de l'Ordre (chapelains et servants compris) résidant à Malte :

Langue de Provence	118	Langue d'Italie	139
d'Auvergne	58	d'Aragon	30
de France	133	de Castille	27
	309	d'Allemagne	11
		de Bavière	12
			219

Total général : 528 (ou 555 avec les sœurs de Sainte-Ursule), dont environ 400 chevaliers *stricto sensu.*

Un an plus tard, l'effectif ne pouvait avoir beaucoup changé.

Que sont devenus les Français ? Les listes publiées par Villeneuve-Bargemont permettent de dresser la statistique suivante :

Embarqués vers la France	80
Embarqués vers l'étranger	92
Ont suivi Hompesch à Trieste	15
Ont suivi Bonaparte en Égypte	49
Restés à Malte	28
	264

Une différence de 45 Français apparaît par rapport à l'année précédente. Elle peut s'expliquer en partie par des retours de chevaliers en France, juste avant le coup d'État du 18 fructidor qui interrompit le mouvement. De toute façon, les listes de Bargemont sont incomplètes. Dans le cas des départs vers l'Égypte, en les combinant avec les deux autres sources disponibles (Boisgelin et *Correspondance de Napoléon*), je parviens à 52 au lieu de 49 (plus 4 chevaliers venus de France avec l'armée républicaine).

P. 266. *Les expulsés de La Valette pris entre deux feux*

Fait rapporté par Ransijat dans son journal (messidor an VII). Les expulsés sont restés vingt-quatre heures dans cette position peu confortable.

P. 276. *Les sentiments de Nelson envers les Français*

« *My blood boils at the name of a Frenchman. I hate them all — Royalists and Republicans.* » (Lettre du 9 novembre 1799, *The Dispatches, op. cit.*).

P. 277. *Le chevalier Oreste*
Silvain du Peyroux, de la Langue d'Auvergne, auteur d'un livre sur la perte de Malte, qu'il avait dédié à un Pylade peut-être imaginaire.

P. 295. *Les Filomarino*
Plusieurs membres de cette grande famille napolitaine ont connu de graves ennuis en 1799, à l'arrivée des Français ou à leur départ. Je n'ai pu déterminer lequel était l'époux d'Angelina Muscat-Dorell.

P. 299. *Cornelia Knight*
Intervint-elle pour faire libérer Dolomieu ? Le compilateur de son *Autobiography* le pense. Mais ce fut sans doute discret, et certainement inefficace.

Dolomieu ne cite pas Cornelia dans sa liste de femmes aimées, dressée en prison ; peut-être de crainte de la compromettre.

P. 307. *Le Maltais Barbara*
Il sortit plus tard du bagne de Tunis et prit du service chez le roi Murat. Alors qu'en 1815 celui-ci fuyait les troupes du Bourbon de Naples, ce fut Barbara qui le livra. Décidément, il avait la trahison dans le sang.

P. 350. *Incoulable île de Malte*
Allusion à la Seconde Guerre mondiale, durant laquelle Malte fut qualifiée de porte-avions incoulable.

P. 352-353. *Les invités de Litta*
Le ministre de Sardaigne n'est autre que Joseph de Maistre, et le livre en préparation, ses *Soirées de Saint-Pétersbourg,* où le personnage du chevalier incarne, croit-on, Gabriel de Bray.

Le comte polonais est Jean Potocki, chevalier inachevé (que l'on a vu traverser rapidement *Dieu est-il gentilhomme ?*), également auteur du *Manuscrit trouvé à Saragosse.*

P. 354. *L'icône de Notre-Dame de Philerme*
En 1918, la tsarine l'envoya secrètement à Belgrade, aux bons soins de la famille royale serbe. On ne sait ce qu'il en advint ensuite.

P. 357. *La dévolution d'une île grecque à l'Ordre de Malte*
L'idée en fut reprise un peu plus tard, lors de la guerre d'indépendance grecque, mais sans plus de succès.

P. 359. *Le destin des personnages*
Peut-être le lecteur voudra-t-il connaître aussi le sort de personnages secondaires, qui n'avaient point l'honneur d'appartenir à l'Ordre.

Les Maltais compromis avec les Français furent expulsés par les Anglais et, après avoir refusé de participer à la mise en valeur de la Corse, vinrent pour la plupart échouer à Marseille. Ainsi la famille Antoine Poussielgue, riche devenue pauvre, qui ne put recouvrer les créances qu'elle détenait sur le grand maître Hompesch ou sur la Langue de Bavière. De même Vassalli, bon linguiste mais piètre conspirateur, à qui l'on fit épouser une fille Formosa de Frémaux : mariage conclu sous les auspices de la franc-maçonnerie. Plus heureux que les Poussielgue, Vassalli put toutefois regagner son île natale.

Ayant fui cette même île lors de la reprise des hostilités, en 1803, Ovide Doublet se retrouva à Tripoli d'Afrique, puis en France, où il fit venir sa famille de Malte. Bien que ne parlant pas un traître mot d'allemand, il fut nommé agent consulaire de Bavière à Rome, par l'entremise de Mgr de Chersonèse : autre miracle de la maçonnerie. Vers la fin de sa vie, il dut mendier les secours d'un chevalier.

Un seul de ces exilés connut vraiment le succès sur le continent : le compositeur franco-maltais Nicolo Isoard, auteur de nombreux opéras-comiques. La rue Nicolo rappelle son souvenir, dans le XVIe arrondissement de Paris.

Quant à Étienne Poussielgue, cousin continental d'Antoine, Napoléon ne lui pardonna jamais d'avoir négocié avec les Anglais une évacuation prématurée de l'Égypte. Il finit inspecteur général des finances, emploi sans grand lustre à l'époque.

P. 360. *La ville hantée par les chevaliers*

L'Auberge d'Allemagne a été détruite la première, pour faire place à une église anglicane.

Rasées par les bombes en 1943, l'Auberge de France et l'Auberge d'Auvergne ont été remplacées respectivement par une maison des syndicats et par un palais de justice.

Les autres Auberges nous ont été conservées. Provence est un musée. Aragon et Castille sont des ministères. Italie est devenue la grande poste, et Bavière un bâtiment administratif.

La compagnie aérienne Air Malta a repris comme emblème la croix octogone.

Sources

ARCHIVES

Bibliothèque nationale de Malte :

Outre les archives de l'Ordre, assez lacunaires pour la période en cause, on y trouve notamment :
– un récit de la perte de Malte par le bailli de La Tour-du-Pin (que l'on ferait bien d'imprimer, avant que les vers n'achèvent de lui régler son compte) ;
– les papiers du sieur de Mayer-Knonau, chevalier honoraire, puis chevalier à part entière, qui fut mêlé à la plupart des intrigues de l'époque ;
– des documents de l'occupation française, dont les procès-verbaux de la Commission de gouvernement.

Archives nationales, Paris :
– A. F. III : correspondance de Malte avec le Directoire, documents russes saisis, journal de siège du général Vaubois.
– F. 7 (police générale), numéros 4313 *sq.* : huit cartons pleins des ennuis des chevaliers qui voulurent se faire radier de la liste des émigrés, et rentrer en France. Le dossier des frères de Dolomieu se trouve un peu plus loin, au nº 5178.

Archives du Quai d'Orsay, correspondance politique :
– Malte, 1790 à 1815 (6 volumes).
– Russie, 1793 à 1803 (4 volumes).

OUVRAGES IMPRIMÉS

Pendant quelques années (1798-1803), Malte fut au centre de la grande politique européenne. D'où un bon nombre d'ouvrages imprimés, la concernant de manière directe ou indirecte.

Par égard pour le lecteur, je m'abstiens de citer les dictionnaires biographiques et les armoriaux, ainsi que les livres déjà cités dans *Dieu est-il gentilhomme ?* Parmi les autres, je me limite à ceux qui m'ont été réellement utiles.

Il n'existe pas d'ouvrage traitant de mon sujet dans sa globalité, c'est-à-dire la perte de Malte et la diaspora des chevaliers.

Généralités sur l'Ordre, entre 1791 et 1815

Bonnier d'Alco, *Recherches sur l'Ordre de Malte,* Paris, an VI. Le point de vue d'un juriste jacobin.

Harrison Smith, *The Order of St John, from the Fall of Hompesch,* Malte, 1964.

Mémoires historiques pour l'Ordre souverain de Saint-Jean-de-Jérusalem, publié par la Commission des trois Langues françaises (en fait, Marchangy), Paris, 1816. Exemple, parmi d'autres, de toute une littérature de justification.

Salles (F. de), *Annales de l'Ordre de Malte,* Vienne, 1889.

Villeneuve-Bargemont, *Monuments des grands maîtres de l'Ordre de Saint-Jean-de-Jérusalem,* 2 vol., Paris, 1829.

La conquête française et ses suites pour Malte

Azopardi (baron), *Giornale della presa di Malta,* Malte, 1836.

Bosredon-Ransijat, *Journal du siège et blocus de Malte,* Paris, an IX.

Correspondance secrète d'un chevalier de Malte, Paris, 1802. Attribué à Silvain du Peyroux, le chevalier Oreste du roman.

Denaro (V.), *The French in Malta,* Malte, 1963.

Hardman (W.), *A History of Malta,* Londres, Longmans, 1909. Le meilleur ouvrage, dans sa catégorie.

Laferla (A. V.), *British Malta,* Malte, 1938.

Mayer (chevalier de), *La Révolution de Malte en 1798.* Réponse au manifeste du prieuré de Russie, 1799. Récit d'un polygraphe embauché par Hompesch, mais qui n'avait pas été témoin oculaire.

Mifsud (Mgr A.), *Origine della sovranità inglese su Malta,* Malte, 1907.

Scicluna (H.), *Actes et Documents pour servir à l'histoire de l'occupation française de Malte,* Malte, 1923.

Terrinoni (G.), *Memorie storiche della resa di Malta ai Francesi,* Rome, 1867.

L'aventure de l'Ordre en Russie

1) *Ouvrages concernant directement cette aventure.*

Annales historiques de l'Ordre souverain de Saint-Jean-de-Jérusalem, Pétersbourg, 1799. Attribuées à Maisonneuve. Traitent aussi de la reddition de Malte à Bonaparte.
Berg (E. von), *Der Malteseorden und seine Beziehungen zu Russland,* Riga, 1879.
Georgel (abbé), *Voyage à Saint-Pétersbourg en 1799-1800,* Paris, Eymery, 1818.
Jouveau du Breuil, *Réponse au livre blanc,* Lavaur, 1966.
Pierling (P.), *La Russie et le Saint-Siège,* t. V, Plon, 1912.
Recueil de la Société historique russe, t. II, 1868. Lettres de G. Litta en français, présentation en russe.
Rouët de Journel (M. J.), *Nonciatures de Russie,* de 1783 à 1806. Bibliothèque apostolique vaticane, cinq volumes parus de 1922 à 1957. Présentation en français, plupart des documents en italien.
Taube (M. de), *L'Empereur Paul et son Grand Prieuré russe,* Paris, 1955.
Toumanoff (C.), *L'Ordre de Malte et l'Empire de Russie,* Rome, 1979.

2) *Ouvrages périphériques ou éléments de décor.*

Archives Vorontzoff, publiées à Moscou. Présentation en russe, plupart des lettres en français. Voir notamment t. VIII (1876), lettres de Rostoptchine ; t. XIV (1879) et XVIII (1880), lettres de Kotchoubey ; t. XX (1880), lettres de Markoff.
Benckendorff (D. de), *La Favorite d'un tsar, Catherine Nelidow,* Mercure de France, 1902.
Czartoryski (A.), *Mémoires,* 2 vol., Plon, 1887.
Golovkine (F.), *La Cour et le Règne de Paul Ier*, Plon, 1905.
Kobeko (D.), *La Jeunesse d'un tsar,* traduit du russe, Calmann-Lévy, 1896.
La Fuye (M. de), *Rostoptchine, européen ou slave ?* Plon, 1937.
Schilder (N.), *Histoire anecdotique de Paul Ier*, traduit du russe, Calmann-Lévy, 1899.
Soloveytchik, *Potemkine,* traduit de l'anglais, Gallimard, 1940.
Tratchevski, *Les Rapports de la France et de la Russie sous Napoléon Ier, de 1800 à 1804,* 2 vol., Pétersbourg, 1890-1891.
Waliszewski, *Autour d'un trône,* Plon, 1894.
– *Paul Ier*, Plon, 1912.

L'expédition d'Égypte et la participation des chevaliers

Bernoyer (F.), *Bonaparte en Égypte et en Syrie,* lettres inédites, Urandera, 1981.
Correspondance de Napoléon, Plon, à partir de 1858. Les tomes II et III traitent de la campagne d'Italie et des prodromes de l'expédition d'Égypte. Le tome IV, de la prise de Malte et des débuts en Égypte. Le tome V, du séjour en Égypte. Les tomes VI à VIII, des tentatives pour débloquer Malte, de la paix d'Amiens et de ses suites.
Charles-Roux (F.), *Bonaparte gouverneur d'Égypte,* Plon, 1936.
Denon (V.), *Voyage dans la basse et la haute Égypte,* 3 vol., Didot, 1803.
Desgenettes (R.), *Histoire médicale de l'armée d'Égypte,* Didot, 1830.
– *Souvenirs d'un médecin de l'expédition d'Égypte,* Calmann-Lévy, 1893.
Lacroix et Daressy, *Dolomieu en Égypte,* Mémoires présentés à l'Institut d'Égypte, 1922.
La Jonquière (C. de), *L'Expédition d'Égypte,* 5 vol., Lavauzelle, 1900. Une mine d'informations. Le tome I contient un bon chapitre sur la prise de Malte. Malheureusement, la série s'achève avec le retour de Bonaparte en France.
Malus, *Agenda,* publié par le général Thoumas, Champion, 1892.
Rigault (G.), *Le Général Abdallah Menou,* Plon, 1911.
Rousseau (F.), *Kléber et Menou en Égypte depuis le départ de Bonaparte,* Picard, 1900.
Villiers du Terrage (M. de), *Journal et Souvenirs de l'expédition d'Égypte,* Plon, 1899.
Walsh (Th.), *Journal of the Late Campaign in Egypt,* Londres, 1803.

L'arrière-plan napolitain

Helfert (F. von), *Fabrizio Ruffo, Revolution und Gegen-Revolution,* Vienne, 1882.
– *Königin Carolina,* Vienne, 1878.
Hüffer (H.), *Der Krieg des Jahres 1799,* 2 vol., Gotha, 1904.
– *La Fin de la République napolitaine,* Paris, 1904.
Sansone (A.), *Gli avvenimenti del 1799 nelle due Sicilie,* Palerme, 1901.
Auriol (C.), *La France, l'Angleterre et Naples de 1803 à 1809,* 2 vol., Plon, 1904.

Le rôle des Britanniques

Elliot (Sir G.), *Correspondance avec le gouvernement anglais,* Bastia, 1892. Traduction Caraffa.
Mahan (A. T.), *The Life of Nelson,* 2 vol., Londres, 1897.
Nelson (H.), *The Dispatches and Letters,* 5 vol., Londres, Colburn, 1845.
Paget (A.), *The Paget Papers,* 2 vol., Londres, Heinemann, 1896.
Turquan (J.) et D'Auriac (J.), *Lady Hamilton,* Émile-Paul, 1913.

Sur certains personnages

Bosredon-Ransijat, *Dialogues sur la Révolution française,* Paris, an XII. Mêlés de quelques souvenirs personnels.
Cremona (A.), *Vassalli and His Times,* Malte, 1940.
Galea (M.), *Ferdinand von Hompesch, a German Grandmaster,* Malte, 1976.
Grouvel (Vte), *Les Corps de troupe de l'émigration française,* 3 vol., La Sabretache, 1957 à 1961. Quelques détails sur les chevaliers combattant dans les unités d'émigrés.
Lamartine (A. de), *Voyage en Orient,* t. IV, Gosselin, 1835. Contient le récit plus ou moins véridique fait par un certain Fatallah des aventures de Lascaris en Syrie et en Arabie.
Notice généalogique sur la famille de Saint-Exupéry, Paris, 1878.
O'Hara (V.), *Anthony O'Hara, Memoirs of a Russian Diehard,* Londres, Richards, 1938.
Revue de la Révolution, t. V, Paris, 1885. Article sur les frères La Tour-du-Pin Montauban.
Sade (L.-Ph. de), *De la Tydologie,* 2 vol., Londres, 1810 et 1813. Fatras pseudo-scientifique, où surnagent quelques témoignages historiques.
Sulkowski (J.), *Mémoires,* Mesnier, 1832. En fait, fragments rassemblés par Hortensius de Saint-Albin.
Zychlinski, *Zlota ksiega szlachty polskiéj,* t. IV, Poznan, 1882. Contient quelques pages sur Sulkowski et sa famille.

Aux remerciements figurant dans le volume précédent, et que je renouvelle bien volontiers, j'ajoute l'expression de ma gratitude envers MM. Robert et François de Boisgelin, M. Didier de Bonvouloir, Mme de Chanaleilles, M. et Mme Edmond de la Guérivière, le commandant de La Tourrette, M. de Saint-Exupéry, ainsi qu'envers la Bibliothèque Raczynski à Poznan.

Le cycle des Britanniques

Elliot (Sir G.), *Correspondance avec le gouvernement anglais*, Bastia, 1982. Traduction Canilla.
Mahan (A. T.), *The Life of Nelson*, 2 vol., Londres, 1897.
Nelson (H.), *The Dispatches and Letters*, 5 vol., Londres, Colburn, 1845.
Paget (A.), *The Paget Papers*, 2 vol., Londres, Heinemann, 1896.
Turquan (J.) et D'Auriac (J.), *Lady Hamilton*, Émile-Paul, 1913.

Sur certains personnages

[illegible]-Lemaignan, *Dialogues sur la Révolution française*, Paris, an XII. Notes de quelques contemporains.
Cremona (A.), *Vassalli and his Times*, Malta, 1940.
Galea (M.), *Ferdinand von Hompesch, a German Grandmaster*, Malta, 1976.
Grouvel (Vte), *Les Corps de troupe de l'émigration française*, 3 vol., La Sabretache, 1957-1964. Quelques détails sur les chevaliers combattant dans les troupes d'émigrés.
Lamartine (A. de), *Voyage en Orient*, t. IV, Gosselin, 1835. Contient le récit plus ou moins véridique fait par un certain Fatalah des aventures de Lascaris en Syrie et en Arabie.
Notice généalogique sur la famille de Saint-Exupéry, Paris, 1878.
O'Hara (V.), *Anthony O'Hara, Memoirs of a Russian Diplomat*, Londres, Richards, 1938.
Revue de la Révolution, t. V, Paris, 1885. Article sur les frères La Tour du Pin Montauban.
Salt (L. Ph. de), *Sir L.* [illegible], 2 vol., Londres, 1816 et 1817. Roman pseudo-scientifique où surnagent quelques personnages historiques.
Saint-Albin (G.), *Mémoires*, Monaco, 1832. En fait, fragments rassemblés par Hortensius de Saint-Albin.
Zychlinski, *Złota księga szlachty polskiej*, t. IV, Poznań, 1882. Contient quelques pages sur Sulkowski et sa famille.

*
* *

Aux remerciements figurant dans le volume précédent, et que je renouvelle bien volontiers, je joins l'expression de ma gratitude envers MM. Robert et François de Beauchamp, M. Didier de Bonnevalet, Mme de Chambrelan, M. et Mme Edmond de la Guerrière, le commandant de La Tourrette, M. de Saint-Exupéry, ainsi qu'envers la Bibliothèque Raczynski à Poznań.

Repères

- *septembre 1792 :* l'Assemblée législative décide la suppression de l'Ordre de Malte en France, et la vente de ses biens français
- *août 1794 :* chute de Robespierre
- *décembre 1796 :* mort de Catherine II ; Paul Ier tsar de Russie
- *juillet 1797 :* mort du grand maître Rohan, remplacé par Ferdinand de Hompesch
- *septembre 1797 :* coup d'État du 18 fructidor ; l'influence jacobine redevient prédominante dans la France du Directoire
- *octobre 1797 :* traité de Campo-Formio ; Bonaparte tourne ses regards vers l'Orient
- *12 juin 1798 :* Malte capitule devant Bonaparte
- *1er juillet 1798 :* l'armée française débarque en Égypte
- *1er août 1798 :* Nelson détruit l'escadre française à Aboukir
- *septembre 1798 :* début du siège de Malte par les Anglo-Portugais, qui va durer deux ans
- *novembre 1798 :* le tsar Paul Ier est élu grand maître de l'Ordre de Malte
- *janvier à juin 1799 :* l'armée française occupe Naples.
- *août 1799 :* Bonaparte quitte l'Égypte
- *novembre 1799 :* Bonaparte prend le pouvoir à Paris
- *septembre 1800 :* capitulation de la garnison française de Malte, remplacée par une garnison anglaise
- *mars 1800 :* assassinat de Paul Ier ; Alexandre Ier tsar de Russie
- *août 1801 :* l'armée française évacue l'Égypte
- *mars 1802 :* paix d'Amiens ; Malte doit être rendue à l'Ordre
- *mai 1803 :* l'Angleterre refuse de rendre Malte ; reprise des hostilités en Europe
- *juin 1815 :* clôture du congrès de Vienne

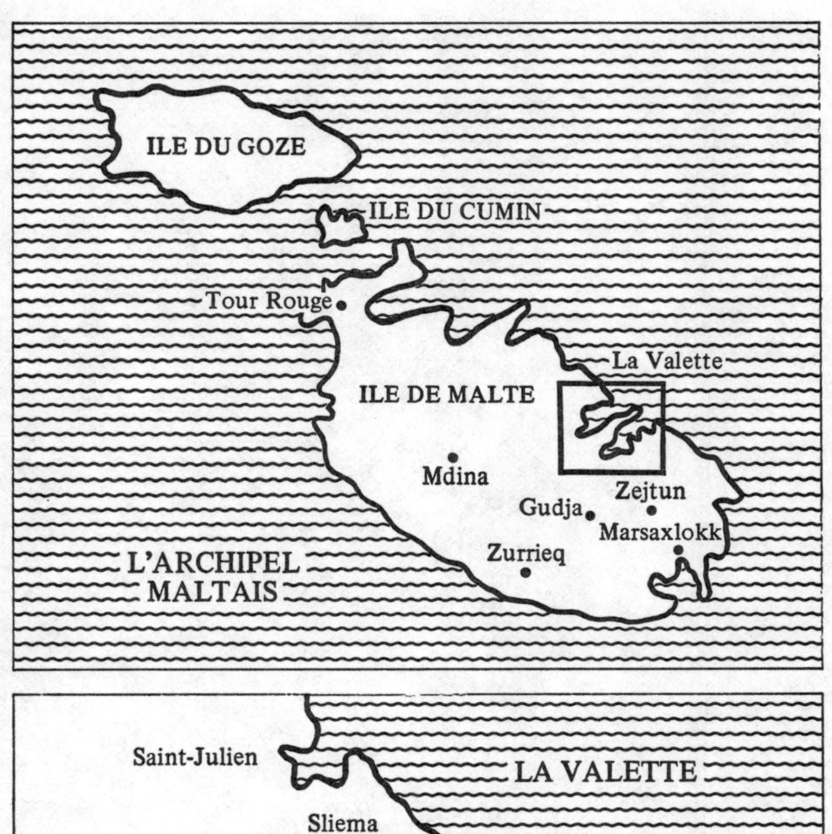
ILE DU GOZE
ILE DU CUMIN
Tour Rouge
La Valette
ILE DE MALTE
Mdina
Zejtun
Gudja
Marsaxlokk
Zurrieq
L'ARCHIPEL
MALTAIS

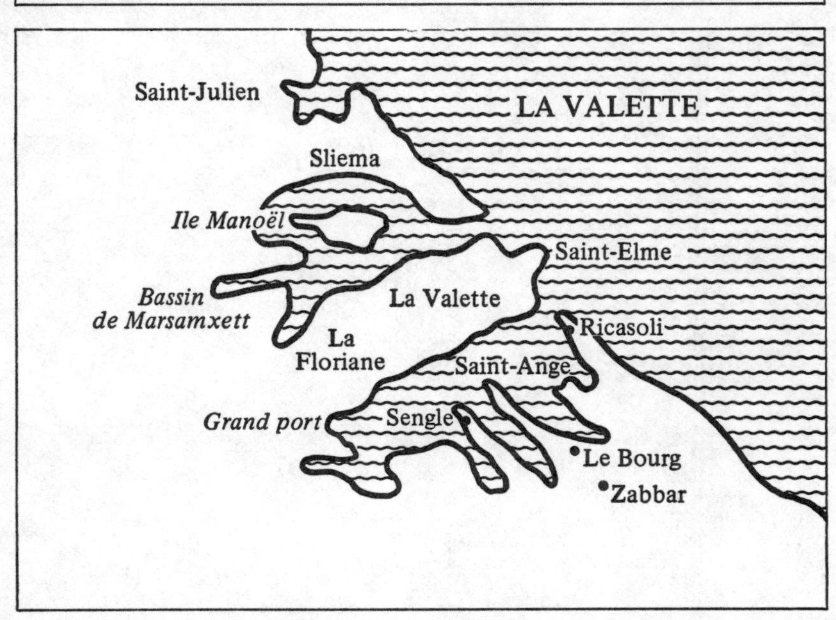
Saint-Julien
LA VALETTE
Sliema
Ile Manoël
Saint-Elme
Bassin
de Marsamxett
La Valette
Ricasoli
La
Floriane
Saint-Ange
Grand port
Sengle
Le Bourg
Zabbar

IMPRIMERIE S.E.P.C. A SAINT-AMAND (CHER)
DÉPÔT LÉGAL : AVRIL 1987. N° 9600 (370-152)